# Union Atlantic

Van Adam Haslett verscheen eerder bij Uitgeverij Atlas:

*Je bent geen vreemde hier*

# Adam Haslett

# *Union Atlantic*

## Roman

Vertaald door
Eugène Dabekaussen en Tilly Maters

Uitgeverij Atlas – Amsterdam/Antwerpen

De twee citaten van Milton op p. 96 en p.260 zijn afkomstig
uit John Milton, *Het paradijs verloren*,
vertaald door Peter Verstegen, Amsterdam 2003

Dit boek is een fictief werk. Namen, personages, bedrijven,
organisaties, plaatsen en gebeurtenissen komen ofwel voort uit
de fantasie van de auteur of zijn in een fictieve context gebruikt.
Elke gelijkenis met bestaande personen, levend of dood,
gebeurtenissen of plaatsen berust op toeval.

© 2009 Adam Haslett
© 2009 Nederlandse vertaling: Eugène Dabekaussen en Tilly Maters
Oorspronkelijke titel: *Union Atlantic*
Oorspronkelijke uitgave: Nan A. Talese, New York

Omslagontwerp: Roald Triebels, Amsterdam
Omslagillustratie: Getty Images
Foto auteur: Beowulf Sheehan

ISBN 978 90 450 1609 2
D/2009/0108/634
NUR 302

www.uitgeverijatlas.nl

Voor mijn moeder
Nancy Faunce Haslett

# Juli 1988

Op hun tweede avond in de haven van Bahrein besloot iemand in de staf van de admiraal dat alle bemanningsleden van de Vincennes op zijn minst een gratis pakje sigaretten verdienden. Dat gebaar viel in goede aarde, totdat de voorraad van de kantine en vervolgens die van de automaten op was, en een vijftigtal matrozen en enkele onderofficieren zich beroofd zagen van het enige blijk van waardering dat ooit iemand hun voor hun ontberingen had geboden. Een aantal van hen, behoorlijk dronken, liep te hoop bij de voorraadkamer en eiste dat die werd geopend om de belofte gestand te doen. De stafmedewerker van de admiraal trok, in het besef dat hij een probleem had, Vrieger terzijde, overhandigde hem een envelop met wat contanten en zei hem dat er bij de poort een jeep met chauffeur op hem wachtte.

'Die zaak aan de Al Budayyai is vast nog open. Haal maar wat je te pakken kunt krijgen. Desnoods menthols. Als je maar opschiet.'

'Kom mee, Fanning,' zei Vrieger. 'We gaan een ritje maken.'

'Maar ik heb de mijne al,' antwoordde Doug, terwijl hij zijn half opgerookte pakje Carltons omhooghield. Drie of vier biertjes hadden hun sedatieve werk gedaan en hem hier gebracht op deze bank achter de officiersmess, waar hij alleen maar rust zocht.

'Het gaat niet om jou.'

Doug maakte zijn ogen los van de linoleum vloer en zag de vierkante kop van zijn luitenant over zich heen hangen. Het was geen knappe kerel, met ogen die te klein waren voor zijn brede kop en een grote mond met een zware kaak. De bril met het vierkante, metalen montuur maakte hem nog ouwelijker, terwijl hij met zijn eenendertig jaar maar tien jaar ouder was dan Doug. Vrieger was de enige figuur in de marine die meer van hem wist dan de plaats waar hij vandaan kwam en de bases waar hij was opgeleid, en dat zei wel iets.

Hij hees zich van de bank en volgde Vrieger door de achterdeur van de mess.

Buiten was de temperatuur gedaald tot onder de dertig graden, maar de lucht was nog klam en vergeven van de geur van dieseldamp. Op anderhalve kilometer afstand rezen in het schijnwerperlicht tegen de lege avondhemel aan de overkant van de woestijnvlakte de naaldtorens en minaret van de Grote Moskee op. Deze vooruitgeschoven basis in Juffair, een tussenstopeiland in de Perzische Golf, bestond uit een hectare aan gebouwen langs de haven ten zuidoosten van Manama. Als de uitzending volgens plan zou zijn verlopen, was Doug van hieruit teruggekeerd naar de Verenigde Staten. Maar wie wist wat er nu zou gebeuren?

Hij schoof op de achterbank van de jeep, strekte zich er niet helemaal op uit, maar zat ook niet bepaald rechtop.

'Waarheen?' vroeg de chauffeur, toen ze de doorploegde tweebaansweg naar de hoofdstad opreden.

'Rij de stad maar in,' zei Vrieger tegen hem.

'Dat was me wel even een luchtgevecht waar jullie in verzeild raakten, hè?'

'Dit joch klinkt alsof hij vijftien is,' riep Doug. 'Jongen, je lijkt wel vijftien.'

'Nee, sir. Ik ben achttien.'

'Het was geen luchtgevecht,' zei Doug. 'Geen lucht, weinig gevecht.'

'Kop dicht,' zei Vrieger, die zich naar de chauffeur overboog om te vragen of ze zich misschien aan een of andere maximumsnelheid hielden. De jeep schoot vooruit. Doug liet zich dieper op de bank zakken om zijn gezicht uit de wind te krijgen en sloot zijn ogen.

De hele ochtend had hij aan de telefoon gehangen met een staflid van het Naval Weapons Centre, thuis in Virginia, over de banden van de Vincennes, en daarna de hele middag met de onderzoekers, om steeds weer dezelfde vragen te beantwoorden: toen het vliegtuig op Siporski's scherm opdook, wat deed luitenant Vrieger toen? Om een identificatie vragen. En wat was het antwoord? Mode III. Dus de eerste keer dat jullie het vliegtuig identificeerden, was het niet-militair, klopt dat? Ja. En zo maar door, urenlang, ieder antwoord geherformuleerd tot een nieuwe vraag, alsof ze geen woord verstonden van wat hij zei. Zelfs geen 'dat moet niet makkelijk zijn geweest', zelfs geen hand bij het begin. Hij had hun de waarheid verteld. Op iedere vraag had hij de waarheid verteld. Ze hadden naar de banden geluisterd. Ze wisten wat Doug op zijn scherm had gezien en wat hij niet had gerapporteerd. Toch hadden ze hem niet één keer gevraagd welke informatie hij aan Vrieger doorgegeven had, alsof ze het verhaal dat ze wilden vertellen al kenden. Thuis waren de gezamenlijke stafchefs de gebeurtenissen kennelijk al aan het afdekken.

*Het treffen vond plaats in internationale wateren.* Onwaar.

*De Vincennes handelde om een met vlaggen gemarkeerde tanker te beschermen.* Onwaar.

Terwijl het joch de gaten in de weg vermeed en de jeep langzaam van de ene kant naar de andere slingerde, klonk op de radio een liedje van Journey. De week voordat Doug zijn ouderlijk huis had verlaten om bij de marine te gaan, had hij naar datzelfde liedje geluisterd op de achterbank van de auto van een vriend, op de parkeerplaats van een winkelcentrum in Alden, Massachusetts. Nu hij het weer hoorde – die geweldige stadionrock met de jankende gitaar en de harde, getourmenteerde stem van de zanger, kwaad om de verloren liefde en de aangerichte schade – zag hij zijn moeder voor zich, alleen in het appartement, en even stelde hij zich de opluchting voor als de jeep te ver naar de andere baan zou slingeren en daar misschien een vrachtwagen zonder koplampen zou raken, en hij zag voor zijn geestesoog de explosie die hen zou verteren, in een even snelle flits als van een scheepsraket die een vliegtuig trof.

Maar dat was zwakheid. Hij wilde niet zwak zijn.

Drie jaar waren verstreken sinds hij uit Alden was vertrokken, zonder zijn moeder te zeggen waar hij heen ging. En hoewel hij de laatste vierentwintig uur, sinds het incident, de neiging had gehad haar te bellen, zou dat betekenen dat hij zich moest verantwoorden, terwijl hij alleen maar iemand het verhaal wilde vertellen. Iemand die er niet bij was geweest.

Gisterochtend was een ochtend als iedere andere geweest. Koffie en cornflakes in de officiersmess en daarna een wandeling over het achterdek, voordat de temperatuur opliep tot boven de vijfendertig graden en de reling te warm werd om aan te raken. Vanaf de achtersteven had hij de wittige buiken van kwallen gezien, die door het kielzog van het schip met de kop naar de zon werden gedraaid en op het schuim dreven, samen met het afval dat van tankers werd gegooid.

Op de heenreis over de Stille Oceaan had hij de laatste aanvragen voor universiteiten geschreven en de brieven naar banken en makelaars waar hij tijdens zijn studie een baan hoopte te krijgen, zo nodig achter de balie of in de postkamer. De meeste jongens die hij kende zochten na hun diensttijd een baan bij defensieaannemers – in de elektrotechniek en dergelijke –, maar hij had altijd geweten dat hij meer wilde.

Beneden in het halfduister van het commandocentrum was zijn dienst rustig begonnen, niets op zijn of op Siporski's monitor dan een Iraanse P-3 bezig met kustsurveillance en enkele commerciële korteafstandsvluchten uit Bandar Abbas naar Doha of Dubai.

Sinds juni was de Vincennes gedetacheerd bij de operatie Earnest Will om Koeweitse tankers door de Straat van Hormoez te escorteren. Koeweit was Saddams grootste bondgenoot in zijn oorlog tegen Iran, en de Amerikaanse Vijfde Vloot had de opdracht zijn schepen te beschermen tegen Iraanse kanonneerboten. Officieel was Amerika neutraal in de Iraans-Iraakse oorlog, maar iedereen wist wie de vijand was: de ayatollahs, de lui die destijds in 1979 de Amerikanen hadden gegijzeld, die het hoofdkwartier van de Amerikaanse marine in Beiroet hadden gebombardeerd.

De kanonneerboten waren niet van de gewone marine, maar van de revolutionaire garde. In feite een troep regeringsgetrouwen in speedboten boordevol mortieren en handvuurwapens. Een helikopterpiloot vertelde Doug dat hij vier kerels had zien knielen op het dek van een stilliggende Boston Whaler-boot, hun hoofden gebogen naar het westen richting Mekka, de raketwerpers als hengels tegen de reling staand.

Als officier van dienst die ochtend nam Vrieger het telefoontje van

het fregat Montgomery aan. Er waren vijf of zes kanonneerboten ge-
lokaliseerd bij het piepkleine eilandje Abu Musa, en ze waren op weg
naar een Duitse tanker.

Toen Vrieger belde naar de kapitein – een man die vlaste op zijn
admiraalsstrepen en het gevecht dat hij nodig had om hem die te bezorgen –, sloeg die direct alarm. Bovendeks en benedendeks begonnen
schoenen te stampen, werden luiken dichtgeslagen en ratelden spor-
ten van touwladders, terwijl mannen het commandocentrum binnen-
stroomden om hun posities in te nemen. Tachtigduizend paarden-
krachten begonnen zo hard te ronken dat het was alsof het achterstuk
van het schip losraakte. Ze liepen veertig knopen voordat de schipper
uit zijn kajuit kwam, waarbij het commandonetwerk in Dougs oor
zich al begon te vullen met gepraat en het signaal zwakker werd toen
het halve schip ging meeluisteren op de Sony-walkmans die, zoals ze
hadden ontdekt, konden worden afgestemd om de actie te volgen.

En toen leek het incident even snel voorbij als het zich had aange-
diend. De Ocean Lord, de helikopter die de kapitein op verkenning
had gestuurd, zei dat de boten zich al leken te verspreiden, van de
tanker vandaan. Toen het commando in Bahrein dit hoorde, kreeg de
Vincennes opdracht weer op koers te gaan liggen.

'Was het dat, kapitein?' vroeg de piloot van de Ocean Lord.

'Nee,' antwoordde hij. 'Volg de boten.'

Op zijn radarscherm zag Doug dat de helikopter in westelijke richting begon te speuren, want de boten die hij achtervolgde lagen te laag
in het water om een permanent signaal op de oppervlakteradar achter
te laten.

Nog geen tien minuten later begon het.

'Onder vuur!' schreeuwde de piloot in zijn radio. 'Trekken ons terug.'

Meer excuus had de kapitein niet nodig om de bevelen van zijn
commando naast zich neer te leggen. In een mum van tijd had hij
het schip binnen achtduizend meter van de Iraanse boten gemanoeu-
vreerd. Op Dougs scherm was er nog steeds geen luchtverkeer, behalve dezelfde P-3 die de kust volgde.

Boven riep de brug twaalf mijl, wat betekende dat het schip, tegen de algemene orders in, Iraanse territoriale wateren was binnengevaren. Doug keek achterom naar Vrieger, die zijn schouders ophaalde. Vrieger mocht de kapitein niet, maar hij was niet bereid tot insubordinatie. Het was te heiig om de boten goed in het vizier te krijgen: de brug kon niet meer dan een paar glimpen in de zon opvangen. De overvallers leken stil te liggen, zich veilig te wanen.

Op zevenduizend meter gaf de kapitein het vijfinchgeschut aan stuurboord bevel het vuur te openen. Doug hoorde de explosie van het kanon, maar gekluisterd aan zijn controlepaneel kon hij zich alleen maar een voorstelling maken van de knallen die oplosten in de hete, zanderige damp. Toen het eenmaal was begonnen, hield het niet meer op. De dreunen weergalmden salvo na salvo tegen de scheepsromp.

Op dat moment zag Siporski het vliegtuig voor het eerst.

'Ongeïdentificeerd uit de richting van Bandar Abbas,' zei hij, 'positie twee-vijf-nul.'

Vrieger stapte naar voren uit zijn stoel om naar de monitor van zijn onderofficier te kijken. Doug zag het nu ook op zijn scherm.

'Identificeren,' beval Vrieger.

Ze moesten ervan uitgaan dat het een vijandig toestel was tot ze een identificatie hadden. De transponder van het vliegtuig zond een Mode iii-signaal terug, wat duidde op een civiel vliegtuig. Vrieger sloeg zijn map op bij het commerciële vluchtschema en liet, zijn ogen tot spleetjes geknepen om het drukwerk te kunnen lezen, zijn vinger langs de kolommen van de vier verschillende tijdzones van de Golf gaan, op zoek naar overeenkomstige cijfers, terwijl de booglichten in het plafond flikkerden bij ieder schot van het dekkanon.

'Waarom staat-ie verdomme niet op het schema?' herhaalde hij steeds, met zijn vinger over de minuscule kolommen schietend.

Iemand schreeuwde dat het stuurboordgeschut was vastgelopen. De kapitein, kwaad, wilde het bakboordgeschut inzetten en gaf bevel het schip scherp te keren, en plotseling slingerde de hele ruimte opzij en vielen papieren, bekers, mappen van tafels en schoven over de vloer. Doug moest zich vastgrijpen aan de zijkant van zijn paneel om overeind te blijven, en het andere kanon van de kruiser begon al te vuren voordat ze helemaal gekeerd waren.

'Shit,' zei Siporski, toen ze weer stabiel lagen. 'Hij is Mode 1 geworden, luitenant, koerst in onze richting twee-vijf-nul.'

Het Aegissysteem van het schip reageerde automatisch op het signaal en liet het symbool voor een F-14 op het grote scherm verschijnen. Iemand schreeuwde over het commandonetwerk: 'Mogelijke Astro.' De Iraniërs hadden een paar keer na een alarm F-14's uit Bandar Abbas laten opstijgen, maar slechts zelden waren ze zo dichtbij gekomen. Het waren de beste vliegtuigen die ze hadden, in de jaren zeventig verkocht aan de sjah.

Vrieger vroeg onmiddellijk Vriend of Vijand.

'Ongeïdentificeerd vliegtuig, u nadert een Amerikaans oorlogsschip in internationale wateren, eis dat u onmiddellijk uw koers verlegt naar twee-zeven-nul, anders krijgt u te maken met defensieve maatregelen, over.'

Geen antwoord.

'Verdomme,' zei Vrieger, die moest schreeuwen om zich boven het geschutvuur verstaanbaar te maken. 'Tweeëndertig mijl, schipper. Wat doen we?'

Op dat moment riep Siporski uit: 'Hij daalt!'

Doug zag dat niet op zijn monitor. Op zijn monitor was te zien dat het vliegtuig steeg naar de hoogte van de commerciële luchtcorridor.

'Hij daalt!' herhaalde Siporski. 'Twee-vijf-nul, hij daalt!'

Het was Dougs taak om zijn bevelvoerend officier te voorzien van alle informatie die van belang was voor de luchtverdediging van het schip. Dat was zijn taak. En toch verstijfde hij, niet in staat iets te zeggen.

Een minuut later gaf Vrieger de vuurleiding opdracht het vliegtuig te 'schilderen'. Het was pas twee minuten tevoren op het grote scherm verschenen. De algemene order was te vuren op twintig mijl. Onder de tien zou te laat zijn. Vrieger probeerde weer contact te krijgen met het vliegtuig, maar kreeg opnieuw geen antwoord.

'Luitenant Vrieger!' riep de kapitein. 'Wat is verdomme de status van dat spook?'

Doug zag op zijn monitor het vliegtuig gestaag stijgen.

Een jaar geleden had een Iraakse F-1 de USS Stark aangezien voor een Iraans schip en twee raketten afgevuurd, waarbij zevenendertig Amerikaanse zeelieden om het leven waren gekomen en het fregat bijna was gezonken. Doug was niet hierheen gekomen om te sterven.

'Hoor je me?' schreeuwde de kapitein. 'Wat is dat voor vliegtuig?'

Vrieger bleef staren naar Siporski's scherm, tegen zichzelf vloekend. En Doug corrigeerde hem niet.

'F-14,' zei Vrieger ten slotte. 'Kapitein, het is geclassificeerd als een F-14.'

'Fanning.'

Hij opende zijn ogen en zag Vrieger van de voorbank naar achteren reiken om aan zijn been te trekken. 'Hier,' zei hij, en overhandigde hem de envelop met geld. 'Jij bent degene die weet hoe je het moet zeggen. Het ziet ernaar uit dat deze vent bezig is de winkel te sluiten. Je moet snel naar binnen voor hij weggaat.'

Ze stonden in een smalle straat met aan weerszijden duistere winkelpuien en op de muren tussen de winkeldeuren over elkaar geplakte affiches met ooit kleurige foto's van blikjes frisdrank en voetbalsterren. Gesloten luiken waren zonder duidelijk patroon verspreid over de beige gepleisterde muren van de appartementen erboven, waar tussen de omlaag gedraaide lamellen licht te zien was. In één winkel, met een metalen luik voor de etalage, brandde nog een peertje.

Doug was onvast ter been toen hij de straat overstak. De scherpe geur van rottend fruit vulde zijn neusgaten, en hij had het gevoel dat hij misselijk werd toen hij bij de stoeprand kwam. Terwijl hij zich met één hand vasthield aan het traliewerk, stak hij de andere erdoorheen, tikte op het glas en wees naar het schap met sigaretten.

De man keek op van achter de toonbank, waar hij over een kasregister gebogen stond. Hij was eerder ongeschoren dan bebaard en gekleed in een gestreept buttondownhemd met opgerolde mouwen, en hij kon net zo goed veertig als zestig zijn. Zijn gezicht was langwerpig en sterk gerimpeld. Hij tuurde om te zien wie hem stoorde, schudde toen zijn hoofd en boog zich weer over zijn berekeningen.

'Ik wil graag sigaretten,' zei Doug, die zijn stem verhief en in gebroken Arabisch een van de twintig zinnen uitsprak die hij uit het taalgidsje had geleerd. 'Ik wil graag sigaretten.'

Ditmaal hief de man langzaam zijn hoofd op en riep in het Engels: 'Kloz'd.'

Met het pak biljetten in zijn vuist geklemd sloeg Doug op het glas. De man legde zijn pen neer en kwam van achter de toonbank naar de andere kant van de deur.

'Heel veel,' zei Doug. 'Ik heb heel veel nodig. Tien sloffen.'

Iets mompelend dat hij door het glas heen niet kon verstaan deed de winkelier de deur van het slot en duwde het traliewerk zo ver omhoog dat Doug met gebogen hoofd kon binnenkomen.

'Alleen omdat mijn klanten deze week niet hebben gekocht wat ze hadden moeten kopen,' zei de man. Zich omdraaiend voegde hij daaraan toe: 'Anders zou ik niet verkopen aan jouw soort. Niet vandaag.'

Van achter een kralengordijn doordrenkte de geur van sudderend vlees de bedompte lucht.

Meer dan ooit wenste Doug dat hij weg was uit deze ellendige vreemde oorden met al hun smerigheid en armoede, terug in Amerika, om aan zijn echte leven te beginnen, het leven dat hij al zo lang had gepland. Maar hij merkte dat hij het donkere haar in de nek van de man, zijn smalle ronde schouders, zijn katoenen flodderbroek en zijn sandalen vastgegespt over de stoffige bruine huid van zijn voeten niet kon negeren.

De rapporten over het incident van gisteren kwamen nog steeds binnen, had Vrieger hem gezegd. Op de basis liet het commando de bemanning geen enkel nieuws van buiten horen of zien.

Het was Vrieger die zijn hand naar het plafondpaneel had uitgestoken en de sleutel had omgedraaid, waardoor op Dougs paneel een knop oplichtte die hij tot nog toe alleen maar had zien oplichten in de kleine uurtjes van war games: toestemming om te lanceren.

'Marlboro's,' zei hij, terwijl hij met zijn ellebogen op de toonbank geleund het tollen in zijn hoofd probeerde te stoppen. 'Geef me Marlboro's. Al die sloffen. Ik wil ze allemaal hebben.'

De winkelier stapte op de tweede sport van zijn ladder en stak zijn hand uit naar het schap waar de rood-witte dozen lagen opgestapeld. Links onder hem, achter de toonbank, stond een televisie op een melkkrat, met het geluid uit. Een besnorde omroeper in een double-breasted pak sprak tot de kijkers. Daarna kwam het interieur van een hangar in beeld, met rijen kisten en plukjes mensen die door de gangpaden ertussen liepen. Het volgende beeld was van dichterbij: een geüniformeerde man opende een langwerpige zwarte zak, en de camera zoomde in op een jonge vrouw van misschien vijfentwintig jaar, maar door dat korrelige scherm en haar opgeblazen gezicht wist je dat niet zeker. Haar lijk hield in verstijfde armen een kind van een jaar of drie, vier, zijn lichaam en grijs geworden hoofd tot pulp geslagen tegen zijn moeders borst. De dode armen hielden de dode jongen stevig vast.

'Achttien mijl,' had iemand – Doug wist niet wie – in het zwakker wordende commandonetwerk geroepen, 'mogelijke commerciële vlucht.'

De schroefwind van een M-2-raket leek op een miniatuurversie van de Space Shuttle gelanceerd van Cape Canaveral, met een withete rookpluim van de lanceerbrandstof. Maar beneden in het commandocentrum had Doug alleen het oorverdovende gebulder gehoord, en een paar seconden later, toen de symbolen op het grote scherm met elkaar in botsing kwamen, de uitbarsting van gejuich.

'Zo,' zei de winkelier terwijl hij de stapel sloffen op de toonbank zette en met een knikje naar de televisie gebaarde, 'u kent die moordenaars, hè?'

'Mijn schip,' zei Doug, terwijl hij rechtop ging staan. Het restje dronkenschap dat hij had weten vast te houden, was nu ineens verdwenen. 'Mijn schip.'

Het had even geduurd voordat de eerste rapporten werden bevestigd. 'Iraanse Airbus. Tweehonderdnegentig passagiers, over.'

De gitzwarte ogen van de winkelier werden groot en zijn bovenlip begon te trillen.

'Die Iraniërs, die zijn verschrikkelijk, maar dit... dit, schande!' zei hij met zijn vinger priemend naar Dougs gezicht. 'Jullie zijn móórdenaars, jullie en jullie regering!'

Doug pakte een aantal biljetten van twintig dollar uit het bundeltje in zijn vuist en legde ze een voor een neer op de toonbank.

'Ik heb een tas nodig,' zei hij.

'Ik hoef je geld niet!' schreeuwde de man. 'Ik hoef het niet!'

Doug nam nog drie biljetten en legde die boven op de rest. Woede welde op in de ogen van de winkelier.

Toen hij de sloffen sigaretten had opgepakt, bleef Doug een moment lang daar bij de toonbank staan. Op de televisie stonden gesluierde vrouwen boven een kleine houten kist te weeklagen.

Nog twintig dagen dienst. Twintig.

'Weet wel, meneer,' zei hij, 'onder de gegeven omstandigheden zouden we het weer doen.'

Toen draaide hij zich om en liep de winkel uit, de duistere straat over, en gooide de sigaretten op de achterbank van de jeep.

'Wat is er met hem aan de hand?' vroeg het joch.

'Rij nou maar, wil je?'

Terwijl ze terugraasden naar Juffair zat Doug rechtop met de wind vol in het gezicht te bedenken hoe lang de brieven die hij in Manila op de post had gedaan erover zouden doen om de kantoren van de colleges en bankinstellingen te bereiken.

# Deel 1

# Hoofdstuk 1

Een bouwkavel. Dat had Doug tegen zijn advocaat gezegd. Koop een bouwkavel voor me, neem een aannemer in de arm en laat een kast van een huis voor me bouwen. Als de buurhuizen vijf slaapkamers hebben, wil ik er zes. Een garage voor vier auto's, de keuken van een sterrenkok, hoge plafonds, marmeren badkamers, alles voorzien van de modernste elektronische snufjes. Alles wat de architectuurtijdschriften voorschrijven. Maak jaloerse types jaloers.

'Wat moet je met een villa?' had Mikey gevraagd. 'Je slaapt haast nooit in je eigen appartement. Je zult alleen maar verdwalen.'

Finden, zei Doug tegen hem. Bouw het in Finden.

En dus had Mikey op een zaterdagochtend in januari 2001 Doug opgehaald van zijn woning in Back Bay en waren ze in een lichte sneeuwbui uit Boston vertrokken in westelijke richting over de snelweg die Doug zo goed kende van zijn jeugd, waar het grijze beton van de viaducten langs de Mass Pike overging in het grijs van de lucht erboven. Het was inmiddels zes jaar geleden dat hij uit New York weer naar Massachusetts was verhuisd. Wat hem daar had gebracht, was een baan bij de Union Atlantic, een handelsbank waarvan de bestuursvoorzitter en CEO, Jeffrey Holland, Doug de expansie van het bedrijf had toevertrouwd. In de jaren daarna hadden zich op de verschillende rekeningen en investeringen die zijn financieel adviseur voor hem had opgezet, salaris op salaris en bonus op bonus gestapeld, maar had hijzelf praktisch niets uitgegeven.

'Wat zit jij er erbarmelijk bij,' had Mikey ooit tegen hem gezegd, toen hij naar Dougs appartement was gekomen om een biertje te drinken en het studentenmeubilair en de boeken nog in hun dozen zag. 'Je moet eens echt gaan leven.'

Mikey, die in zijn eentje werkte, had 's avonds rechten gestudeerd aan de Universiteit van Suffolk, terwijl hij werkte bij een kredietverzekeringsmaatschappij. Hij woonde met zijn vriendin in een van de nieuwe appartementen in Boston-Zuid, op de zevende verdieping en twee blokken ten oosten van het huis waarin hij was opgegroeid en waar zijn moeder nog altijd iedere zondagavond voor hem kookte. Hij noemde zich graag een allround jurist, wat in de praktijk betekende dat hij alles deed behalve zijn cliënten naar hun werk brengen.

Een paar kilometer voor de gemeentegrens van Alden namen ze de afslag naar Finden op een beboste weg die uitkwam op de besneeuwde gazons van een golfterrein, dat in deze tijd van het jaar werd gebruikt voor langlaufen. Ze gingen onder de boog van een oude bakstenen spoorbrug door en bereikten al snel daarna de eerste huizen.

De stad was grotendeels zoals Doug zich herinnerde van de tijd dat hij zijn moeder er naar haar werk had gebracht: veel bos, de huizen ver uiteen, met grote tuinen en lange oprijlanen, en de grotere huizen aan het gezicht onttrokken door hagen en hekken. Toen ze het centrum van de plaats hadden bereikt, zag hij dat de oude winkels hadden plaatsgemaakt voor nieuwe kledingboetieks en gespecialiseerde levensmiddelenwinkels, al waren de uithangborden dankzij een gemeentelijke verordening traditioneel en stemmig gebleven. De banken op de stoepen waren keurig geschilderd, net als de brandkranen, de uitbundig versierde lantaarnpalen en de goedverzorgde houten bloembakken.

Aan het andere eind van dit kleine stadscentrum lagen de huizen weer verder uiteen, de ene grote koloniale villa na de andere, de meeste wit gepotdekseld met zwart lijstwerk. Ze kwamen langs een kerk met een witte torenspits en een besneeuwd kerkhof en sloegen anderhalve kilometer verder een onverharde weg in die naar een lichte helling voerde. Een paar honderd meter het bos in bracht Mikey de auto tot stilstand en zette de motor af.

'Dit is het,' zei hij. 'Twintigduizend vierkante meter. Verderop is een rivier. De overkant ervan is allemaal van de Audubon Society, dus daar heb je niets van te vrezen. Eén ander huis heuvelop rechts en nog een paar aan de overkant daarvan. In iedere andere plaats zouden ze op een perceel van deze afmeting acht huizen hebben gezet, maar de plaatselijke bewoners hebben zich aaneengesloten en het in enorme terreinen verdeeld.'

Ze stapten uit de auto en liepen over de bevroren grond het pad verder af, tot ze aan de oever van de rivier kwamen. Die was slechts vier of vijf meter breed en niet meer dan een meter diep, en stroomde over een bedding van bladeren en bemoste stenen.

'Wonderbaarlijk. Zo rustig als het hier is.'

'De gemeente vraagt twee komma acht,' zei Mikey. 'Mijn mannetje zegt dat we het kunnen krijgen voor tweeënhalf. Dat wil zeggen, als je nog steeds zo gek bent om hiermee door te gaan.'

'Dit is goed,' zei Doug, terwijl hij over het water naar de kale zwarte winterbomen keek. 'Helemaal goed.'

Het duurde een jaar voor het huis klaar was: drie maanden voor het bouwrijp malen van het terrein, het leggen van de pijpen en graven van de fundering, nog eens zeven voor de bouw en daarna nog twee voor het interieur en de inrichting van de tuin. Voor de gepaste som hield Mikey toezicht op alles.

Tegen de tijd dat het klaar was, stond de onroerendgoedmarkt er beter voor, zoals Doug al had voorzien. Na de IT-crisis van 2000 had de Federal Reserve de rentetarieven verlaagd, waardoor de hypotheken goedkoop werden en voor al dat opgeschrikte kapitaal de deuren opengingen om een veilig heenkomen te zoeken in huizen. De aanslagen van 11 september hadden die trend alleen maar versterkt. Deze nieuwe hypotheken gingen de banken in als auto's in een autosloperij, ontmanteld in onderdelen door de Union Atlantic en de andere grote spelers, en vervolgens kritisch gesecuritiseerd en doorverkocht aan de pensioenfondsen en buitenlandse centrale banken. Zo werden de maandelijkse betalingen van de jonge stellen in Californië en Arizona en Florida door financiële alchemie getransformeerd tot een veilige haven voor de binnenlandse liquiditeit en het Chinese overschot, een overschot verdiend met het bevoorraden van de supermarkten waar diezelfde stellen hun boodschappen deden. Met al dat geld in omloop kon de prijs van onroerend goed alleen maar stijgen. Nog voordat Doug de eerste keer zijn voordeur opende, was de waarde van zijn nieuwe eigendom met dertig procent gestegen.

De eerste nacht dat hij in Finden sliep, herinnerde hij zich sinds jaren weer zijn dromen. In één ervan was zijn moeder heen en weer aan het lopen aan het uiteinde van een gymnastieklokaal op de middelbare school, gekleed in een beige regenjas, haar handen in haar zakken, haar hoofd voorovergebogen naar de vloer. Ze waren weer eens te laat voor de mis. Doug riep naar haar van onder de dwergeik in hun piepkleine achtertuin. De bast kwam los en hij zag aderen bloed pompen naar plotseling bezielde en wanhopige takken. Er zat een priester te wachten in een stationair draaiende sedan. In de verte hoorde hij het geluid van het afvuren van een scheepskanon. Zijn moeder, zich onbewust van dit alles, gefixeerd op de vloerplanken voor haar, bleef maar heen en weer lopen. Toen het dek onder hem slagzij begon te maken, rolde Doug op zijn knieën om zijn val te breken.

Hij werd wakker op zijn buik, zwetend. De muur was griezelig ver van het bed en de bleekgele verf die iemand ervoor had uitgekozen, begon vaag op te lichten in het vroege ochtendlicht. Hij ging op zijn rug liggen en staarde naar de stilstaande plafondventilator, de ronde chromen bevestigingsplaat brandschoon als het dek van de Vincennes op inspectiedag.

Daar lag hij dan in zijn villa, zevenendertig jaar oud.

Hij pakte de afstandsbediening naast zich en zette de televisie aan.

*... Israël staat Arafat niet toe om zijn compound op de West Bank te verlaten,* begon de CNN-tekstband*... Pakistan in bespreking met de Verenigde Staten over de uitlevering van de hoofdverdachte in de moord op de journalist van de* Wall Street Journal*... inwoners van Connecticut betalen $ 50 meer per jaar voor vuilnisophaal na het verlies van tweehonderd miljoen door de Staats Vuilverwerking in de deal met Enron...*

Zijn blackberry op de vloer naast zijn sleutels begon te trillen. Het was zijn handelaar in Hongkong, Paul McTeague.

Bankmanagers van Dougs niveau lieten het werven van nieuwe mensen meestal over aan ondergeschikten, maar dat had hij nooit gedaan. Hij wilde zelf zijn mensen kiezen, tot de beurshandelaren aan toe. McTeague was er zo een. Ze hadden elkaar een paar jaar geleden leren kennen op een vlucht naar Londen. McTeague, afgestudeerd aan Holy Cross, was opgegroeid in Worcester en had het vak geleerd van een specialist op de vloer van de New York Stock Exchange. Als hartstochtelijk fan van de Bruins ging zijn gespreksstof niet veel verder dan ijshockey en dergelijke. Hij was achtentwintig en popelde om fortuin te maken. Het menselijke equivalent van een *single-purpose vehicle*, geknipt voor de baan. Meestal wachtte Doug een poosje voordat hij een nieuwe liet weten hoe hij met name de informatiestroom beheerde, dat wil zeggen, de tussenlaag van supervisors omzeilde. Maar hij wist al meteen dat McTeague zijn type was en dus vertelde hij het hem direct: als je een probleem hebt of iemand zit je dwars, moet je me gewoon bellen.

Twee maanden daarvoor, toen het hoofd van het backoffice in Hongkong was vertrokken, had Doug McTeague er als tijdelijke vervanger neergezet, waardoor hij hem verantwoordelijk maakte voor de hele administratie en boekhouding en zo de invloedssfeer vergrootte van iemand die zijn positie aan hem te danken had. Hoe meer ruwe data Doug kon binnensluizen vanaf de frontlinie zonder tussenkomst van alle tweederangs deskundigen, hoe meer hij de resultaten zelf in de hand had.

'Je bent een genie,' zei McTeague, toen Doug de telefoon opnam. 'De Nikkei is nog eens twee procent gestegen. Onze economie zit nog steeds in het slop, maar de Japanse koersen blijven stijgen. Het is prachtig.'

Anderhalve maand geleden, begin februari, waren McTeague en hij op een conferentie in Osaka geweest. Na een van de bijeenkomsten waren ze naar Murphy's gegaan, de bar waar de Australiërs doen of ze Iers zijn. Ze stonden op het punt het die avond voor gezien te houden, toen Doug een hooggeplaatste functionaris van het Japanse ministerie van Financiën zag binnenwankelen met een Koreaanse vrouw die half zo oud was als hij. De man schudde gelaten zijn hoofd toen zijn jonge gezellin meteen naar de bar stapte en een fles whisky bestelde. Nieuwsgierig naar de afloop bestelde Doug nog een rondje, en McTeague en hij gingen er eens goed voor zitten. De ruzie in de hoek escaleerde. De vrouw eiste iets wat de man niet wilde geven en de Tokyose functionaris had het gehad met zijn maîtresse. Ten slotte, na haar tirade van een halfuur, gooide hij geld op tafel en liep de bar uit.

Op dat moment was het idee bij Doug opgekomen: misschien wist de jonge vrouw wel iets.

'Doe me een lol,' had hij tegen McTeague gezegd. 'En ga die vrouw troosten.'

En McTeague had zich uitstekend van zijn taak gekweten. Nadat ze seks hadden gehad, had de maîtresse van de functionaris hem verteld over een plan van het ministerie van Financiën. Ze stonden op het punt een nieuwe prijsstabilisatieronde te lanceren. De Japanse regering zou een scheepslading binnenlandse Japanse aandelen opkopen, waardoor de Nikkei-index zou stijgen en de balansen van 's lands banken, die in de problemen waren, een steun in de rug kregen. Dit was een klassieke zet in een geleide economie, waarbij met publiek geld invloed op marktprijzen werd uitgeoefend. En passant zou de Japanse regering buitenlandse, met name Amerikaanse speculanten die al maanden short gingen op de waarde van de Japanse beurs, grote verliezen bezorgen.

Natuurlijk was het een geheime operatie.

En zo kwam het dat halverwege februari Atlantic Securities, de investeringsbank die twee jaar tevoren door de Union Atlantic als onderdeel van de expansie was opgekocht en voorzien van een nieuwe naam, de enige Amerikaanse firma was die van à la baisse naar à la hausse ging op de vooruitzichten van de Japanse economie. Onder Dougs supervisie had McTeague grote bedragen ingezet op de stijging van de Nikkei, met geld van Atlantic Securities zelf. De daaruit voortvloeiende winsten waren aanzienlijk en stroomden nog steeds binnen. Het zou nog even duren voor het plan van het ministerie van Financiën openbaar gemaakt zou worden en in de tussentijd was er nog heel wat geld te verdienen.

'En,' vroeg McTeague, gretig als altijd, 'hoeveel geld krijg ik morgen om mee te spelen?'

'We zien wel,' antwoordde Doug. 'Bel me als New York open is.'

Het koele marmer van de badkamer voelde heel stevig aan onder de ballen van zijn voeten. Twee enorme wasbakken in de vorm van dienkommen, een voor de heer des huizes en een voor zijn vrouw, bevonden zich tegen de muur aan de overkant onder wandkasten met spiegels. Verder waren er twee douchecabines waar het water uit glimmende stalen douchekoppen in de wanden en het plafond kwam. Daartegenover stond een kruising tussen een jacuzzi en een badkuip zo groot als een terras, alles afgewerkt met leisteen.

Doug liep naar het raam en keek uit over de voorzijde van het huis. Mikey had goed werk geleverd: een imposante gebogen oprijlaan, een enorme vrijstaande garage vermomd als schuur, dat alles te midden van aangenaam weidse gazons. Door een rij kale esdoorns, die op de heuvel was blijven staan als erfscheiding, zag hij een bouwvallige schuur en daarnaast een ouderwets huis met verweerde spanen, een slagzij makende bakstenen schoorsteen en een kleine verzakking in de lange helling van het achterdak. Het was een van die oude saltbox-huizen die typisch waren voor New England en in de gaten werden gehouden door monumentenzorgers, maar zo te zien niet al te scherp. Wie het huis ook bezat, hij of zij leek er niet te wonen. Er groeide on-kruid tussen het grind van de hobbelige oprijlaan. Enerzijds was dit iets heel anders dan een hamburgertent en een winkelcentrum, pre-cies het soort nostalgie waarom mensen hielden van dit soort stadjes, in het dode sterrenlicht van de Amerikaanse landadel, bezaaid met begraafplaatsen vol verweerde grafstenen en hier en daar een veld de-coratieve schapen. Maar een al te zeer vervallen huis kon de waarde van Dougs bezit wel eens nadelig beïnvloeden. Als de een of andere afwezige WASP die zich in zijn luxueuze wijk in Maine had terugge-trokken dacht dat hij een huis zo kon verwaarlozen, moest dat maar eens worden uitgezocht. Hij zou Mikey erachteraan sturen, dacht hij, terwijl hij zijn boxershort uittrok en onder de douche stapte.

Beneden kwam hij door de lege kamers van de villa, en toen hij niet wijs werd uit de toetsen op het touchscreen naast de voordeur, drukte hij op een uit-knop en zag op het scherm de mededeling: Fanning Uitgeschakeld.

Mikey was goed. Hij was heel goed.

Toen hij de trap aan de voorkant van het huis af liep, raakte de late winterzon net de zijkant van zijn garage. Hij keek over het dak van zijn auto en zag een vrouw in een blauw ski-jack uit de achterdeur van het oude huis op de heuvel komen, dat dus kennelijk toch bewoond was. Ze was rijzig en tamelijk mager, had vrij lang grijs haar en een stijve, kaarsrechte houding. Naast haar liepen twee grote honden, een dobermann en een soort mastiff. De twee honden leken te sterk voor haar, alsof de beesten haar omver zouden trekken, maar ze bracht ze met een ruk van haar arm onder controle en ze leidden haar orde-lijk over het stenen pad naar de overwoekerde oprijlaan. Eerst dacht Doug dat ze hem op die grote afstand niet had gezien. Maar op het moment dat hij in zijn auto wilde stappen, wierp ze een blik in zijn richting, en Doug zwaaide.

Ze reageerde niet, alsof ze uitkeek over een leeg landschap.

Ongemanierd of halfblind, hij wist het niet. Langzaam rijdend draaide hij de Winthrop Street op en terwijl hij het raam aan de pas-sagierskant openmaakte, hield hij naast haar stil.

'Goedemorgen. Ik heet Doug Fanning. Het nieuwe huis daar... dat is van mij.'

Even leek het dat ze geen woord had gehoord van wat hij zei en mis-schien op de koop toe nog doof was ook. Maar toen bleef ze plotseling staan, alsof de auto pas op dat moment was verschenen. Terwijl ze de honden in het gareel bracht, boog ze voorover om in de auto te kij-ken. De diepgerimpelde huid van haar gezicht had dezelfde verweerde grijze tint als de zijkant van haar huis. Zonder een woord te zeggen, alsof hij er niet eens was, snoof ze de lucht van het auto-interieur op. De Lexus die hij had geleased voor de nieuwe rit van en naar zijn werk was nog dennengeurfris.

'Bomen,' zei ze. 'Voordat u kwam. Een en al. Bomen.'

En daarmee ging ze weer overeind staan en liep door.

# Hoofdstuk 2

Nu al maanden had Charlotte Graves geprobeerd het nieuwe huis te negeren. Maar hoe kon je je ogen afhouden van een dergelijke enormiteit. Het was ontworpen om de aandacht te trekken.

Toen zij en de honden de volgende ochtend de oprijlaan af liepen, doemde het weer op: een kolossale, witte bouwmassa, drie volledige verdiepingen in het midden, vleugels aan weerszijden en aan de achterkant een uitsteeksel dat een oranjerie of serre moest voorstellen. Een koepel met de afmetingen van een kleine muziektent bekroonde het blok, tussen twee zware, bakstenen schoorstenen. Een portiek op zuilen omlijstte de enorme voordeur. Aan weerszijden daarvan, langs de gevel van het huis, stonden taxushagen in bedden van verse houtsnippers. Het leek nog het meest op een pas geopende golfclub, en de aanleg van de tuin, met zijn lege bloembedden, gesneden uit de kant-en-klare graszoden als ovale knipsels uit een stuk felgroen vouwpapier, en het perfect kruiselings gemaaide gazon dat tot aan de rand van de rivier liep zonder ook maar één plukje onkruid, deed je denken aan het minutieus geknipte gras van een golfbaan. In de rij bij de drogisterij had Charlotte een makelaar het huis horen beschrijven als een neo-Grieks chateau.

Dit was nu in de plaats gekomen van het bos dat Charlottes grootvader aan de stad had geschonken om het te behouden.

In de loop van het afgelopen jaar, toen het werd gebouwd, had ze zich vaak voorgehouden dat het huis slechts de laatste en meest irritante opmars van een veel grotere invasie was, de invasie die tientallen jaren geleden was begonnen, eerst op een afstand, hier en daar zichtbaar, een nieuwerwetse buggy tussen de boekenkasten in de bibliotheek, mensen die zich bij de vleesvitrine druk maakten over de hoeveelheid calorieën. Van recenter tijd waren de gigantische auto's, die eruitzagen alsof alleen nog de geschuttorens op het dak ontbraken, bemand door de kinderen die je van de achterbank aanstaarden. Al jaren besteedde het nieuws zoveel aandacht aan de bomaanslagen in het Midden-Oosten, en nu natuurlijk ook aan die in ons dierbare New York en aan de roofvogels die we ter vergelding loslieten, maar nooit kwamen de ogen van de rijke jongeren ter sprake en het geweld dat daarin smeulde. Ze had het op school gezien, hoe haar leerlingen venijnig waren geworden, veranderd waren in zwaarden in handen van hun leraren. Zodra ze openlijk over die dingen ging praten, was de directeur naar de pensioenraad gestapt en hadden ze haar geloosd. Nadat ze bijna veertig jaar geschiedenis had gegeven aan de kinderen van deze stad hadden ze haar eruit gewerkt omdat ze de waarheid zei.

Met de familie Bennett aan haar ene kant en het bos aan de andere had Charlotte zich altijd veilig gewaand voor de ergste invasie. Haar huis, het oude familiebezit, was een soort verschansing. Nadat ze er al die tijd had gewoond waren de herinneringen die het herbergde een troost noch kwelling voor haar. Het waren eenvoudigweg de sporen van wezens die bij haar in huis woonden. De tijd die ze er alleen woonde had dat voor Charlotte bewerkstelligd, had langzaam de weerbarstige blokkade geslecht van het ik dat zich aanvankelijk zo vele jaren tegen de eenzaamheid had verzet, maar uiteindelijk niets meer had om kracht uit te putten. Niet gevoed door de blokkades van anderen begon de sociale angst te verkwijnen. Het membraan tussen haar en de wereld was gaan ademen. En terwijl deze lichte ontspanning een eind had gemaakt aan het gevoel van onbehagen uit de vroegere jaren, toen dat nog gekoppeld was aan het huwelijksverhaal, had die ontspanning haar steeds ontvankelijker gemaakt voor een diepere, zij het niet precies persoonlijke angst. Zoals, bijvoorbeeld, niet de gedachte, maar de onwillekeurige gewaarwording van iedere ziel die er van uur tot uur op het spel stond op aarde. Iets dat ze niet langer dan een minuut kon verdragen zonder afbreuk te doen aan de integriteit van haar eigen geest. Dus je liet maar een paar lotsbestemmingen per keer toe, in de hoop dat de oogkleppen het uithielden. Met de honden kon ze het nog net aan. Wat een troost bleek zelfs hun alledaagse aanwezigheid als de zwijgende massa van de mensheid aan de poort klopte.

Voor de villa werd gebouwd, waren er de kettingzagen en bulldozers geweest, bomen die als lijken naar de weg werden gesleept. Daarna de graafmachines, cementmolens, spijkerpistolen. Ze was binnen gebleven, kon het niet aanzien. Ze hadden zoveel aarde weggehaald dat de hellingshoek van het land zelf was veranderd. De esdoorns die ze hadden laten staan boven op de heuvel, vanwaar ze nu helemaal tot aan de rivier kon kijken, konden het nieuwe terrein nauwelijks aan het oog onttrekken, zelfs niet toen de bomen in blad stonden, en toen het weer najaar was, kon je het houtskelet van het onvoltooide huis duidelijk door de kale takken heen zien.

Na al die jaren lerares te zijn geweest en de benepenheid van de bestuurders van Finden aan den lijve te hebben ondervonden, had Charlotte moeten weten dat het zover zou komen, dat de stad haar grootvaders vertrouwen zou beschamen. Haar vader zou er misschien iets aan hebben gedaan. Als man met een rotsvast vertrouwen in de wet had hij tot het laatst tegen ambtsmisbruik geprocedeerd. Episcopaal van geboorte, presbyteriaan van karakter, quaker wat onthouding betreft, vrijzinnig tot op het bot. Hij zou een manier hebben gevonden om die idioten tegen te houden. Maar zo niet haar jongere broer, Henry. Nee. Na enkele korte besprekingen met de advocaat, Cott jr., had Henry geopperd dat als het Charlotte te veel werd, de tijd misschien daar was het te verkopen en, zoals hij het uitdrukte, praktischer te gaan wonen.

Zo werd het aan haar overgelaten de strijd te voeren. Ze was zo naïef te beginnen met overreding, had brieven geschreven naar de gemeenteraad en de krant. Toen dat niets meer opleverde dan beleefde antwoorden, ging ze handtekeningen verzamelen bij de supermarkt, mensen informeren over de plannen van de gemeente. Nog maar een paar jaar daarvoor zouden de meeste mensen in ieder geval zijn blijven staan en hallo hebben gezegd. Ze was tenslotte hun lerares geweest, of die van hun kinderen of allebei. Maar nu bekeken ze haar meewarig.

31

Begrotingen waren begrotingen, zei de stad. Ze betreurden het ten zeerste dat ze een stuk grond moesten veilen. Maar het referendum voor de schoolfinanciering had het niet gehaald bij de verkiezingen en ze moesten de tering naar de nering zetten. Het kon ze niet schelen dat ze hun woord gebroken hadden. Het kon ze niet schelen dat het allemaal van een stupide, gedachteloze kortzichtigheid was, alsof een eenmalig meevallertje voor altijd een jaarlijkse uitgave kon financieren. Wat was de overheid tegenwoordig anders dan een slecht in de markt gezette uitverkoop van het algemeen belang?

Maar o, wat zouden ze daar nog spijt van krijgen! Want Charlotte had eindelijk gedaan wat ze jaren geleden al had moeten doen: ze had zich ontdaan van Cott jr., de incompetente zoon van de oude familie-advocaat, een collaborateur die alleen maar had gedaan alsof hij zich tegen de graaicultuur van de gemeente verzette, en ze was zelf in het archief van het gemeentehuis gedoken. En daar had ze ontdekt hoe leugenachtig die idioten waren. Cott jr. had gezegd dat hij geen wettelijke middelen had. Maar hij had ongelijk. Ze had nu zelf een proces aangespannen. Ze had geen advocaat nodig om haar zaak te bepleiten voor de rechter. Ze zou die schurken helemaal alleen in de pan hakken. En hoewel het al laat was, de bomen al geveld, die monstruositeit al gebouwd, zou de overwinning des te zoeter zijn, wanneer ze dat charmeurtje uiteindelijk verjoeg en zijn huis met de grond gelijk maakte.

Alleen al bij de gedachte eraan ontspanden zich haar schouder- en borstspieren, alsof ze al die maanden lang een maliënkolder had gedragen waarvan de ringen nu pas warmer en ruimer werden, zodat ze weer kon ademhalen.

Toen ze de weg opliep langs de familie Bennett, kwam ze bij het lage houten hek langs de golfbaan. Wilkie en Sam snuffelden in de richting van de opening die naar de fairway leidde. Toen ze niemand op de tee zag en de green leeg bleek, volgde ze de honden door de opening het ruwe gras op. De lucht was opgeklaard en nu lichtblauw.

Hoe krankzinnig was het allemaal geweest. Hoe verdorven. Deze affaire met het huis precies hetzelfde als wat er op de school was gebeurd, waar ze haar hadden afgeschopt omdat ze de wereld had beschreven zoals ze was, en bijna iedereen was daarin meegegaan, zo gezagsgetrouw dat een afwijkende mening iets onvoorstelbaars was. Jarenlang had ze in haar blok over de Jazz Age een fotopresentatie over lynchpartijen laten maken. Toen had het hoofd van de sectie haar op een dag meegedeeld dat ze daarmee moest ophouden omdat de protesten van de ouders te luid waren geworden. Ze was er niettemin mee doorgegaan en had het materiaal uit haar eigen portemonnee betaald, met een nieuw omslag waarop ze de betekenis van het onderwerp voor de eigen tijd uitlegde, inclusief citaten uit romans van Tim LaHaye en een zin uit een van de brieven van de ouders met de klacht dat de verplichte lectuur te negatief was.

'Ja. Dachau ook,' had ze op ouderavond tegen de vrouw gezegd.

Die mensen die tegenwoordig deden alsof de wereld een bedreiging vormde, eropuit hun kinderen te ondermijnen of ziek te maken. Wat een benepen geesten. Om je eigen kinderen te behandelen alsof het slappelingen waren. Ze pompten hun suffe zoontjes vol met Ritalin en Adderall en hun chagrijnige dochters met alles wat de psychofarmacoloog voorschreef, maar de onloochenbare feiten van de geschiedenis werden gezien als bacteriën. Ze had niets anders gedaan dan die mensen een beschrijving geven van henzelf. Om die reden was ze incapabel genoemd. Haar enige contact met leerlingen waren nu de kinderen die een van haar collega's haar zo nu en dan stuurde voor bijlessen.

Omdat de honden op de fairway ergens aan snuffelden, bleef Charlotte staan en keek over de helling van de eerste hole naar de rivier en de voetbrug eroverheen.

Haar vader had 's zomers altijd op deze baan gespeeld. In het weekeinde van Memorial Day reed hij met hen hiernaartoe, over de Boston Post Road door Connecticut en Rhode Island en dan door naar Massachusetts. Haar moeder op de voorbank, haar ogen achter een donkere zonnebril, haar gelakte Nantucket-tasje op de vloer bij haar voeten, de handen gevouwen in haar schoot, uit het raampje kijkend met een onderdrukt soort ongenoegen over een of ander onderdeel van de voorbereidingen: bagage, etensplannen of hoe vroeg hun vader op dinsdag een rit naar Boston moest regelen om de trein terug te halen.

Tot augustus kwam hij alleen in de weekeinden en bleef hij doordeweeks in zijn eentje in het huis in Rye om heen en weer te pendelen naar de stad. De meeste andere families die ze kenden gingen naar Long Island of de Cape, maar hoewel hun moeder altijd weer met tegenzin ging, kwamen ze ieder jaar hierheen, naar dit stadje waar haar vaders familie altijd had gewoond, naar het huis waarin hij was opgegroeid en dat hij had geërfd.

Hoe had Charlotte ook maar kunnen vermoeden dat ze ooit zelf hierheen zou terugkeren? Niet. Destijds leek het steeds weer een nieuw avontuur. Voor hun ouders uit naar binnen rennen met Henry om hun kamer te claimen, op katoenen beddenspreien met franje rollen, de lucht doortrokken van mottenballengeur en de zwaardere harsgeur van al dat hout: de donkere plafondbalken, de hellende vloeren, de smalle steile trappen voor en achter. Na een dag of twee, als hun moeder het huis had gelucht, verdween de mottenballengeur, maar de teerachtige lucht bleef de hele zomer hangen, even vast met het huis verbonden als de oude klinkdeuren en de ramen met twaalf ruitjes. Op de rode jeep in de schuur zat een sticker voor het meer, en daar reden ze dan naartoe met een volgepakte koelbox voor de lunch, stapels handdoeken en een parasol waar hun moeder onder zat te lezen terwijl zij zwommen. Daarna, in de schemering, naar de overkant van het veld rennen om pluimasperges te plukken tussen het hoge gras, of naar het huis van tante Eleanor aan de overkant voor suiker of bakolie, achter haar de klapperende hordeur op de achtertrap, en kijken naar de trage doodszwaai van de groenig-zwarte kreeftscharen tussen haar vaders duim en wijsvinger vlak voordat hij ze in de pan liet vallen, de getande metalen schaaltang gedekt, samen met de vorkjes om bij het sprietje vlees in de poten te komen, muggen die na het eten tegen het lichtpeertje op de veranda vlogen als haar vader een sigaret rookte en naar hen in het huis keek als iemand die in een verduisterd theater naar een toneelscène keek. Hij gaf Henry en haar altijd een knipoog wanneer hij met hun moeder het huis verliet voor een feestje ergens in de buurt, alsof hij wilde zeggen: jullie bofkonten, jullie mogen hier blijven en spelen wat je maar wilt, jullie hebben altijd meer lol dan ik – en Charlotte wist nooit of hij het meende. Wakker worden bij het geluid van de rivier, spreeuwen in de wilde appelboom naast haar raam, cornflakes eten met Henry in zijn pyjama, de gewichtloze late ochtenduren voordat ze naar het meer gingen, lummelen in de achtertuin op het gemaaide gras, terwijl bergen van witte wolken aan de immense blauwte van de zomerhemel dreven.

Een schild. Dat waren die herinneringen, herinneringen die de laatste tijd met zoveel kracht in haar waren bovengekomen. Een blokkade, opgeworpen tegen de verwoestingen van het heden.

Verderop, op de tweede tee, stelde zich een golfer op. Wilkie en Sam sloegen er geen acht op, hun snuit nog op de bodem gedrukt. De twee hielden er niet van als Charlotte wegdreef in herinneringen. Dat vond ze hardvochtig na alle liefde die ze hun in de loop der jaren had geschonken. Ze begreep dat ze het bos misten en het zonder riem langs de rivier hollen, zoals vroeger. Ze vonden het vervelend dat ze nu bij iedere wandeling aan de riem moesten.

Toen ze pas naar Finden was verhuisd, in de zomer na Erics dood, was dat om tot rust te komen, voor slechts een paar maanden, dacht ze, om dan weer naar New York terug te keren. Er was toen in het huis geen enkel levend wezen bij haar geweest, geen huisdieren of planten, de tuin onverzorgd. Zo was het de hele maand augustus gebleven, want waarom zou je je inrichten als je toch niet van plan was te blijven? Toen had haar huisbaas in New York, die na het gebeurde geen moeilijkheden wilde, haar gevraagd het huurcontract niet te verlengen. Eigenlijk wist ze toch al niet of ze het wel aankon om terug te gaan. Dat najaar nam ze een tijdelijke baan aan als geschiedenislerares op de middelbare school van Finden om onderwijl te overdenken wat ze zou gaan doen. Op een zeker moment was er een collega langsgekomen met een stekje van een dikblad en waren ze samen naar een kwekerij gegaan om geraniums en bollen te kopen.

Het grootste deel van haar tijd hier waren er alleen de planten en de tuin geweest, die ze met veel liefde had verzorgd. Pas de laatste zes of zeven jaar had ze er de honden bij genomen. Samuel was afkomstig uit een nest rasechte mastiffs van George Jakes, de zoon van meneer Jakes, die altijd hun loodgieter was geweest en voor het huis had gezorgd gedurende de rest van het jaar, als het gezin was teruggekeerd naar Rye. George had het jonge hondje meegenomen op een dag dat hij was gekomen om het bad te repareren en aan Charlotte gevraagd of ze hem wilde hebben, want zijn kinderen wilden ze alle zeven houden en dat was niet praktisch.

Samuel, een klein reebruin wezentje met hangoren, lag die eerste dag zielstevreden op haar schoot. Ze had zich niet gerealiseerd hoe groot hij zou worden, anders had ze misschien wel geaarzeld, al was het alleen maar om de kracht waarmee hij in bedwang moest worden gehouden als hij eenmaal volgroeid was. Haar hele jeugd en leven als jonge volwassene had Charlotte zich laten voorstaan op haar gebrek aan sentimentaliteit, iets om trots op te zijn in een huishouden gedomineerd door haar vaders praktische instelling. Ze vond huisdieren maar een melodramatische aangelegenheid, iets dat de fundamentele ernst miste die kenmerkend was voor een zinvol emotioneel leven. Desondanks had de dommige troost die Sam bood ten minste één laag van Charlottes gereserveerdheid afgepeld, en zelfs toen hij een groot dier werd, mocht hij van haar naast haar op de bank blijven liggen als ze de krant las, met zijn hoofd op haar schoot.

Wilkie, de dobermann, was ongeveer een jaar later uit het asiel gekomen. Volgens een reportage in de plaatselijke krant zou er een ongebruikelijk groot aantal zwerfhonden worden afgemaakt, waarop ze ernaartoe was gereden en de asielhouder haar had gezegd dat ze er een uit kon kiezen. Een oorverdovend geblaf had de gang tussen de rasters van de hokken gevuld. Te midden van al dat lawaai stond achterin Wilkie stil en alert, de pezen van zijn poten en hals zichtbaar onder een glanzende vacht.

De eerste week sliep hij in de tuin en vervolgens een maand of langer in de vestibule, tot hij een grote rieten mand bij de achterdeur voor zich opeiste. Toen Sam hem eenmaal uit de eetkamer had gewerkt en Wilkie de hal voor zich had opgeëist, verdroegen ze elkaar en lagen ze zij aan zij op de warme stenen voor de haard. Geleidelijk aan was ze haar dagen gaan inrichten naar hun gewoonten: voor zonsopgang opstaan, een lange wandeling voor het ontbijt, een dutje in de namiddag, avondeten vroeger dan ooit tevoren en nog een wandeling voor het slapengaan.

Natuurlijk speelde zich in ieders hoofd een conversatie af, flarden van gesprekken, de klacht van een moment weggewuifd, plannen voor de week of het uur of de minuut tegen elkaar afgewogen. Als je alleen leefde, had het volume als vanzelf de neiging te stijgen en de stilte te vullen. Dat was niet onredelijk. Ze had decennialang zo geleefd als alleenstaande vrouw. Als je daaraan het alledaagse feit toevoegde dat mensen nu eenmaal met hun huisdieren praten, en meer nog, dat ze de wensen, behoeften of stemmingen aanvoelen van de dieren waarmee ze leven, soms heel precies, dan zou niets van wat een paar maanden geleden was begonnen voor abnormaal hoeven door te gaan. Ze verfoeide het oordeel dat anderen ongetwijfeld zouden hebben: honden praten niet. Daar kun je je aan laten helpen.

Als jonge vrouw in New York had ze met Eric bepaalde appartementen bezocht, appartementen van lui die zichzelf als radicalen beschouwden, waarbij de huur van deze etagewoningen zonder lift werd betaald door ouders uit de buitenwijken, terwijl hun kinderen afgaven op het systeem met als voornaamste kenmerk een zo allesomvattend gezag dat de massa's het niet eens doorhadden. Goedkoop marxisme uitgevent aan de anti-autoritairen. En dan was er ook nog die andere soort, de jonge mannen en vrouwen die mescaline namen en Huxley lazen en het hadden over de subtielere tirannie van het gezond verstand. Klam, zo herinnerde ze zich hen, licht, lang haar langs de zijkanten van hun gezicht geplakt, zwetend in oververhitte appartementen, cake en sinaasappels etend. Als Charlotte in die kamers kwam en om zich heen keek, merkte ze dat ze achter een cordon sanitaire stond, een lijn getrokken in de onzichtbare maar onuitwisbare inkt van de klasse. Niet dat haar ouders het zouden hebben afgekeurd als ze zulke dingen deed of maatregelen zouden hebben genomen. Ze zouden alleen maar teleurgesteld zijn geweest, hun afkeer zou, net als die van haar, eerder esthetisch dan politiek van aard zijn geweest.

Nog jaren daarna had ze zichzelf verwijten gemaakt: dat ze bang was geweest om te experimenteren, een lafaard, een debutante die was blijven hangen in de sfeer van het bal. Maar wat een chaos en rotzooi hadden die gelovigen ervan gemaakt. Wat een anticlimax van huichelarij en commercie. Al hun therapieën en scheidingen en nu hun ellendige huizen gebouwd tot bij haar deur. Waar waren hun radicale ideeën gebleven? Zouden ze ook maar een seconde Charlottes mening respecteren?

Dus een paar maanden geleden waren de gesprekken in haar hoofd een beetje luider geworden, en waren het gekibbel en geredetwist naar buiten gekomen en doorgesijpeld naar haar kameraden, Wilkie en Sam, met wie ze toch altijd al op de een of andere manier had gecommuniceerd. Ze gingen met de gesprekken om zoals ze had kunnen voorspellen op grond van hun karakter: Sam de arrogantere van de twee, van zichzelf overtuigd, en Wilkie compenseerde zijn gebrek aan zelfvertrouwen met extra deugdzaamheid. Gingen de bloemenkinderen annex yuppies haar afvoeren wegens een te bloemrijke fantasie?

Als Charlotte echter eerlijk was tegen zichzelf moest ze bekennen dat ook deze dieren haar de laatste tijd begonnen te storen. Eerst hadden ze alleen maar gekozen voor de ene of de andere kant in lange innerlijke debatten, meestal alledaagse: wanneer ze de voorzetramen moesten aanbrengen, wanneer ze die weer moesten wegnemen, of ze de krant moest lezen of dat ze even verschoond moest blijven van de doodsberichten. Levensgezellen, dat waren ze. Kameraden die de moeite namen een standpunt in te nemen in de dagelijkse dilemma's. Maar sinds kort beperkte hun conversatie zich niet meer tot wat er in Charlottes hoofd omging. Steeds vaker betrof het eigen onderwerpen.

Een vreemd stel was het, bedacht ze, nu ze achter hen aan wandelde langs de rivieroever. Sam met zijn blonde vacht en sullige kop, voortsjokkend met zijn tong uit zijn bek. Wilkie, zo donker en slank, zo precies in zijn bewegingen, soepel en sierlijk en vervuld van een mysterie dat ontbrak in Sams druktemakerij. Ze had de beheerder van het asiel niet gevraagd wie de vorige eigenaar was of hoe hij daar zo gekomen was, omdat ze het niet eerlijk vond tegenover Wilkie hem te beoordelen naar zijn opvoeding. Zijn goede gedrag had die dag voor hem gepleit.

De twee voerden haar over de voetgangersbrug, voorbij de green en weer terug de weg op. De draaiing van de aarde had het licht van de zon inmiddels in de boomkruinen gebracht, en dat wierp lange schaduwen over de stoep en de gevels van de huizen waarvan de op het oosten gerichte vensters schitterden in de wit-met-oranje gloed. Nog een paar minuten en ze waren terug bij de natuurstenen muur tussen de weg en Charlottes voortuin.

Toen ze de oprijlaan in liepen kwam Fannings enorme, protserige kast weer in het zicht.

Planken van de boomhut waarin zij en Henry altijd speelden hadden nog liggen rotten boven in de oude plataan bij de rivier toen ze hem omhakten, een boom waarin haar vader een schommel had gehangen die je over het voetpad heen slingerde, soms zo hoog dat het was alsof je zo het water in kon vliegen.

Toen ze die indringer gisterochtend de trap af had zien komen, was het eerste dat haar opviel zijn pak, veel te glad. Het zat meer als een duikpak dan een fatsoenlijk stel kleren. Maar waarom zou je ook iets bescheidens verwachten van zo iemand? Dat paste niet in de logica van zijn soort. Hun logica was de heerschappij van het eeuwige patserdom.

'Het nieuwe huis is van mij,' had hij gezegd, terwijl hij zijn auto naast haar liet stoppen.

Dat zouden ze nog wel eens zien.

Onder het afdak zaten de honden op hun kont te wachten. Terwijl Charlotte haar hand naar de kruk uitstrekte, wierp ze een blik omlaag in Sams snuit: de soepele, vochtige plooien van zijn kaken, de gordijnen van zijn oren, zijn ogen een donkere leegte.

*Je stadsmuren storten in*, zei hij. *Maar zo daalt tegenwoordig de duivel in ons neer, voorwaar dat kan ik je vertellen, de muren van de hele wereld zijn neergehaald, er zit zo'n enorme bres in dat de duivels zelf bij ons zijn ingebroken. En hoe zouden we een dergelijk ontzagwekkend ingrijpen moeten zien. Hoe?*

# Hoofdstuk 3

Opgehouden door een Volvo die in slow motion door het centrum van Finden reed, bekeek Doug de kleinsteedse scorelijst onder elkaar geplakt op de achterruit ervan. Volgens de stickers hadden de bestuurster, of verschillende familieleden, op de universiteiten van Andover, Stanford, Cornell en de Yale Medical School gezeten. Toen de vrouw volledig tot stilstand kwam voor de cafetaria en begon te kwebbelen met een vriendin op de stoep, drukte Doug op de claxon, vurig wensend dat het de hendel van een kanon was. De twee vrouwen keken vol minachting naar hem om.

Voor jullie heb ik gediend, dacht hij. Voor jullie hebben wij gedood. Híérvoor.

Hij besloot Mikey te bellen, zoals hij op dergelijke momenten vaak deed om zijn zenuwen te kalmeren.

'En hoe zit het met de buurvrouw?' vroeg hij hem.

'Hoe graag ik je ook mag, Doug, ik heb geen idee waar je het over hebt.'

'Het huis naast het mijne. Hoger op de heuvel. Blijkt daar een of andere ouwe heks te wonen. Ze heette me nou niet direct hartelijk welkom.'

'Je bedoelt mevrouw Charlotte Graves? Ja. Ik was van plan je te bellen over haar. Ze is een probleem.'

'Zoals ze dat huis onderhoudt, moet ze wel een of andere regel overtreden, niet? Het soort ongein van Houd Finden Mooi? Je moet iets kunnen vinden om haar op te pakken.'

'De moeilijkheid is...'

'Wat een type! Bomen, zei ze. Toen liep ze weg. Alsof ik de eerste ben in deze stad die ooit bomen heeft omgehakt om een huis te bouwen? Alsof die klotevoorouders van haar driehonderd jaar geleden geen open plek in het bos hebben gemaakt. Laat me je dit zeggen, Mikey, soms wilde ik dat ik een Russische gangster was met twintig neven en een verlengde Hummer. Alleen maar om mensen zoals zij kwaad te maken.'

'Ik denk dat je dat al gedaan hebt, beste vriend. Maar luister even. Als ik zeg dat ze een probleem is, is dat geen grapje. Ze heeft een rechtszaak aangespannen tegen de stad – ze zegt dat jouw land van haar is.'

'Waar heb je het verdomme over?'

'Mijn mannetje in de gemeenteraad vertelt me dat. Ze heeft de aanklacht zelf geschreven. Hij zegt dat het leest als iets uit het Oude Testament. Maar ze is haar eigen advocaat, dus een of andere rechter zal haar zaak moeten behandelen en op kosten van de belastingbetaler iets van haar gezeik moeten maken. En ik zal m'n gezicht moeten laten zien om ervoor te zorgen dat hij het van tafel veegt. Het is juridische pesterij... ze is getikt.'

'Zorg dat je ervan afkomt, Mikey. Hoor je? Ik heb geen zin in die shit. Nu even niet.'

'Maak je geen zorgen. Ik handel het wel af.'

Voor hem voegde een derde vrouw in een Burberry-jack en waterdichte schoenen, die een buggy bestuurde, zich bij het babbelende paar dat de rijweg versperde.

'Ik moet hier even iets regelen,' zei Doug. En hij gooide zijn mobieltje naast zich en stapte de auto uit.

'Waar denkt u wel dat u bent?' vroeg de met parelketting omhangen jonge matrone terwijl hij op de Volvo af liep. 'Los Angeles? Gaat u een soort woedeaanval krijgen?' Ze keerde zich weer om naar de bestuurster. 'Goed dan, Ginny. We zien je dinsdag.'

'Oké! Dahag!' riep de vrouw achter het stuur met haar heldere, vrolijke stem. En vervolgens drukte ze haar gaspedaal in, Doug midden op straat alleen achterlatend terwijl de auto's achter hem begonnen te claxonneren.

Die ochtend was hij door de wekker heen geslapen, iets wat nooit gebeurde. Hij was weer verstrikt in dromen, waarvan flarden hem bijbleven terwijl hij het stadsverkeer achter zich liet en de Pike opging, nog steeds in ergerlijk langzaam tempo over de overvolle banen richting Boston rijdend. Hij had gedroomd van zijn neef Michael, wat hem had herinnerd aan de keer dat die hem het verhaal van zijn vader vertelde. Volgens Michael had Dougs moeder hem leren kennen toen ze was komen helpen bij het opdienen van het Thanksgivingdiner van de familie. Dat zou in 1964 zijn geweest, toen zij zeventien was. Toen het diner voorbij was en de vaat afgewassen, had de zoon haar naar huis gereden, helemaal vanaf de North Shore, minstens een uur. Dit gedeelte wist Michael zeker, want hij had het uit de mond van zijn eigen vader gehoord. Dat, en het feit dat ze samen uit waren geweest. Twee of drie keer en dat het met Kerstmis voorbij was; of misschien was het vijf of zes keer en doorgegaan tot in januari. Hij zat op het college in Western Mass of was net geslaagd of werkte voor zijn vader voordat hij het huis verliet. Zijn vader was rijk, zoveel was zeker, want Dougs oom John had als jonge elektricien gemazzeld met een onderhoudscontract voor alle bedrijven die de man bezat. Het was oom John die zijn jongere zusje had aanbevolen voor die dag, in de hoop dat ze er een vaste baan uit kon slepen. Michael had te horen gekregen dat hij er nooit over mocht praten, vooral niet tegen Doug. Maar ze waren zestien en zaten dronken in de kelder van oom John, terwijl alle anderen Labor Day afsloten met een barbecue in de tuin, en Michael had het hem verteld.

Dus dat was zijn vader. De naamloze zoon van een naamloze familie die ooit op een uur rijden had gewoond.

Wat Doug al wist – wat iedereen wist – was dat zijn moeder in februari 1965 in verwachting was en dat zonder vriendje, laat staan echtgenoot. Ze bleef dat jaar en daarna nog een jaar of twee, zolang Doug een peuter was, bij haar ouders wonen. Haar ouders waren godsdienstige mensen die hun plicht om van hun dochter te houden nooit verzaakten, noch hun plicht om zich te schamen. Ze bleven een kerkbank in de St. Mary met haar delen, al zat het gezin nu achter in de kerk. Ze had allerlei verschillende baantjes, maar tegen de tijd dat ze verhuisden naar de flat op de tweede en bovenste etage van het blauwe huis aan de Eames Street, maakte ze voornamelijk huizen schoon en kookte ze. Er was een kleine achtertuin die uitliep op een beek, en door de bomen aan de overkant ervan kon je de auto's over de State Route horen langskomen. Destijds stonden er langs die grote weg alleen maar wat pakhuizen en een depot voor de vrachtwagens van de gemeente Alden. Maar toen Doug zes werd, was er een zaak voor auto-onderdelen bij gekomen. Al snel daarna kwam er een matrassenhal, toen een benzinestation en zes maanden later een Burger King. Ze maakten land bouwrijp voor het eerste winkelcentrum, een ovaal van wit beton rond een open binnenhof met een fontein, omringd door het grootste parkeerterrein dat iemand ooit had gezien, dat zich helemaal uitstrekte tot aan hun beek. Toen eenmaal de Cineplex erbij kwam met zijn eigen enorme parkeerplaats, verlicht door nog fellere lampen, was Dougs slaapkamer nooit meer helemaal donker en de gloed van het winkelcentrum sterk genoeg om de schaduw in zijn kamer tot in de kleine uurtjes van de ochtend bleekgeel te kleuren.

Op zaterdagavond gingen Doug en zijn moeder naar de mis en op woensdag weer, en hoewel hij er vanaf zijn vroegste jeugd een hekel aan had, vooral omdat de volwassenen zo meewarig deden tegen hem en zijn moeder voordat hij ook maar wist waarom, ging hij gehoorzaam mee tot ongeveer zijn dertiende, toen hij zijn moeder vertelde dat hij niet in God geloofde of in de Kerk en het hem niets kon schelen wat zij daarvan dacht. Tegen die tijd had de drank haar het grootste deel van haar overredingskracht ontnomen, en ze verzette zich dan ook nauwelijks. Overdag was het zwaar voor haar, een tijd om doorheen te komen, waarna de verlichting van het eerste glas wijn kwam, een gewoonte die weinig ruimte liet voor discussie of uitstel. Al lang voordat hij naar de middelbare school ging, was hij groter dan zij en in de flat waren weinig plekken waar ze haar flessen kon verstoppen. Al heel vroeg had hij gemerkt dat hij haar, als hij maar even wilde, de drank kon afpakken en daarna was dat nooit meer nodig: de dreiging alleen al volstond om in alles zijn zin te krijgen.

Ze was nooit een praatgrage vrouw geweest en zei zelfs nog minder als ze drie of vier glazen had gedronken.

Na de eerste fles verdiepte zich haar zwijgen tot iets fundamentelers en groeide haar dagelijkse woordarmoede uit tot een soort principe, een haast plezierig principe zo leek het, een majestueuze minachting voor alledaags gebabbel of gepraat, alsof hij een man was die ze per se op een afstandje wilde houden. Opvallend in zichzelf gekeerd. Ze had haar televisie en haar tijdschriften, en zolang hij er maar was om te zien hoe zij zonder hem kon, kon ze dat ook. En als ze aan het eind van de avond op de bank in slaap viel, droeg Doug haar naar haar bed en deed het licht uit.

Zodra hij zijn rijbewijs had gehaald, had hij zich de auto toegeëigend en bracht hij haar naar haar werk. Als je de State Route afreed, wist je altijd precies waar Alden ophield en Finden begon omdat het winkelcentrum ophield. Na de uitlatenservice en de drankhandel, strategisch geplaatst op de grens van de stad om de bewoners van het droogstaande buurdorp te bedienen, kwam je bij een stoplicht. Daarachter was het alsof de tijd had stilgestaan. Alleen de golvende grijze vangrail langs de snelweg en daarachter aan beide zijden bossen. Dat ging zo helemaal door naar het oosten, richting Boston, tien kilometer of meer totdat je bij de volgende stad kwam, waar weer een drankhandel precies op de stadsgrens stond en de winkelcentra en hamburgerketens en autobedrijven weer begonnen.

Zijn moeder werkte uitsluitend in Finden. Door de jaren heen maakte ze 's ochtends schoon bij verschillende families, maar 's middags had ze, zolang hij zich kon herinneren, altijd bij de familie Gammond gewerkt, waar hij haar dan tegen de avond ging ophalen. De Gammonds woonden aan het eind van een oprijlaan van wit grind in een groot bakstenen huis met groene luiken en bloemen in de bakken bij de vensters.

In het voorjaar en het najaar werkte mevrouw Gammond vaak in de tuin. Ze had wit haar en een huid met fijne vlekjes, en Doug herinnerde zich nog steeds haar jaden halssnoer met de grote zeegroene en violette stenen, van elkaar gescheiden door zilveren ringen, dat over haar borst lag als de juwelen van een of andere noordse koningin.

Als ze stonden te wachten tot zijn moeder uit het huis kwam, vroeg ze hem wel eens hoe het op school ging en welke onderwerpen hem interesseerden of zei ze iets over het weer.

'Wat heb je toch een knappe zoon,' herinnerde hij zich dat ze zei.

De mensen waren altijd gevallen op zijn uiterlijk. Als kind was hij ooit verdwaald in de supermarkt en hadden alle andere moeders om hem heen gedromd en gezegd dat hij zo schattig was. Als tiener trok hij zich naakt voor de spiegel aan de binnenkant van zijn kastdeur af, waarbij hij zich in zichzelf verlustigde en zijn uiterlijk begon te hanteren als zijn eerste echte wapen, zijn eerste ervaring van macht.

'Ze zegt dat ik de beste werkster ben die ze ooit heeft gehad,' zei zijn moeder eens op de terugrit naar Alden, met een spottende glimlach op haar gezicht, terwijl ze haar eerste sigaret sinds uren rookte en Doug vroeg heel even met haar samen te spannen, te lachen om haar magere grapje, een paar ogenblikken haar zijde te kiezen. 'Misschien geeft ze me ooit een medaille. Een glimmende medaille.'

De enige man die ooit in hun appartement kwam, was pastoor Griffin, met zijn hoornen bril en zwarte regenjas. Zijn smalle vogelkop was grimmig van medeleven. Hij wist precies wanneer hij moest komen, net voor het avondeten, als Dougs moeder maar een glas of twee had gedronken en nog aanspreekbaar was. Dan vertelde hij het parochienieuws – over de zieken, doden en pasgeborenen – en stond op om te vertrekken zodra Doug het eten uit de magnetron haalde.

Wat de rekruteringsman van de marine te bieden had was een uitweg uit dat appartement met de aanblik van zijn verdrinkende moeder. De dag na zijn achttiende verjaardag had Doug de papieren getekend. Een week lang probeerde hij de woorden te vinden om zijn moeder te vertellen dat hij wegging, maar hij vond ze niet en dus besloot hij haar te bellen als hij eenmaal op de basis was. Hij nam een bus naar de Great Lakes Marinebasis, en na drie dagen daar belde hij uiteindelijk zijn neef Michael om de familie te laten weten waar hij gebleven was.

De meeste andere rekruten vond hij maar naïevelingen zonder enig plan: vaderlandslievende jongens die niet konden wachten om het Rijk van het Kwaad mores te leren, kinderen met ver uit elkaar staande ogen die eruitzagen alsof ze door een klamme, onnozele droom terechtgekomen waren in een kooi en op een bank in de kombuis, als een laagje aarde van de prairie gespoeld. Hij wist al meteen dat hij de minimumtijd zou dienen en dan zou maken dat hij wegkwam. Hij bleef zich voornemen zijn moeder een brief of een kaartje te schrijven, maar dan nog: ze wist waar hij was en had zelf ook niet geschreven of gebeld.

Hij ontmoette zeelieden die niet meer wisten waar hun ouwelui woonden en daar ook niet om maalden. Eerst dacht hij dat hij ook alles zou gaan vergeten, dat zijn geheugen zichzelf zou uitwissen. Maar dat gebeurde niet. Niet in slechte tijden dacht hij aan zijn moeder, maar juist wanneer alles goed ging, wanneer hij voelde dat hij iets had gepresteerd en in de lift zat, na een goed uitgevoerde manoeuvre of zijn eerste promotie. Dan, juist op het moment dat hij houvast vond in een beetje spanning, met het idee dat alles misschien nog goed kwam, zag hij voor zich hoe ze de nacht op de bank doorbracht, 's ochtends vroeg met hoofdpijn wakker werd en naar bed slofte voor nog een paar uur slaap, en als een dodemansknop maakte het beeld een einde aan de energie die in hem opwelde. Omdat hij merkte hoezeer de herinnering aan haar hem in de weg stond, besloot hij zich niet langer een schuldgevoel aan te praten. Het was tenslotte een religieus spel, een spel van zonde en vergeving, een spel dat een leven met huid en haar kon verslinden.

Toen Doug de afslag naar het South Station nam, zag hij de oostelijke façade van de Union Atlantic-toren schitteren in de ochtendzon. Hij was hoger dan 60 State Street en gevat in frisse witte lijnen, met glas dat veel lichter was dan de donkere spiegelende obelisk van het John Hancock. Jeffrey Holland had het laten bouwen, ondanks allerlei weerstand, en had zijn slag geslagen toen de prijzen laag waren omdat niemand de Big Dig-snelweg op zijn stoep wilde hebben, ook al zou die uiteindelijk veranderen in een park dat naar het water voerde. Het was het hoogste gebouw in de stad, dat nu het financiële centrum domineerde, en het middelpunt in de beelden van de nachtskyline tijdens de uitzendingen van Red Sox en de advocatenseries die in de stad speelden, waarbij hoog tegen de zuidgevel het logo van Union Atlantic – de kam van een golf in profiel – felblauw oplichtte, het hele fonkelende gebouw een krachtig symbool van doortastendheid, op een schaal die zowel klanten als concurrenten imponeerde. Holland begreep maar al te goed de logica dat beelden indrukken schiepen die weer feiten werden. Het geklets in de bankwereld over te hoog grijpen, bleek niet opgewassen tegen de overtuigingskracht van omvang en ambitie. Vooral de buitenlanders vonden het geweldig, de Koreanen en de Chinezen, die ze nu en masse als klanten binnenhaalden. Op instigatie van Doug onderhandelden ze met de Four Seasons over een hotel naast het gebouw. De Union Atlantic alleen al kon twee derde vullen met klanten.

'Goedemorgen, meneer Fanning,' zei de nieuwe receptionist op de verdieping van de bedrijfsleiding, toen Doug uit de lift stapte. Het was een metroseksueel van in de twintig in een Banana Republic-outfit wiens eerbiedige glimlach bijna smeekte om een lomp antwoord. 'Ik heb een paar pakjes voor u doorgestuurd naar Sabrina.'

Doug had drie secretaresses versleten voordat hij Sabrina Svetz had gevonden. Ze was een schrijfster in spe op zoek naar een vast inkomen. Het was een brunette met het hoekige gezicht van haar Slavische voorouders, op haar mooist nu ze eind twintig was, haar scherpe trekken niet langer verborgen achter jeugdige molligheid, maar wel nog aan de aantrekkelijke kant van mager. Hij vond het prima dat ze in wezen een hekel aan haar baan had en er andere ambities op na hield. Zo wisten ze wat ze aan elkaar hadden. Ze was een schaamteloze flirt en ongeschikt voor werk in een bank, altijd rondsnuffelend naar wetenswaardigheidjes over het persoonlijke leven van mensen. Hij had drie weken gewacht voordat hij haar mee uit had genomen om iets te drinken en met haar naar bed te gaan, een vluchtige aangelegenheid die zich sindsdien een keer of twee, drie had herhaald en die Doug verschafte wat hij van haar wilde: een verstandhouding tussen hen beiden als individuen, gehouden aan de overeenkomst die ze hadden gesloten, geen lulkoek uit de bedrijfshandleiding over wat te rapporteren en aan wie. Voor ze hun kleren uittrokken had hij duidelijk aangegeven wat de seks zou betekenen en wat niet. Omdat ze een door de wol geverfde vrouw was, om redenen die hij niet wilde weten, had ze het meteen begrepen en was ze akkoord gegaan. Vaak lunchte ze op

Dougs kamer met de deur dicht, vertelde hem over haar afspraakjes en besprak wie van het personeel sexy was en wie niet.

Ze was een roman aan het schrijven die speelde tijdens de Spaanse Burgeroorlog en ze had iets met Iberische mannen, vooral mannen met gewezen fascistische grootouders die wel wilden praten.

'Onze Leider verwacht je,' zei ze zonder de moeite te nemen op te kijken van haar scherm toen hij op haar bureau af liep. De keerzijde van een dergelijke intieme verstandhouding was dat ze er niet voor terugschrok zich een gemelijkheid te permitteren die anders voor weinig professioneel zou doorgaan. Maar daar woog het voordeel tegen op. Ze deed precies wat haar werd opgedragen, zelfs als dat inhield dat ze de chef van de administratie moest vertellen dat hij kon oprotten. Ze was niet loyaal aan de organisatie, maar des te meer aan Doug.

Dat was belangrijk. Toen Holland Doug in dienst nam, was Union Atlantic een regionale handelsbank. De bank nam deposito's, bood het publiek lopende rekeningen en verstrekte leningen aan bedrijven en projectontwikkelaars. Het bedrijf had de behoudende balans die hoorde bij zo'n uiterst gereguleerde instelling. Maar Holland had er grootse plannen mee. Door acquisitie wilde hij uitgroeien tot een conglomeraat van financiële dienstverlening met een investeringsbank, een verzekeringspoot en een afdeling voor het beheer van particulier vermogen.

Holland had Doug twee taken gegeven, een als hoofd Buitenlandse Operaties en de andere als hoofd van de pas opgerichte afdeling Speciale Projecten. Het doel van deze afdeling was het ontwerpen van de langetermijnstrategie voor de Union Atlantic om te kunnen laveren in het nieuwe, gedereguleerde milieu, waarin het Congres geleidelijk overging tot afschaffing van alle oude New Deal-hervormingen die het banken onmogelijk hadden gemaakt de verzekeraars en investeringsmaatschappijen te bezitten die Holland wilde kopen. Doug had het fantastisch gedaan. Op zijn advies was de bank brutaalweg acquisities gaan doen die in principe nog illegaal waren, maar die naar Dougs verwachting zouden zijn goedgekeurd tegen de tijd dat de transacties waren afgerond, deels dankzij de lobby van de Union Atlantic zelf, maar ook omdat de concurrentie, zodra die doorhad wat er aan de hand, het voorbeeld prompt zou volgen en zelf ook druk zou gaan uitoefenen op de wetgever om de oude protectiemaatregelen af te schaffen. Omdat ze vooropliepen hadden Holland, Doug en het managementteam de meest winstgevende bedrijven eruit kunnen pikken. In nog geen zes jaar was de Union Atlantic, terwijl verschillende oudere kolossen wankelden, uitgegroeid van een zelfstandige handelsbank tot de Union Atlantic Group, een mondiale speler en een van de vier grootste financiële instellingen van het land. Holland had dat feit bekroond met de nieuwe wolkenkrabber. Niet lang daarna prijkte hij op de covers van *Fortune* en *Business Week*. De toonaangevende analist van de bedrijfstak, een zak genaamd Koppler, had de Union Atlantic Group gebombardeerd tot de voorloper van een nieuw model van multiplatform financiële dienstverlening en het aandeel steeg zes procent in een dag.

Dat alles was vóór het najaar van 2001. De aanslagen van 11 september hadden de Dow bijna zevenhonderd punten gekost. Nog geen twee maanden later was Enron in elkaar geklapt. Net als veel andere banken had Union Atlantic de energiehandelaar uit Houston en zijn off-balancepartners van aanzienlijke hoeveelheden kapitaal voorzien. Intussen had Atlantic Securities, de investeringsbanktak, de obligaties van Enron verkocht aan investeerders, en een groot deel daarvan gekocht voor eigen rekening. Maar dat was nog niet het ergste. In december staakte Argentinië het aflossen van zijn staatsschuld.

Jarenlang was Argentinië de modelleerling van het Internationaal Monetair Fonds geweest, die gehoorzaam de Washington Consensus over structurele aanpassing uitvoerde, bedrijven in staatseigendom en openbare nutsbedrijven privatiseerde, meestal door ze te verkopen aan buitenlandse investeerders, en de inflatie onder controle had gebracht door de peso aan de dollar te koppelen. En passant waren de obligaties die de Argentijnse regering verkocht om haar uitgaven te financieren geweldig populair geworden bij westerse banken. Ze brachten meer rente op dan de obligaties van eerstewereldlanden, en aangezien het IMF de Argentijnse economie bleef steunen, leken ze een veilige belegging, zelfs na een diepe recessie aan het eind van de jaren negentig.

Economisch volwassen en bij het mondiale systeem aangesloten landen als Argentinië liepen niet weg voor hun staatsschuld: dat hoorde gewoonweg niet. Althans tot december 2001, toen de nieuwe regering, aangetreden na rellen in Buenos Aires, de aflossing van 81 miljard dollar aan schuldeisers over de hele wereld staakte.

Tot dan had de Amerikaanse financiële pers graag een oogje dichtgeknepen voor het geld dat Union Atlantic zelf had laten verdampen in zijn recente koopwoede. Maar nu de bank te lijden had onder de Argentijnse crisis, maakte de hijgerige berichtgeving plaats voor paniek, wat gepaard ging met een sterke koersdaling.

En dus had Holland, die zag dat zijn grootse project gevaar liep en het niet accepteerde dat mensen aan hem twijfelden, zich weer eens gewend tot Doug en zijn afdeling Speciale Projecten en gezegd: doe er wat aan.

Om dat voor elkaar te krijgen moest het bedrijf zeker twee kwartalen op rij meer verdienen dan de markt verwachtte. Dat ging het snelst door de inkomsten van Atlantic Securities te vergroten, met name in de termijn- en derivatenhandel. Het zou niet volstaan om meer klanten te trekken en daarmee meer commissie op te strijken voor het verhandelen van hun producten; ze zouden moeten handelen met het eigen geld van de firma – handel voor eigen rekening en risico heette dat – om de grotere winstmarges te incasseren die met dergelijke directe risico's verbonden waren.

Maar er kleefde een belangrijk bezwaar aan deze strategie. Om die grote transacties voor eigen rekening in de termijnmarkt te plaatsen moest Atlantic Securities marges storten bij de verschillende beurzen waar het handelde. Dat wil zeggen, genoeg contanten om eventuele verliezen te dekken. Dat was een aanslag op de liquide middelen van Atlantic Securities. Te veel van zijn kapitaal zat vast in margerekeningen.

De voor de hand liggende oplossing was dat Union Atlantic, de reguliere handelsbank met een sterk eigen vermogen van klantendeposito's, Atlantic Securities het benodigde geld leende. De twee onderdelen vielen tenslotte onder dezelfde houdstermaatschappij. Maar er bestonden federale verordeningen die deze 'vestzak-broekzakleningen' beperkten. En het interne beleid van het bedrijf stelde strenge voorwaarden aan deze praktijk. De divisies binnen de groep moesten op gepaste afstand met elkaar onderhandelen. Dat was allemaal prima wanneer je de tijd had. Allemaal heel keurig. Een van die veiligheidsmaatregelen die de huisjuristen met zoveel plezier oplegden, terwijl ze hun hele leven nog nooit een cent winst hadden gemaakt. Maar nog een paar kwartalen met slechte winstberichten, en een strategisch plan van jaren kon in elkaar gaan zakken.

En dus had Doug gedaan waarvoor hij was ingehuurd: hij had zijn ongeduld in stelling gebracht. Om de verordening te omzeilen had hij een nieuwe onderneming opgezet die hij Finden Holdings had genoemd. Het enige doel was geld lenen van Union Atlantic en dat weer uitlenen aan Atlantic Securities. Strikt genomen was dit niet illegaal, maar de juristen en accountants wisten genoeg om de details in de voetnoten te houden. Dankzij deze vinding stroomde het grote geld binnen op de rekeningen van Dougs handelaren in het buitenland. Al heel gauw steeg de winst weer.

In het eerste kwartaal van 2002 overtrof de Union Atlantic Group de winstverwachting van Wall Street met een hoger percentage dan enig ander bedrijf in de sector. Opnieuw hadden ze bewezen alert en vastberaden te zijn. En dat gaf Doug voldoening. Het gaf hem veel voldoening. Niet om de vermoedelijke omvang van zijn bonus of de verdere uitbreiding van zijn informele macht. Het was de uitvoering die hem bevredigde. De focus, precisie en directheid van zijn wil. Op die momenten werd zijn malende hoofd helder en stroomde de energie er even wrijvingsloos doorheen als geld door een glasvezelkabel, waarbij de weerstand van de fysieke wereld tot bijna nul was gereduceerd. Hij voelde zich dan als het levende wonder van de allermodernste machine, alsof hij bevrijd van alle organische belemmeringen voortzweefde op de vlakte van de zuivere efficiëntie. Een oord van verlichting, zelfs vrede.

Hij had er veel aan gehad dat Sabrina in de buurt was om de kommaneukers op afstand en hem in de luwte te houden als hij zijn minder belangrijke, administratieve taken verwaarloosde.

'We hebben toch een kantoor in Madrid?' vroeg ze nu, terwijl ze Dougs kamer binnenglipte.

Hij knikte.

'Je moet me daar mee naartoe nemen voor een zakenreis. Een week of zo.'

Af en toe gedroeg Sabrina zich zo vrijpostig, een gril, zo stelde hij zich voor, ter compensatie van de inherente machteloosheid van iemand met een diploma in het schrijven van korte verhalen. Het was alsof ze rekende op een zekere culturele allure die nog werkelijkheid moest worden, en in de tussentijd behoefte had aan een overbruggingskrediet van prestige uitbetaald in de quasiglamour van internationale reisjes. Haar ouders waren allebei arts en hadden haar hele universitaire opleiding betaald, maar wilden niet ook nog eens haar mecenas zijn.

Het stuk dat ze hem zojuist had gegeven was McTeagues laatste verzoek om geld voor margedeposito's op de termijnbeurs in Singapore. Het ging om een gigantisch bedrag. Behalve geld om de eigen handel van Atlantic Securities te dekken, vroeg hij grote bedragen om de handel van zijn groeiende lijst klanten verderop in Hongkong te dekken, voor het merendeel hedgefondsen die, aangetrokken door McTeagues hoge winsten, wilden instappen.

'We zijn slachtoffer van ons succes,' zei hij tegen Doug, toen Sabrina hem aan de telefoon had gekregen. 'Half Greenwich wil me geld geven. Als wij ze de marge niet lenen, doet iemand anders het wel.'

Hij klonk opgefokt, op het nerveuze af, wat precies was waar Doug hem hebben wilde, op scherp, laaiend enthousiast over wat hij had binnengehaald, maar hongerig naar meer. Als eenmaal bekend was wat het Japanse ministerie van Financiën deed om de Nikkei overeind te houden, kon hij McTeague uitschakelen. Maar voorlopig deed hij het uitstekend.

'Driehonderdtwintig miljoen. Dat is een boel geld,' zei Doug. 'Hou me op de hoogte, wil je? Ik wil iedere dag de cijfers zien.'

'Natuurlijk,' antwoordde McTeague.

'Je weet dat Holland op je wacht, toch?' zei Sabrina, zonder er rekening mee te houden dat hij aan de telefoon was, terwijl ze onderuitgezakt op de bank door een tijdschrift zat te bladeren. 'Hij heeft persoonlijk gebeld.'

De architecten van de Union Atlantic-toren hadden goed begrepen wie hun klant was. Geen naamloze vennootschap, geen raad van bestuur en zeker geen bouwcommissie bestaande uit twaalf personen, maar één man, de baas van alle drie: Jeffrey Holland. Van het begin af aan was het nieuwe hoofdkantoor zijn project geweest en geen enkele belangrijke beslissing erover was zonder zijn goedkeuring genomen. In de suite van de voorzitter stond een met brokaat gestoffeerde canapé die niet zou misstaan in een Engels landhuis onder een schilderij van een rivierdal en besneeuwde bergtoppen in een lijst van verfletst bladgoud. De canapé stond voor ramen van vloer tot plafond, die uitzicht boden op een flagstoneterras met een balustrade waarachter alleen de lucht te zien was. Dit kantoor – in feite een apart bouwwerk boven op de toren – had alles wat een materialistische geest van architectuur wilde zonder de afleiding van postmodernisme of het ongemak van echte vernieuwing. Het obligate minimalisme in kozijn- en vensterindeling volstond om het een patina van soberheid te geven, terwijl het in ieder belangrijk detail, van de gecanneleerde zuilen en de boekenkasten van donker hout tot de enorme oosterse tapijten, alle geneugten van macht behield. De kamer was één groot en stralend eerbetoon.

Wat natuurlijk prima paste bij de functie ervan. Als je wilde dat een Frans media- en defensieconglomeraat zijn bankzaken bij jou deed in plaats van bij Chase, was dit een mooie plek om met hun bestuursvoorzitter te kletsen over zijn landhuis, zijn dochters aspiraties voor de kunstacademie en de voordelen van de nabijheid van Harvard, voordat de lagere goden hem mee naar beneden namen om hem het aanbod uit te leggen. In zo'n kamer deed je geen Powerpointpresentatie, je stelde er mensen op hun gemak.

'Hij zit te telefoneren,' zei Martha, de secretaresse van Holland, toen Doug eraan kwam. 'Niet dat dat je weerhoudt.'

Hij liep door de gang naar de open deur van het zonovergoten kantoor. De baas zelf stond bij het raam aan de andere kant van de kamer met zijn rug naar Doug gekeerd in noordelijke richting over het Fleet Center heen te kijken naar het web van witte kabels van de nieuwe Zakimbrug, die de monding van de Charles overspande. Hij praatte tegen het uitzicht, met zijn handen in zijn zakken, de zilveren dolk van een oortelefoon twee centimeter langs zijn wang hangend.

'... daarom zijn dat niet de enige bepalingen die wij in het wetsvoorstel willen. Iedereen heeft belang bij transparantie: wij, de consument, de rechtbanken. Wie wil niet dat faillissementen snel worden afgehandeld? Wie wil niet dat dat zo efficiënt mogelijk gebeurt? En ik denk dat niemand dat zo goed kan overbrengen als u, senator.'

Hij schudde zijn hoofd omdat hij het niet eens was met wat hij hoorde aan het andere eind van de lijn. Toen hij zich omdraaide en Doug in de gaten kreeg, gebaarde hij hem met een hoofdknikje te gaan zitten.

'Natuurlijk, senator, dat begrijp ik, en geloof me, het laatste wat ik wil is dat mijn eigen lobbyist een obstakel vormt voor... dat begrijp ik.'

Holland was een rijzige man, minstens een meter negentig, met brede schouders en een omvangrijke borstkas zonder te dik te zijn. Op de universiteit was hij nooit een atleet geweest, maar hij bewoog zich wel met het gemak van een atleet, zijn forse schouders achterover, zijn taille onderdeel van zijn beweging als hij op je af liep, wat eerder onderdeel was van zijn overtuigingskracht dan iets intimiderends. Datzelfde dierlijke zelfvertrouwen maakte deel uit van de bewegingen van zijn gezicht, met de brede, beweeglijke mond, volle wangen en dikke neus, en de zachtblauwe ogen, zo'n essentieel deel van de hele verleiding. Op foto's zag je alleen de botheid en kwam het effect van zijn fysieke aanwezigheid op anderen nauwelijks over. Doug had het honderden malen gezien, de manier waarop hij op zijn doel afging – klant of politicus of vriend – en hun verdediging al direct uitschakelde met de joviale handdruk, de brede, wetende lach, de iets killere blik die de laatste barrière slechtte, zodat zijn doelwit al instemmend knikte tegen de tijd dat hij zijn mond opende.

'Nou,' zei Holland grinnikend, 'als Bob Rubin zichzelf een Democraat kan noemen, kan ik dat ook. En geloof me, we praten in op uw collega's. Dit staat helemaal los van de partijlijn. Het publiek moet horen over beschermingsmaatregelen, moet zien dat die uiteindelijk krediet goedkoper maken voor iedereen. We zijn bereid dat allemaal op de markt te brengen. Het is gewoon een kwestie van timing, en daarom wilde ik weten hoe de zaken er volgens u voor staan... Natuurlijk, natuurlijk houden we contact.'

Hij deed zijn oortelefoontje uit, ging zitten en zwaaide zijn voeten op het bureau.

'Grassley is een lul.'

'Hij staat toch nog aan onze kant?'

'Beslist. Hij bemoeit zich al jaren met de faillissementswet. Het probleem is dat hij, als die er ooit doorkomt, een hele nieuwe strategie voor fondsenwerving nodig heeft.' Hij sloeg zijn handen ineen achter zijn hoofd en strekte zich in volle lengte uit. 'Maar dat is nu niet mijn grootste zorg. Heb je de laatste tijd nog gekeken naar je liquiditeitspositie? Je hebt ons jouw handelaars bakken geld laten lenen. Begrijp me niet verkeerd – je winsten zijn indrukwekkend. Maar je hebt wel veel kapitaal vastgelegd.'

Hij stond op, stak zijn handen in zijn zakken en begon achter zijn bureau heen en weer te lopen.

'We trekken klanten aan,' zei Doug. 'En we lenen ze het geld om te speculeren. Het is niet ons risico, maar dat van hen. Dat is waar het uiteindelijk om gaat. De zaak vaart er wel bij.'

Ik begrijp in welke positie u verkeert. Dat had Doug tegen Holland gezegd tijdens het laatste sollicitatiegesprek voor de baan. Het bestuur wil resultaten zien. Ze willen ze snel. Wat hij niet had hoeven zeggen, omdat het absolute zelfvertrouwen in zijn stem voor zichzelf sprak: er zullen momenten komen dat het beter is dat u niet alles weet. Dat begrijp ik ook.

Holland had geen idee hoe McTeague en Doug de plannen van de Japanse regering hadden ontdekt en hij was ook niet op de hoogte gebracht van de kleine lettertjes in de opzet van Finden Holdings.

Tijdens zijn carrière in de bedrijfstak was Doug heel wat kerels als Holland tegengekomen, mannen van in de vijftig en zestig die nooit in militaire dienst waren geweest. Net als de anderen vond Holland het prachtig dat Doug in de luchtverdediging van het meest geavanceerde schip van de marine had gezeten en dat hij had deelgenomen aan de gevechtshandelingen in de Perzische Golf. Het verschafte hem voldoening, dezelfde voldoening, zo merkte Doug, die hij zelf altijd ervoer wanneer hij de raketten in hun bommenruimte inspecteerde, met zijn hand over de glanzende witte kop van een s M2 streek en via de toppen van zijn vingers al die opgesloten, samengebalde kracht voelde. Dat was hij voor een man als Holland: een attractief wapen. Doug kon het best werken met de mannen die het evenwicht tussen spanning, onwetendheid en beloning dat hij bood zonder nadere uitleg begrepen. En niemand had het beter begrepen dan Holland. Hij besefte dat zijn agressie gekanaliseerd moest worden via anderen. Hij had tentakels nodig die omhoog tot in het bestuur reikten, zijwaarts in het hogere management met een oogje op zijn baan en omlaag tot in de diepere regionen van de onderneming, waar loyaliteit meer concrete gevolgen had. Als een gezagvoerder van een schip die in principe steunde op de hiërarchische structuur, maar zich in de praktijk aangetrokken voelde tot degenen die hij vertrouwde, omringde Holland zich met mensen die hun baan aan hem te danken hadden, en via deze officieren, van welke rang ook, kreeg hij gedaan wat hij wilde. Hij vond het prachtig dat alle secretaresses op Doug vielen en dat de rest van de afdelingshoofden een hekel aan hem had. Holland, die zich grondig had verdiept in de ongein van de managementwetenschap, had overal experts zitten, hard aan het werk om zijn plannen kritiekloos uit te voeren en dekking te bieden als initiatieven mislukten. In wezen baalde hij van die voorzichtigheid, en als hij eerlijk was tegen zichzelf, moest hij bekennen dat hij zich er ook voor schaamde. Voor al die wollige, methodologische onzin was Doug het volmaakte tegengif: een mogelijkheid tot onmiddellijke actie. Maar net als met een geheim wapen lagen de voldoening en de bescherming in het bezit en niet in het gebruik ervan.

'En onze eigen handel?' vroeg Holland. 'Hoe staan we ervoor?'

In weerwil van al zijn poeha over cashflow had hij Doug om die reden naar zijn kantoor laten komen: om nieuws over winst te horen.

'Hongkong heeft vorige week vijfendertig miljoen opgebracht. Volgende week wordt het veertig.'

Holland keek omhoog, trok zijn wenkbrauwen op en glimlachte. Toen slenterde hij naar de andere kant van het kantoor om uit het raam te turen. Onder een wolkeloze hemel glinsterde het water van de haven, een witte veerboot ploegde traag van de pier weg, vliegtuigen in de verte maakten een glijvlucht naar het schiereiland van landingsbanen bij Logan, het hele schitterende uitzicht verzacht door het getinte glas.

'Die kerel van *Time* belde weer,' zei hij. 'Hij komt volgende week. Ze hebben besloten om toch door te gaan met het profiel.'

'Gefeliciteerd,' zei Doug.

'Bedankt. En hoe staat het met jou? Zijn we al buren? Ben je naar Finden verhuisd?'

'Inderdaad. En nu we het erover hebben, ken je een vrouw die Charlotte Graves heet?'

'Nooit van gehoord. Wat ga je trouwens in godsnaam met al die ruimte doen?'

'Ik weet het niet,' zei Doug. 'Een klapper maken, misschien?'

Holland lachte. 'Mijn vrouw heeft een hekel aan mensen zoals jij,' zei hij. 'Waarschijnlijk omdat zij vroeger ook zo iemand was.'

# Hoofdstuk 4

Vanuit het bloeiende lilapaars fluistert Charlotte: *Kom. Je mist het nog. Kom kijken.* Het genoegen was op de een of andere manier altijd aan haar kant. Vader en moeder die met hun drankjes op de veranda in rieten stoelen toekijken, verkeer dat in de verte over de Boston Post Road gonst. *Je mist het nog,* fluistert zijn zus. De lucht is zacht in de eerste lentehitte. Henry probeert naar zijn zus toe te lopen, maar zijn benen zitten vast aan de grond. Haar gefluister vult zijn oren van achter die kegelvormige paarse bloemen, het zonlicht op de gebogen takken schitterend verstrooid. *Hier, wat je zocht, hier is het,* zegt ze, als de sirene begint te loeien.

Droog slikkend, zijn hoofd omdraaiend op het kussen, opende Henry half zijn ogen. De kamer was aardedonker, met slechts een randje zichtbaar door een streep licht onder de deur. Een hotel, ongetwijfeld: het vertrouwde suizen van gekoelde lucht die neerdaalt op de omfloerste duisternis van tapijt, gordijnen en leunstoel, de kleine rode signaaltjes van de televisie en bewegingsmelder. Maar waar? Welke stad? Even trok het verlangen naar een wereld verzadigd van betekenis hem terug naar de slaap, maar hij vermande zich en greep de jengelende telefoon, zodat het netwerk van het heden het beheer over zijn geest terugkreeg en in één klap het kwijnende dromenrijk wegvaagde.

Hij bevond zich in een suite aan de Atlantische kust van Florida en het was kwart over een in de ochtend.

'Meneer Graves? Spreek ik met meneer Henry Graves?'

'Ja. Met wie spreek ik?'

'Meneer, mijn naam is Vincent Cannistro. Ik ben vicepresident Financiële Markten van de Taconic Bank.'

'Een moment, alstublieft.'

Hij deed het licht aan.

'Ik hoop dat het geen grapje is,' zei hij, 'en als dat niet het geval is, waarom heb ik u dan aan de lijn?'

'Dat is een heel redelijke vraag, meneer. Fred Premley, onze CEO, is op het ogenblik in Idaho en we proberen hem nu al een aantal uren op zijn mobiel te bereiken. Op dit moment is een auto naar hem op weg en we verwachten spoedig contact met hem te hebben.'

'En jullie voorzitter?'

'Onze voorzitter, meneer, die is op dezelfde plek.'

Henry ging rechtop zitten en pakte zijn bril, zodat hij de kamer scherp zag. Op het bureau tegenover hem lag een stapel informatie-mappen voor de conferentie.

'Dus u zit in de penarie en uw management is gaan vissen. Begrijp ik het goed tot zover?'

'Meneer, ik moet toegeven dat dit min of meer klopt, inderdaad.'

'Goed, meneer Cannistro. Wat is er aan de hand?'

Er viel een stilte aan de andere kant van de lijn. Zelfs in zijn versufte toestand voelde Henry dat die kerel zich niet op zijn gemak voelde. Hij had mannenstemmen eerder zo horen klinken, verkrampt, over-dreven vormelijk, iemand die met moeite de vloeken onderdrukte waarmee hij zijn ondergeschikten urenlang of misschien zelfs dagen-lang had bestookt. Deze man voerde een telefoongesprek dat zijn sa-larisschaal ver te boven ging. Als het verkeerd liep, kon hij zijn baan verliezen.

'We hebben een liquiditeitsprobleem,' zei hij.

'Tja, u belt me niet op dit uur als u ontevreden bent over de bank-inspecteurs. Wat is uw positie?'

'We zitten in de knoei door een renteswap. We hebben een schuld van honderdzeventig miljoen. De betaling had negen uur geleden plaats moeten vinden.'

'Honderdzeventig? Op welke koers had u ingezet?'

'Venezolaans à la hausse.'

'Jezus. Dat was stom. Ik neem aan dat u het hebt gehedged. U hebt het toch wel met iets afgedekt?'

'Meneer, dat is het probleem. Volgens het model moesten we de positie afdekken met oliefutures. Ze hadden moeten dalen als Chávez zijn rente verlaagde. Ze zijn niet gedaald.'

Henry liet zijn hoofd achterover tegen de muur rusten. Even had hij gedacht dat zijn beller misschien voorbarig had gehandeld en alleen maar de reputatie van zijn bank bij de Federal Reserve verder had beschadigd, en in dat geval kon hij weer gaan slapen. Hij sloeg het dekbed opzij om op te staan, nam een blocnote en pen van de salontafel en ging in een leunstoel zitten.

'Meneer Graves, bent u er nog?'

'Ja. Van zo'n onzinnige hedge heb ik nog nooit gehoord. En u zegt dat u niet aan het geld kunt komen voor de betaling?'

'Vanaf dit moment niet meer, nee.'

'O,' zei Henry, tegen zichzelf knikkend. In normale omstandigheden zou zelfs een kleine retailbank als Taconic krediet genoeg hebben bij de markt om dit soort onprofessionele handel af te dekken. Maar ze hadden nu al een jaar of langer heel wat slechte IT-leningen uitstaan en hun retailbasis stond aan de ene kant onder druk van Chase en aan de andere kant van de nationale discounters. De laatste paar weken waren ze zwaar gaan lenen om hun eigen handelsposities af te dekken.

Als president van de Federal Reserve Bank van New York had Henry Graves de supervisie over alle banken in zijn district, met inbegrip van Taconic. Ook controleerde hij de grote bankholdings die de bedrijfstak waren gaan beheersen. Maar de New York Fed was in tegenstelling tot de andere Federal Reserve-banken meer dan alleen toezichthouder. Ze was het operationele centrum van het hele Fed System. Ze trad op als agent voor Financiën in de markt en kocht en verkocht schatkistpromessen. Bijna ieder land in de wereld had een bepaald gedeelte van zijn staatsactiva bij de New York Fed uitstaan. Het elektronische betalingssysteem van de bank verrekende per dag een biljoen dollar aan transacties. Kortom, Henry Graves stond aan het hoofd van het grootste pompstation in de pijplijn van de wereldfinanciën. Zijn belangrijkste functie was het geld rollend te houden. Dat snel te doen. En, bovenal, stil te doen.

Wat betekende dat hij ervoor moest zorgen dat een probleem niet in een crisis veranderde. De problemen van Taconic, hoe klein ook op wereldschaal, mochten zich niet verspreiden. Het failliet van de bank, als het daarop zou uitlopen, zou weinig systeemrisico betekenen. Onder beheer van een curator zou het bedrijf worden opgedeeld en verkocht. Maar op de korte termijn kon wanbetaling in deze orde van grootte de crediteuren van Taconic in de problemen brengen. Voor de ochtendgong moest er een oplossing gevonden worden, al was die nog zo tijdelijk.

'Aan wie zijn jullie het geld schuldig? Wie is jullie tegenpartij?'

'Union Atlantic.'

Henry voelde opluchting. In ieder geval hadden ze te maken met een bekende grootheid, en een bank onder zijn supervisie. Union Atlantic betekende Jeffrey Holland. Een beetje glad, een beetje een patser. Het ging hem om de sport van de handel. Niet Henry's favoriete bankier, maar er viel met hem te praten. Hij en zijn vrouw Glenda zaten ooit in hetzelfde hotel in Bermuda waar hij Betsy mee naartoe had genomen toen ze net ziek was geworden. Op een avond hadden ze gevieren buiten gegeten op het terras. Ze hadden voor de begrafenis een enorm bloemstuk gestuurd.

De andere telefoon begon te rinkelen en hij vroeg Cannistro aan de lijn te blijven.

'Heeft die ezel je inmiddels te pakken gekregen? Wat een imbeciel, hè? Een provinciale bank in een winkelstraat die inzet op Chávez! Heb je ooit zoiets gehoord? Wat een vervloekte zooi.'

Sid Brenner, hoofd betalingssystemen. De meester-pijpenlegger, zoals ze hem noemden, de man aan de knoppen. Het aantal mensen dat in staat was het netwerk te programmeren dat die biljoen per dag door de markt pompte, was op de vingers van een hand te tellen. De meesten van hen werkten bij IBM. Sid was al vijfendertig jaar bij de Fed, en was daar slechts een paar maanden voor Henry begonnen. Hij was geboren in Crown Heights en woonde daar nog steeds – drie kinderen, een ervan officier in het Israëlische leger, de andere twee professor. Hij had wanneer hij maar wilde de Street op kunnen gaan en vijfmaal zoveel kunnen verdienen als de Fed hem betaalde, maar hij had het nooit gedaan.

61

'We hebben tijd,' zei Henry, een halve waarheid die zij tweeën voor lief namen. 'Ik ga bellen. We komen er wel uit.'

'Het gaat mij niet aan, maar als je die zakken niks rekent, draai ik je de nek om. Ze mogen zich gelukkig prijzen met een lening tegen acht procent.'

'Ik bespreek het wel met Holland. Is de rest geregeld?'

'Inderdaad, alleen een gapend gat in de reserverekening van Taconic.'

'Wie denk jij dat er op dit moment nog meer van op de hoogte is?'

'Specifiek over de swap? Niet zoveel. Dat ze acht uur als gekken op zoek zijn naar geld? Niet bepaald een geheim.'

Henry maakte zijn secretaresse Helen thuis wakker en vroeg haar de telefoongesprekken met Holland en het management van Taconic te regelen zodra de auto hen had bereikt.

Toen ze wilden afbreken, vroeg ze: 'Gaat het wel goed met je?'

Hij liep de kamer door en trok de gordijnen opzij. Door het glas kon hij op het strand kijken, waar de lichten van het hotel tot aan de kalme waterrand reikten. Hij schoof de deur open en liep het balkon op, de nachtelijke lucht in die zwaar was van het vocht.

Net als Sid was Helen al decennialang bij de Fed, begonnen als Henry's assistente op de juridische afdeling en met hem mee opgeklommen naar het presidentschap. Als ze samen waren, was er maar een blik of knikje nodig of in de ruimte tussen hen rangschikten zich de prioriteiten als vanzelf. Ze kon de nuances in de uitvluchten van een bankdirecteur even gemakkelijk interpreteren als het nerveuze geklets van een of andere eerstejaars analist. Hij betrok haar niet graag in persoonlijke aangelegenheden, maar sinds Betsy vier jaar geleden was overleden, kon hij onmogelijk meer voldoen aan zijn eigen norm om werk en privéleven strikt gescheiden te houden.

'Heeft mijn zuster gebeld?'

'Nee, ze heeft niets van zich laten horen.'

Hij liet zijn onderarmen rusten op de reling, voelde in de watten van zijn hoofd de vooruitgeschoven traagheid van de jetlag. De vlucht uit Frankfurt had tien uur geduurd en de autorit van Miami was de hele tijd rijden en stilstaan geweest door een geschaarde vrachtwagen die het dak van zo'n Kever had opengereten, het hele tafereel zo helder als de dag in de gloed van de halogeenlampen.

Een paar weken geleden, toen hij een van Charlottes tirades over het buurhuis had aangehoord, had hij geopperd dat het misschien tijd voor haar was om te verhuizen. Ze had de hoorn min of meer op de haak gesmeten en nadien geen telefoontje meer van hem beantwoord.

'Het spijt me dat ik je dit heb aangedaan,' zei hij tegen Helen. 'Weinig professioneel van me.'

'Doe niet zo gek,' antwoordde zij. 'Heb je nog iets anders nodig? Het kan wel even duren voordat ik Holland te pakken heb op dit uur.'

'Nee, alleen de rekeningstanden. En misschien kun je maar beter naar DC bellen en uitzoeken waar de voorzitter zit, alleen maar voor het geval dat. Ik denk niet dat we hem nodig hebben.'

'Overigens,' zei ze. 'Heb jij de loodgieter nog gesproken over het lek in je huis?' Hij was daar een avond op gestuit in de achterhal, een roestkleurige zak in het behang boven de wandtafel.

'Zoiets moet je niet vergeten. Er kan een waterleiding springen.'

En wat dan nog? dacht hij. Water in de woonkamer? Een plas water onder de piano? Hij gebruikte de benedenverdieping nauwelijks meer, want de meeste avonden kwam hij na tienen thuis en ging hij meteen naar bed. Zelfs boven had hij zich teruggetrokken in een van de logeerkamers, waar hij gemakkelijker in slaap kwam met minder spullen van Betsy om zich heen. De dood van zijn vrouw was hem een maand of twee ontstellend hard gevallen, een tijd waarin zijn lichaam pijn deed van het moment dat hij wakker werd tot het moment dat hij in slaap viel. Maar zijn werk bleef hem opeisen. En algauw waren er dagen dat hij minder vaak aan haar dacht, en een halfjaar later waren er dagen dat hij helemaal niet meer aan haar dacht. Dit leek fout, onmenselijk zelfs, dat veertig jaar huwelijk zomaar kon wegglippen door een spleet in de tijd. Maakte dit hem tot een harteloze man? Gevoelloos? Wie zou het zeggen? En in zijn huidige privéleven was de persoon aan wie hij dacht, aan wie hij in zekere zin altijd had gedacht, zijn oudere zus Charlotte. Een vrouw die door Betsy eigenlijk alleen maar geduld werd.

'Als je me het nummer van de loodgieter geeft,' zei Helen, 'dan bel ik hem zelf wel.'

'Nee,' antwoordde Henry. 'Dat hoeft niet. Ik zal ervoor zorgen als ik terug ben.'

Beneden was de cocktailbar verlaten op een oudere Latijns-Amerikaanse man in een vest met vlinderdasje na, die achter de bar een krant zat te lezen. Op de televisie boven diens hoofd was geluidloos basketbal van de Westkust te zien. Henry bestelde een gemberbier en liep het terras op, waar hij ging zitten aan een tafeltje naast de trap naar het gazon. Tussen het hotel en het strand stond een rij palmen, van onderen belicht, hun bladeren volkomen roerloos. De golven kabbelden nauwelijks tegen het strand. De grote investeringshuizen hadden fortuinen gemaakt met dit soort resorts, de bedrijfstak versterkt en de hypotheken gesecuritiseerd. Ze waren het eerst aan de beurt om te worden betaald als de keten failliet ging en het eerst aan de beurt om de organisatie te financieren wanneer ze een doorstart maakte.

Het gemberbier had te veel zoetstof en te weinig koolzuur. Weer een cent voor Archer Daniels Midland en de glucosestroopgiganten.

Hou daarmee op, zei hij tegen zichzelf. Genoeg.

Hij wist nooit of uitputting automatisch de gedachte aan productie en gevolg opriep of dat hij juist moe werd van de gewoonte zelf. Hoe dan ook, het hield niet meer op. Als student had hij zich voor het vak filosofie het eerst beziggehouden met het scepticisme: hoe de geest met zekerheid kon weten dat dingen bestonden. Tegen de tijd dat hij rechten ging studeren had hij zich blijmoedig neergelegd bij een maatschappelijk, pragmatisch antwoord: geloven dat het niet zo was leidde tot absurde gevolgen. Tegenwoordig leek hem een groot deel van de wereld iedere realiteit te hebben verloren, niet omdat hij twijfelde aan het bestaan van dingen, maar omdat objecten, soms zelfs mensen, uiteen leken te vallen in hun oorzaken, hun eigen wezen verdrongen door wat hen zo had gemaakt.

Boven de zachte branding uit hoorde hij het gezoem uit de ventilatiegaten hoog op het dak van het hotel, en inwendig werkte hij de dwanggedachte weer eens helemaal uit: het staal gesmolten van erts gedolven op een eiland in de Indonesische archipel, tot platen gesmeed op de hydraulische persen van een gieterij bij Seoul, over de Stille Oceaan verscheept en opgeslagen in een magazijn in Long Beach, waar het verscheen op de voorraadcijfers van Economische Zaken, besteld, verpakt, vervoerd over de vlakten naar een groothandel in Atlanta, gekocht door een aannemer in Miami, die samen met een voorman arbeiders aanstuurde om de ventilatiekanalen te assembleren, de kraan te bedienen die de motor naar zijn plaats hees, de motor die zelf weer was samengesteld uit onderdelen afkomstig van tien of meer landen in een Maytag-fabriek ergens in Iowa of misschien Mexico, afgesteld op het exacte wattage vereist om gekoelde lucht in honderden slaapkamers te blazen, waar de vaag medicinale geur de sluimerende reizigers toedekte. En wat iedere stap, van de lage lonen van de mijnwerkers tot de financiering van het bouwproject mogelijk maakte: leningen, kredietlijnen, geleend geld – de geweldige scheppingsstimulans van rente op rente, de blinde maker van de moderne wereld.

Hij vroeg zich af hoe het zou zijn als het gezoem niet méér was voor hem dan wat het was: een gezoem.

Hij liet zijn glas op de tafel staan en wandelde het gazon op. Hij zou niet kunnen slapen voordat hij de problemen bij Taconic had opgelost, maar tot hij hun baas en Holland aan de telefoon had, kon hij niets meer doen.

Aan de andere kant van het zwembad liep een voetbrug over het zand en het ondiepe water naar een steiger die de jachthaven omsloot. Hij stak die over en liep langs de jachten en speedboten, afgemeerd met kettingen die zachtjes glansden in de havenlichten.

's Zomers waren Betsy en hij altijd naar Maine gegaan, naar Port Clyde. Een nacht in het zomerhuis op het vasteland, een dag om de boot uit het boothuis te krijgen, twee weken op het eiland. Ieder jaar hetzelfde. Net zoals hij dezelfde trein naar zijn werk nam als zijn vader. Zijn vader, die had gewerkt voor Roosevelts beurscommissie, in de beginperiode ervan, zijn vader die de schrik was geweest van de zwendelaars in goedkope aandelen en piramidespelers en die iedere avond thuiskwam met een aktetas vol verweerschriften en getuigenverklaringen, zelden op tijd voor het avondeten. Hij had hartstochtelijk geloofd in de regels op de naleving waarvan hij moest toezien, met het idee dat de regering gelijke kansen garandeerde. In 1944 had hij onder gejuich een Shermantank door de straten van Parijs gereden. Terug in de States had hij zijn hele carrière gejaagd op beursfraude, alsof dat een belediging van het land was. Niemand moest denken dat hij verheven was boven de democratische wet, waarvoor hij had gevochten. Eerlijke handel was alles voor hem. Hij was opgetogen toen Henry voor rechten koos, al zou hij er zich nooit voor of tegen hebben uitgesproken. Maar tegen de Federal Reserve had hij altijd enig wantrouwen gekoesterd, als je bedacht hoezeer die het had laten afweten tijden de crisisjaren. Bovendien was de instelling bepaald niet democratisch, met mensen uit de privésector die de regionale banken controleerden en ambtenaren als Henry aanstelden. Een in wezen openbare functie – de uitvoering van alle monetair beleid – die buiten de openbaarheid werd uitgeoefend, door niet-gekozen ambtenaren. Daar had zijn vader moeite mee gehad.

'Bedenk wel,' zei zijn moeder, zo herinnerde Henry zich nog goed, terwijl ze, aan de eettafel tegenover zijn vaders lege stoel, aan haar gin-tonic nipte, 'je vader is een man van princípes.'

Henry had zich in navolging van zijn vader nooit met het leven van zijn zus Charlotte bemoeid, zelfs niet na haar rampzalige affaire met Eric. De oude man had altijd volgehouden dat hij trots was op zijn dochters onafhankelijkheid. De principiële houding. Maar ja, hij was er niet meer.

Aan de dikke houten palen achter in de haven, waar het donkere water tegenaan klotste, waren autobanden bevestigd. Hoe kwam het dat zijn zuster hem na al die decennia nog voor haar karretje kon spannen? Ooit had hij gedacht dat een eigen gezin een soort barrière zou vormen, en een tijdlang, toen zijn dochter Linda nog klein was, was dat ook zo geweest. Maar dat had niet lang geduurd. Betsy had, op haar manier, altijd een hekel aan zijn zus gehad, en dat kon hij haar niet echt kwalijk nemen. Het kwam niet doordat ze elkaar zo vaak zagen in een jaar. Het kwam door iets anders. Iets dat te maken had met Charlottes claim op Henry.

'Je huwelijk zou moeten worden gedoneerd aan het Smithsonian,' had ze hem ooit gezegd.

Hij had zich beledigd moeten voelen, maar hij had haar humor altijd wel kunnen waarderen.

Toen hij over de steiger terugliep om naar zijn kamer te gaan, begon zijn mobiel te trillen.

Al zijn bange vermoedens omtrent de leiding van Taconic werden snel bevestigd door zijn gesprek met Fred Premley. Het bleek dat de swap de bank nu al bijna een maand ontzaglijke hoeveelheden contanten had gekost. Het nieuws was duidelijk gelekt naar de *overnight market*. Wat betekende dat het probleem al groter was dan zijn nominale waarde. Als Premley had gedaan waarvoor hij was ingehuurd, had hij Henry's staf al twee weken geleden benaderd en geleend van het Discount Window. Maar hij probeerde een koper voor zijn bedrijf te vinden, dus had hij geen openlijk noodsignaal willen afgeven. In plaats daarvan had hij gewoon afgewacht, in de hoop dat hij zou worden gered door de omstandigheden. Ze hadden elkaar nooit ontmoet, maar bij het horen van zijn sonore stemgeluid zag Henry de dubbele kin al voor zich. Dit was zo'n sukkel van De Ronde Tafel die bij de lunch afgaf op overheidsbemoeienis en nu zelf midden in de nacht via een mobieltje de regering smeekte hem te redden. De volgende morgen zouden er teams van inspecteurs voor de deuren van zijn kantoor staan, maar nu moesten ze iets in elkaar flansen. Nadat Henry een paar minuten zijn gedraai had aangehoord, maakte hij duidelijk dat een concreet verzoek vereist was.

'Goed dan,' zei Premley, 'ik denk dat ik hierbij de Discount Window verzoek ons de honderdzeventig te lenen.'

Henry keek naar de fax die Helen had doorgestuurd. Taconic had veertig miljoen op zijn reserverekening.

'Dat had u kunnen krijgen, meneer Premley, als u ons tijdig had benaderd. Maar u bent wat laat, vindt u niet ook?'

De lijn viel even stil.

'U krijgt dertig,' zei Henry, 'en dan mag u nog blij zijn ook.'

'U meent het.'

Hij zei niets.

'En de rest?' vroeg Premley.

Henry had de grens van zijn officiële, openbare gezag bereikt. Nu betraden ze het informele domein. 'De rest moet gerestructureerd worden,' zei hij. 'Vannacht.'

'Daar ben ik het niet mee oneens, maar mijn vicepresident informeert me dat Union Atlantic al uren de poot stijf houdt. Ze willen niet herfinancieren.'

'Dat is helemaal niet vreemd, onder de omstandigheden.'

Hij liet de stilte die daarop volgde tussen hen in hangen. Henry moest Premley zozeer de stuipen op het lijf jagen dat hij de harde voorwaarden van Union Atlantic zou accepteren zodra hij zijn telefoontje met Holland pleegde. Hij zei nog een paar tellen niets: lang genoeg, veronderstelde hij, om de man aan het denken te zetten over zijn eigen aansprakelijkheid, als de aandeelhouders eenmaal begonnen te procederen.

'Zeg Cannistro dat hij de dertig miljoen laat overmaken en hou deze lijn open, goed, meneer Premley? We zullen zien wat we kunnen doen.'

Toen Henry terug op zijn kamer de televisie aanzette, zag hij dat Frankfurt en Parijs in de eerste handelsuren in de min zaten. Hij zette het geluid uit en sloot een paar minuten zijn ogen. De kantoren in Londen begonnen nu hun dag en zouden opmerken dat de betalingen van Union Atlantic werden opgehouden. Een of twee telefoontjes naar de *trading desks*, waar de jonge honden aan hun koffie lurkten, dromend van de klapper die ze gingen maken, en de lijnen zouden gaan zoemen en de bankkoersen bij het luiden van de bel in de min gaan. Hij zag de glans op het harde zwarte plastic van de telefoons die gingen rinkelen, de vijfschermcentrales van Roth Brothers die Reuters en Bloomberg van informatie voorzagen, de digitale nieuwsstroom op de tekstband hoog aan de muur, servers onderling verbonden, nested en gekoeld op de verdieping daaronder, die de eerste rapporten van de dag bundelden voor export naar de overtollige militaire gebouwen in Norfolk en Hampshire, stalen schuren zonder ramen omringd door hekken en prikkeldraad.

'Opvallend hoe krankzinnig alles kan worden, nietwaar,' had Charlotte een paar maanden tevoren gezegd in een van hun rare gesprekken. 'Vergeet alleen niet dat je er zelf middenin zit.'

Hij sloeg zijn oogleden op en tuurde naar de cijfers die over de onderkant van het geluidloze scherm liepen. Op zijn blackberry vond hij het nummer van Mark Darby, zijn tegenhanger van de Bank of England, en liet een voicemail bij hem achter met het bericht dat er een probleempje was geweest en dat de rekeningen van Union Atlantic vereffend zouden zijn vóór het begin van de handel in New York. Darby zou de boodschap naar buiten brengen en als alles goed ging kon Londen in het komende uur misschien nog steeds gladjes openen.

'Is er niet een of andere wet die mannen van onze leeftijd verbiedt om op dit uur wakker te zijn?' vroeg Jeffrey Holland met zijn warme, innemende stem, nadat Helen hem eindelijk had doorverbonden. Hij wist heel goed dat Henry zeker tien jaar ouder was dan hij, en geheel in stijl fungeerde de vraag dus ook als compliment. Henry nam aan dat het de slechte verdienste was die Holland ervan had weerhouden om in de politiek te gaan.

'Niet dat ik weet, maar senator Grassley dient vast wel een wetsvoorstel in als je het hem influistert.'

Holland grinnikte. Hij had geholpen een streep te halen door een rapportagebepaling die de Fed in het definitieve ontwerp voor de belastingwet had gewild.

'Ik zou het tegen hem moeten zeggen. Geen telefoontjes na negen uur.'

'Dus je hebt geen enkel waarschuwingssignaal gekregen in die Taconic-affaire?' vroeg Henry.

'Geen enkel. Ik hoorde het vandaag. Ze moeten van de ene naar de andere kredietverschaffer zijn gegaan. Ze zijn in ieder geval niet bij ons geweest.'

Henry kon dit maar moeilijk geloven, maar besloot er niet verder op in te gaan.

'Ken je die Premley?'

'Ik heb een of twee keer zaken met hem gedaan. Ze hebben hem binnengehaald om de tent op orde te brengen en te verkopen. Niet zo'n goede keuze, kennelijk.'

'Onder ons gezegd en gezwegen, de Discount Window heeft ze net dertig verstrekt van wat ze jullie schuldig zijn.'

'En jij vindt dat wij de rest moeten prolongeren?'

'Tja, jullie hebben zelf een ongedekte positie. Het is halfdrie in de morgen.'

Hij hoorde een geluid dat klonk als ijs dat in een glas werd gedaan. Holland nam een slok en schraapte zijn keel. Hij zou zich nu niet meer verzetten. In het ergste geval zou Union Atlantic het verlies uiteindelijk afschrijven voor het bedrag dat ze niet konden verhalen. Nu hij wist van de zwakte van Taconic zou Holland misschien zelfs proberen het te kopen, als de koers eenmaal was gekelderd. Een relletje met de aandeelhouders over drie maanden viel in het niet bij de mogelijkheid dat zijn bank technisch niet liquide was wanneer de beurzen opendenden. Dat wisten ze allebei. Bovendien was Henry toezichthouder van de Union Atlantic Group. Holland zou het nu op een akkoordje gooien. Alleen het telefoontje was al genoeg geweest.

'Het moet een raar baantje zijn,' zei Holland. 'Om je steeds maar de echte ramp voor te moeten stellen. Dat het hele gedoe met de krediet-speculatie in elkaar dondert.'

Henry was weer het balkon op geslenterd, waar de wind vanaf het water was aangewakkerd; de golven waren nu wat hoger, de boten deinden tegen hun palen, de palmbladeren zwaaiden heen en weer. Hoe kon iemand dat tegenwoordig niet in gedachten houden? Na de valutapaniek, 11 september, de Argentijnse wanbetaling, allemaal op de een of andere manier opgelost. Het systeem was in de ogen van het publiek nog krachtig, het geloof van de mensen in de waarde van het geld in hun zak was nog zo onwankelbaar dat ze zich iets anders niet konden voorstellen. Maar als je op 12 en 13 september aan de telefoon had gehangen met de ministers van Financiën of met de Schatkist – Henry uit Basel en zijn staf, behorend tot de weinige mensen die naast de brandweer- en reddingsdiensten in Lower Manhattan waren achtergebleven – wist je dat het ook anders had kunnen lopen. Nog een slecht bericht en het onzichtbare bouwwerk van vertrouwen was misschien bezweken.

Daar had Holland gelijk in. Henry werd betaald om zich zorgen te maken, zodat de gemiddelde burger dat niet hoefde te doen.

'We doen ons best,' zei hij.

'Ik laat mijn mensen met Premley praten.'

'Dat stel ik op prijs,' zei Henry. 'En natuurlijk, hoe minder hierover in het nieuws komt, des te beter. Voor iedereen.'

'Uiteraard.'

'Goed, dan mag je nu weer gaan slapen.'

'Hou je taai, Henry. Het land heeft je nodig.' En daarmee verbrak hij de verbinding.

Henry staarde omlaag naar het door verspilde energie verlichte zwembad, waarvan het oppervlak rimpelde door de nieuwe beweging in de lucht, die inmiddels ook de branding had opgestuwd. Weer hoorde hij het gezoem van het apparaat op het dak, waar de motor van de airconditioning erop los gonsde. Hij dacht aan de toespraak die hij over een paar uur beneden in de balzaal moest houden, de vliegreis naar LaGuardia, de reis in de auto terug naar Rye. En binnenkort de tocht die hij naar Massachusetts moest maken, om die kwestie met zijn zus uit te zoeken en een plek te vinden waar zij naartoe kon.

Zijn natuurlijke familie, altijd weer.

# Hoofdstuk 5

Finden High School, een bakstenen gebouwencomplex met boogramen en een plompe klokkentoren, werd in 1937 gebouwd in het kader van de openbare werkverschaffing. Zoals bij veel van dat soort gebouwen werd het gebrek aan verfijning maar deels gecompenseerd door de paar art-decodetails: het roestvrij staal rond de voordeuren en de zigzaglijnen gehouwen onder de modernistische wijzerplaat. Aan de grimmige utiliteit van een fabriek hadden de ontwerpers slechts een vleugje stijl toegevoegd. De school stond aan de Wentworth Street tegenover een reeks sportvelden die zich uitstrekten tot aan de rivier. Niet ver van het voetbalveld van het universiteitsteam bevond zich de plek, aangegeven met een gedenkplaat en een bank, waar volgens het Stedelijk Historisch Genootschap de eerste blanke families van hun rivierboten waren gestapt nadat ze aan het einde van de jaren dertig van de zeventiende eeuw de korte afstand vanaf Boston hiernaartoe hadden afgelegd. Documenten vermeldden dat deze kolonisten de toen dunbevolkte jachtgronden van de Algonquin de naam 'Contentment' hadden willen geven, maar het praktisch ingestelde General Court van Massachusetts had hun besluit terzijde geschoven en hun in plaats daarvan de degelijkere Engelse naam Finden opgelegd, die men beter vond passen bij de pas gestichte plaatsen Roxbury, Gloucester en dergelijke.

Zoals de leerlingen ieder najaar te horen kregen op de bijeenkomst over de lokale geschiedenis, bedoeld om ze te stimuleren maar ook schuldbesef bij te brengen, was een van de eerste daden van de kolonisten het stichten van een school, die door de gemeenschap in stand was gehouden gedurende de weinig spectaculaire ontwikkeling van handelspost tot agrarische stad tot twintigste-eeuwse voorstad. De laatste jaren was de bijeenkomst meer gericht op het aandeel van de oorspronkelijke Amerikanen aan de plaatselijke gebruiken, maar aan het slot sprak de directeur nog steeds zijn trots uit over het percentage laatstejaars dat doorging naar de vierjarige colleges, een feit dat de leerlingen op de een of andere manier door de nevelen van de tijd moest verbinden met die eerste tocht rivierafwaarts, eeuwen geleden, van de dapperen en godvruchtigen.

Dat voorjaar van 2002 echter dreigde één bepaalde leerling, Nate Fuller, de statistiek omlaag te brengen. Hij had in het najaar daarvoor zijn aanvragen voor colleges niet ingevuld en in het voorjaar had hij weer geen aanvragen ingediend bij colleges waar je het hele jaar door kon worden toegelaten. Zijn mentor had hem verschillende malen bij zich geroepen en gevraagd of hij al vorderingen maakte, maar hij had niets te melden. Evenmin had hij een plan om het vrije jaar zo te besteden dat hij het volgende najaar meer kans maakte. Zijn leraren beschreven hem als losgeslagen.

De meeste dagen liep deze melkbleke zeventienjarige door de gangen in een gerafelde katoenen broek en een blauwe *hoody*. Zijn bruine haren vielen over zijn oren en zijn ogen waren gezwollen van de slaap. In september was zijn vader overleden, en hij was drie weken niet op school geweest. De gemiste lessen had hij nooit meer ingehaald, laat staan dat hij collegecampussen had bezocht of essays geschreven over zijn motivatie om te gaan studeren. Toch bezat hij ondanks zijn lusteloze houding nog wel de veranderlijkheid van de jeugd, was hij nu eens chagrijnig en dan weer vriendelijk, al naar gelang zijn stemming. En hoewel zijn school hem niets kon schelen, had hij zijn moeder kortgeleden beloofd naar de bijles te gaan die hij volgens zijn lerares Amerikaanse geschiedenis nodig had om het toelatingsexamen te halen.

Op een bewolkte dag in het midden van april, na zijn laatste mislukte afspraak met de mentor, verliet hij het schoolgebouw aan de achterkant en liep via de binnenplaats naar de Pratt Road, waar de gazons nog nat waren van de regen die ochtend. De vrijdagmiddag was meestal het fijnste moment van de week, vervuld van de belofte

73

van vrijheid, maar vandaag moest hij gaan kennismaken met de bijleslerares. Als hij wilde kon hij de hele afspraak afblazen en gewoon tegen zijn moeder zeggen dat hij er was geweest. Maar een dergelijke leugen vereiste net zo goed energie, en het bezoek zou maar een uurtje kosten.

In de tijd tussen zijn moeders nieuwe baan op de bibliotheek en de avonden die hij liefst buitenshuis poogde door te brengen zagen hij en zij tegenwoordig weinig van elkaar. Gedurende de maaltijden die ze samen aten betreurde Nate het niet dat zijn moeder zo afwezig was: dat ze niet leek te horen wat hij zei, dat ze onlogische antwoorden gaf – flarden van nieuwtjes over vrienden of familieleden, of herinneringen aan uitstapjes die ze ooit hadden gemaakt. Op die manier was hun tijd samen te verdragen. Allebei elders met hun gedachten.

Het werd moeilijk als ze soms bij hem kwam met een of andere kwestie – een cijfer of gezondheidsverklaring –, iets waarmee ze zich ineens zo nodig als ouder moest manifesteren. Dan konden ze elkaar niet meer ontwijken, en al haar inspanningen van het laatste jaar om hun levens bij elkaar te houden, om samen in het huis te blijven en de rekeningen te betalen, balden zich dan samen in haar paniekerige stem. En hoe onbeduidend het betreffende onderwerp ook was, plotseling leek het een zaak op leven en dood. Dat kon hij niet verdragen, en dan was hij bereid in te stemmen met wat ze ook maar vroeg, zodat ze zich weer van elkaar konden afwenden.

Een jaar geleden was zijn vader euforisch geweest, had Nate midden op de dag van school gehaald om te lunchen bij de Four Seasons of met hem in een oude Rolls-Royce naar het puntje van Cape Cod te rijden, laat op een doordeweekse dag, om naar de weerspiegeling van de maan op het donkere water van de Atlantische Oceaan te kijken. Omdat Nate wist dat zijn moeder thuis zich zorgen maakte over waar ze waren, kon hij niet gewoon genieten van dergelijke momenten, hoezeer zijn vader er ook van genoot. Anderhalf jaar tevoren had zijn vader zijn laatste baan als consultant verloren en Nate wist dat hun geld bijna op was. De vloed aan ideeën over de volgende onderneming die hij zou beginnen beukte zo hard op Nate in, dat de woorden concrete kracht kregen, als een wind die fijne glassplinters blies. De beschrijvingen van projecten en investeerders, uitgewerkt tot op het laatste cijfer en adres, waren pijnlijk gedetailleerd.

Die niet-aflatende energie had zes maanden geduurd. Toen, halverwege juni, was zijn vader thuisgekomen en naar bed gegaan, waar hij bijna de hele zomer was gebleven, met zo nu en dan een uitstapje naar de garage of de kelder om te ontsnappen aan de hitte. Hij at weinig en zei amper iets, terwijl Nates moeder uit alle macht probeerde te doen alsof het normaal was.

Toen hij ten slotte weer wat energie had gekregen, begon hij opnieuw het huis uit te gaan, voor lange wandelingen over de paden bij het Audubon-natuurreservaat. Hij vertrok dan voor zonsopgang en kwam rond het middageten terug. Toen hij op een avond niet terugkeerde, belde Nates moeder Nate in de supermarkt waar hij na schooltijd werkte en vroeg hem zijn vader te gaan zoeken.

Een halve kilometer het bos in kwam Nate bij het aquaduct over het moeras, waarvan het betonnen oppervlak overdekt was met graffiti, gemaakt door de jeugd die zich daar bezatte in de weekenden. Hij en zijn vader waren voordien ontelbare malen over deze brug gegaan, met de hond of gewoon wat rondbanjerend op een middag in het weekeinde, op verkenning naar stukken van de rivier die ze af wilden roeien als ze een boot hadden. Tot voor kort had Nate niet nagedacht over hun idyllische kameraadschap: die was er gewoon altijd geweest.

Hij stak de brug over en liep het pad af dat over de kam het bos in liep. Het Audubon-natuurreservaat lag een paar kilometer verder, bereikbaar vanaf een weg aan de andere kant. Weinig mensen liepen erheen via dit gebied, dus verbaasde het hem niet dat hij niemand tegenkwam op het pad. Maar verder ging hij niet. Hij liep niet naar het einde van het pad, dat tot aan het water voerde, en hij zocht op zijn terugweg niet onder de bogen van de brug of langs de rivieroever zoals hij had kunnen doen, zoals hij had moeten doen. Hij bleef bij de zwarte, gietijzeren leuning van het aquaduct staan uitkijken over de verkleurende bladeren en wilde dat zijn vader eens ophield zijn moeder zo ongerust te maken.

De volgende ochtend zei de brigadier van politie alleen: 'Bij het aquaduct', op de vraag van Nates moeder waar hij zich had opgehangen. De agent zei niet wanneer zijn vader het had gedaan. Dus had Nate geen idee of hij nog leefde toen hij naar hem zocht, te zeer met zichzelf bezig om zelfs maar naar hem te roepen.

Van de maanden daarna herinnerde Nate zich weinig. Gelukkig behandelden zijn beste vrienden hem slechts een week of twee met tact, voordat ze weer even rot als altijd tegen hem deden en zijn leven weer een klein beetje leek op wat het was geweest.

Hij moest nu aan ze denken, Emily en Jason en Hal, raakte opnieuw in de verleiding te spijbelen van die stomme bijlessen en ze te bellen om te zien of ze ergens rondhingen.

Op zijn weg naar de Winthrop Street werden de huizen schaarser, want dit was het oudste, rijkste gedeelte van de stad, dat voornamelijk bestond uit villa's.

*Charlotte Graves, Winthrop 34,* en een telefoonnummer. Dat was alles wat mevrouw Cartwright op het kaartje had geschreven. Toen hij de vrouw had gebeld voor een afspraak, was ze kortaf geweest, op het onbeleefde af, en had ze niet verteld hoe hij er moest komen.

De brievenbus met dat nummer stond tussen twee oprijlanen, waardoor het onduidelijk was bij welk huis die hoorde. De linker oprijlaan voerde naar een witte villa met zuilen langs de rivieroever, die er nieuw uitzag maar was gebouwd in een neoklassieke stijl die je vroeg dat feit te vergeten. De zware kroonlijsten en statige vensters en de volmaakte gazons eromheen waren op de een of andere manier schitterend, zelfs in het licht van een bewolkte dag. De andere oprijlaan was een met onkruid overwoekerd pad dat leidde naar een schuur en een doosvormig huisje met spanen, dat eruitzag alsof het eeuwen geleden was gebouwd en nadien nauwelijks onderhouden.

Een bijleslerares in geschiedenis, dacht Nate. Wat was het waarschijnlijkst?

Hij wist welk huis zijn vader zou hebben gekozen. Bij welk huis hij zich naar binnen had gepraat, iedereen op zijn gemak stellend, iedereen inpalmend met zijn charmante gepraat. Want voor zover Nate wist, had zijn vader dat al gedaan. Voor zover hij wist, hoorden de villabewoners tot degenen in Finden die zijn vader zover had gekregen hem boten of oldtimers te lenen, een gewoonte die hij tijdens die laatste avontuurlijke lente had ontwikkeld.

Langzaam liep hij de heuvel af naar de villa, waar hij de treden besteeg en op de koperen bel drukte. Het eerste gerinkel leverde geen reactie op. Hij keek door een raam, maar zag niet veel van het interieur. Hij boog voorover, drukte zijn hand op het glas tegen de weerspiegeling en zag dat de hele voorkamer leeg was: er stond niet één meubelstuk. Geen tapijten op de vloer, niets aan de wanden. Aan de andere kant van de voordeur was het precies hetzelfde: een grote hoge kamer, met aan de ene zijde een open haard en verder niets dan kale planken en pleisterwerk. Een van die grote nieuwe huizen gebouwd voor speculatie, nam hij aan, die wachtten op een eigenaar. Hij belde nog een keer, voor het geval dat.

Nieuwsgierig liep hij langs de voorgevel van het huis en tuurde door nog een raam nog een lege kamer in. De leegheid van het huis intrigeerde hem. Al die voltooide ruimte zonder enig teken van leven. Zonder inhoud of associatie. Een volmaakte leegte.

Maar niet helemaal, zo leek het. Door het volgende raam zag hij een op een krat geplaatste flatscreentelevisie tegenover een oude stoffen bank. Er waren hier geen stoelen of tafels, geen lampen of inbouwspullen, alleen die televisie, de bank en ernaast een lege bierfles. De makelaar? vroeg hij zich af. Maar hoe moest hij of zij het huis dan laten bezichtigen? Het bood een vreemde, enigszins troosteloze aanblik.

Hij gaf het op en ging terug over de gebogen oprijlaan, langs een fontein met een engeltje in het midden, en liep heuvelopwaarts naar het buurhuis. Dat zag eruit alsof het langzaam wegzonk in de aarde. Hortensia's waren tot aan de lagere ruiten van de benedenvensters gegroeid en de afbladderende goten liepen over van de bladeren. Aan de ene kant was een afvoerpijp gebroken en rustte nu tegen een kant van het huis. Op het dak waren de verbleekte aluminium sprieten van een oude televisieantenne losgeraakt van de schoorsteen en helden vervaarlijk over.

Er waren in Finden niet veel huizen meer als dit. Vanaf Nates vroegste jeugd werden overal waar het maar kon nieuwe huizen gebouwd, percelen uitgegeven en akkers en bossen veranderd in nieuwbouwprojecten, met ieder jaar meer verkeer.

Hij vroeg zich af of mevrouw Cartwright hem niet het verkeerde adres had gegeven, of het huis niet onbewoond was. Eigenlijk hoopte hij dat ook. Maar zodra hij op de achterdeur had geklopt, hoorde hij geblaf en geschuifel van poten op linoleum. Ergens in het huis riep een stem woorden die hij niet kon verstaan. En toen hoorde hij voetstappen naderen. Een nors gefluister volgde.

'Doe niet zo onnozel,' zei de stem. 'Sinds wanneer klopt de duivel aan?'

Toen, luider: 'Wie daar?'

'Nate Fuller. Bent u Charlotte Graves?'

De deur ging slechts een kiertje open en de snuiten van twee honden drongen door de opening, een moment later gevolgd door het diepgegroefde gelaat van een grijze vrouw.

'Natuurlijk ben ik dat,' zei ze. 'Wie anders? Bent u een mormoon of zo? Die komen meestal met z'n tweeën.'

'Nee,' zei hij, zijn stem verheffend om boven het geblaf uit te komen. 'Ik kom voor de bijlessen. Ik heb vorige week gebeld? We hebben elkaar over de telefoon gesproken?'

'O ja?'

Ze nam hem een ogenblik op en duwde vervolgens met tegenzin de hondenkoppen terug in het huis.

'Het zal wel, ja,' zei ze. 'Je moet maar naar binnen komen.'

Ze trok de deur open en stapte opzij. Nate was nog niet binnen of de dobermann sprong omhoog, plantte zijn voorpoten op Nates borst en drukte hem tegen de muur. Hij ontblootte zijn tanden en begon te blaffen. Achter hem stond een grote kwijlende mastiff te grommen.

'Hou eens op met dat paranoïde gedoe, Wilkie!' gilde de vrouw. 'Hij heeft niets te maken met Elijah Muhammad. Weg daar nou!' zei ze met stemverheffing, terwijl ze met een theedoek naar de kop van de hond mepte. De aanvaller duwde zich nog even tegen Nate aan, het wit van zijn ogen oplichtend in de donkere spitse kop. Met tegenzin week hij terug en voegde zich bij de andere hond, en ze gingen allebei aan weerszijden van hun baasje staan, als schildknapen die de doorgang naar de rest van het huis bewaakten.

De keuken zag eruit als een tafereel uit de *Druiven der gramschap*, de houten keukenbladen kromgetrokken en vol vlekken, de spoelbak met strepen roest, het witte email van het klauwpootfornuis aangetast. De koelkast leek het enige moderne apparaat, en zelfs dat was een krakkemikkig exemplaar. Toch was dit geen armoede. Dat was niet de juiste omschrijving. Het was iets anders. Iets dat Nate niet kon thuisbrengen.

'Komt het niet uit?' vroeg hij hoopvol. 'Ik kan op een andere dag terugkomen?'

'Nee,' zei ze. 'Het maakt niet uit. Ik herinner me je telefoontje nu. Jij bent degene die wil proberen de verloren tijd in te halen.'

'Inderdaad. Toelatingsexamen geschiedenis.'

Iets leek haar oog te trekken naar de rood-witte spikkels van de linoleumvloer; haar handen kwamen tot rust in de uitgerekte zakken van haar gebreide vest. Een moment lang heerste er volmaakte stilte.

'Ik doe dit niet veel meer,' zei ze op bedachtzame toon, alsof de herrie met de honden nooit had plaatsgevonden en ze alleen in de keuken was en hardop tegen zichzelf praatte. 'Bijlessen, bedoel ik.'

Nate wist niet wat hij moest zeggen. Het leek een persoonlijk moment. Ondanks haar kribbigheid was hij nu al bang dat hij haar zou teleurstellen als hij vertrok.

'Mevrouw Cartwright... zij vertelde dat u les heeft gegeven op de middelbare school?'

De vrouw knikte, ontwaakte uit haar in zichzelf gekeerde stemming.

Toen hij zijn rugzak oppakte en naar het midden van de keuken liep, begon de dobermann weer te grommen.

'Wil je wat water?' vroeg ze. 'Of misschien een sinas?'

'Water graag.'

Ze liep naar het aanrecht, vulde een tinnen kroes en gaf hem die. Hij zag eruit als iets waaruit een ridder dronk.

'Nou,' zei ze, 'we moesten maar eens beginnen.'

Hij had een paar inleidende vragen verwacht. Wat ze in de klas hadden behandeld en wat hij had gemist. Maar niets van dat al. Kortgeleden had ze iets gelezen over eigendomsrecht, zei ze, en dat had haar op het onderwerp belastingen gebracht.

Op een hoekje van de bank gezeten vouwde ze haar handen op haar schoot en staarde in de as van de open haard. Na een ogenblik van stilte kuchte ze even en zei: 'Het is de gewoonte dat leerlingen aantekeningen maken.'

'Goed,' zei hij terwijl hij in zijn tas pen en papier zocht, 'tuurlijk.'

'Het Zestiende Amendement wordt over het algemeen veronachtzaamd,' begon ze. 'Maar niet in dit huishouden.'

Hiermee begon ze aan een ononderbroken halfuur over de aanvaarding van de federale inkomensbelasting en de lange weg om deze algemene heffing voor vennootschappen en vermogenden erdoor te krijgen, een idee verdedigd door de populisten, socialisten en democraten onder Bryan, onderuitgehaald door het Hooggerechtshof, in de ene na de andere campagne bevochten, tot republikeinse progressieven het uiteindelijk oppakten als het antwoord op de tekorten en de tarievenchaos. Taft, een president die er zelfs niet in was geslaagd om door te dringen tot Nates lesstof, werd door mevrouw Graves afgekraakt als een over het algemeen saaie en incapabele man.

'Maar we moeten niet vergeten,' zei ze, 'dat hij degene was die in 1909 het Congres een amendement op de grondwet voorstelde dat de regering in staat stelde het geld te innen.'

Vanuit een ouderwetse oorfauteuil die veren verloor door het gerafelde weefsel van de bekleding nam Nate de opmerkelijke staat van de kamer in zich op. Elk oppervlak, van de bijzettafeltjes tot aan de schouw en een groot deel van de vloer, was overdekt met papieren: dagbladen, weekbladen, maandbladen, mappen uitpuilend van de vergeelde documenten, de stapels omgeven door van alles en nog wat, van koffiemokken tot vuile borden tot losse kledingstukken, rode wollen handschoenen, een gebreide sjaal. En waar hij ook keek, boeken: gebonden, paperbacks, naslagwerken, oude in leer gebonden banden met afbladderende gouden belettering, atlassen, kunst- en fotoboeken, biografieën, romans, verhalenbundels, geschiedenisboeken, sommige opengevouwen, andere dichtgeklapt over kleinere banden heen. De overvolle boekenkasten stonden tegen de muur als verzakte monumenten van een voorbij ordeningssysteem, inmiddels volkomen ongeschikt om deze zee van drukwerk te bevatten.

'"Een accijns op het privilege zaken te doen als een kunstmatige eenheid." Zo noemde Taft de vennootschapsbelasting.' Ze citeerde uit een opengeslagen foliant op de salontafel voor haar. 'Het duurde nog eens vier jaar voordat voldoende staten de maatregel ratificeerden en er een wetsvoorstel van het Congres naar Wilson gestuurd kon worden. Maar het was een feit, het principe was vastgelegd: voor het privilege om hierin, het stelsel van het volk, geld te verdienen zult gij, de vermogende, betalen.

En,' zei ze, op dreef komend, 'ga nu eens een halve eeuw verder. Het is 1964. De Republikeinen zijn in verwarring, liggen eruit, zonder het Witte Huis, het Congres of het Hof. De Civil Rights Act is net aangenomen. En dan is daar ineens een man genaamd Barry Goldwater. En die heeft een idee: maak van de regering de vijand.'

Bijna even opmerkelijk als de enorme hoeveelheid spullen was dat mevrouw Graves zich daar volkomen onbewust van leek. Ze zei niets over de staat waarin haar huis verkeerde toen ze Nate binnenliet en hij zijn eigen plekje vrij moest maken om te gaan zitten. Het leek wel dat er wat haar betrof niets aan de hand was. Maar in weerwil van al de troep waarin ze leefde en al haar breedvoerigheid vond hij haar niet onsamenhangend. Nate had zelfs nog nooit iemand met zoveel overtuiging horen praten, behalve misschien zijn vader. En zeker geen van zijn leraren. Dit was tenslotte geschiedenis. En toch praatte zij alsof ze een retorische revolte voerde tegen de vijanden van de beschaving.

'En moet je ons nu zien,' vervolgde ze. 'Moet je zien hoe ingenieus ze onze politiek in regels hebben vastgelegd. Dezelfde aanvalstactiek die ze op ons staatsgezag toepassen gebruiken ze voor al hun andere doelen. Natuurlijk begin je na verloop van tijd samenhangen te zien tussen de duisterder krachten. Maar dan zeg je tegen jezelf: nee, Charlotte. Je overdrijft, je gelooft in een complottheorie? Je geeft toe aan een of andere behoefte te moraliseren omdat je, laten we eerlijk zijn, niet meer bent dan een hoop Oostkust-vooroordelen. Maar dan vind je dit' – ze keek naar de boeken aan haar voeten, ontdekte het exemplaar dat ze zocht en sloeg het open op een pagina met een ezelsoor – 'en je denkt, nou, misschien wel. Maar luister eens hoe zíj het formuleren. Dit is Lee Atwater – waarschijnlijk heb je nog nooit van hem gehoord – die uitlegt hoe het werkte: "In 1954 begin je," zegt hij, "'nikker, nikker, nikker!'" te zeggen. Tegen 1968 kun je niet meer "'nikker'" zeggen – daar krijg je last mee. Werkt averechts. Dus zeg je dingen als gedwongen busvervoer, rechten van de staten en al dat soort dingen. Je wordt nu zo abstract dat je het hebt over belastingverlaging, en al die dingen waarover je praat, zijn alleen nog maar economisch van aard, en een bijproduct daarvan is dat de zwarten meer te lijden hebben dan de blanken."

Dat zegt híj,' zei ze met nadruk, terwijl ze het boek dichtklapte. 'En dus denk je: ik ben niet gek. Absoluut niet. Belasting heeft alles te maken met ras. Net als al het andere. Alsof ergens in de jaren zestig het publieke domein in onze geest van kleur is veranderd. Van denkbeeldig wit in denkbeeldig zwart. En sindsdien lopen we ervoor weg. Alsof iets wat je niet kunt omheinen of aan je huis vastnagelen gelijkstaat met het openbare zwembad dat bedreigd wordt door de zwarten en armen. Maar het openbare zwembad bevindt zich niet in jouw achtertuin, zeg je. Het ligt niet eens in de buurt. Klopt. Maar het ligt wel in mijn land. Mag ik er dan geen patriottisme van idealen op na houden? Is het zover met ons gekomen?'

Ze zweeg om adem te halen.

'Begrijp je wel wat ik bedoel?' vroeg ze.

'Ik denk van wel.'

'Niet dat jíj het ook maar op één punt met me eens bent, nietwaar?' zei ze, vooroverbuigend om de mastiff toe te spreken. 'Hij is de laatste tijd zo reactionair geworden. Hè, Sam? Al dat godsdienstige gewauwel. Hebben jullie honden?'

'Nee. Vroeger wel een konijn.'

'Doe niet zo gek.'

'Sorry, ik...'

Nee, nee, ik had het niet tegen jou. Sam hier is gewoon een fanaticus. Denkt dat jij katholiek bent. Konijnen, zeg je. Mijn grootvader mocht er graag op schieten. Dan kwamen ze tevoorschijn in de tuin en legde hij zijn geweer op die vensterbank daar en opende het vuur. Maakte mijn grootmoeder hoorndol. Je zou denken dat ze nu wel weer in groten getale zouden zijn teruggekomen, maar ik zie ze nooit.

Hij was natuurlijk een *mugwump*. Hebben jullie de jaren tachtig van de negentiende eeuw al gehad? Een heel ouderwets soort republikein. Stapte uit de partij in 1884. Provinciale advocaat, uitgever van de *Finden Gazette*. Moest niets hebben van partijmachinaties. Laissez faire natuurlijk, maar het was een andere tijd. Hij trok evenzeer ten strijde tegen kartels als tegen de stadsbonzen, en daarin was hij zijn tijd vooruit. Kijk maar naar de Wereldhandelsorganisatie vandaag de dag en het komt je allemaal bekend voor. Zoals die conglomeraten de regels bepalen om de plaatselijke bewoners te mangelen. De spoorwegen hebben niets achterwege gelaten om de wetgevende macht dwars te zitten,' eindigde ze, terwijl ze een plekje op de rug van de mastiff op teken of luizen controleerde.

'Deze bullebakken hier moeten helaas worden uitgelaten,' zei ze. 'Sorry dat ik zo heb zitten doorratelen. Maar we moeten nog heel wat behandelen.' Ze keek naar hem op, zag hem voor het eerst recht in de ogen. 'Je komt toch terug? Volgende week?'

In deze laatste maanden was het Nates tweede natuur geworden aan te voelen wat anderen wilden, alsof de dood van zijn vader hem had voorzien van een stel nieuwe ogen zonder oogleden, waarmee hij onwillekeurig naar binnen kon kijken bij zo iemand: aan zichzelf overgelaten en door spookbeelden achtervolgd. Wat voor keus had hij nou?

'Tuurlijk,' zei hij. 'Ik kom terug.'

Zodra hij het huis had verlaten, belde hij Emily.

'Geef ons je locatie,' zei ze. 'We zijn onderweg.'

Een kwartier later stopte Jasons Jetta achter de congregationalistische kerk in het centrum van de stad en draaide Emily het raampje aan de passagierskant omlaag.

'Oké, de ambulance is er.'

Op de achterbank lag Hal tegen de deur aan de andere kant, zijn ogen dicht, een sigaret bungelend tussen zijn lippen. De slungelige, uitgebluste, lichtelijk gothic jongen ging prat op zijn superieure intellect en permanente indolentie. Tot schrik van zijn ouders had hij doorgeklikt op een internetadvertentie en bleek hij zich te hebben ingeschreven voor een universiteit in Tunis. Van daaruit wilde hij in het najaar door de Maghreb gaan reizen.

'De Valp houdt zitting,' zei Jason, terwijl hij een zijstraat in scheurde. 'Maar als we er niet gauw genoeg zijn, rookt hij het allemaal zelf op.' Ze vermeden de straten met nog veel woon-werkverkeer, totdat ze helemaal aan de ander kant van Finden waren, en hielden stil voor een witgestuukt huis met drie Japanse esdoorns in de voortuin rond een gigantische rechtopstaande kei die eruitzag alsof hij zo uit Stonehenge was ingevlogen.

'Wat is dat voor kei?' vroeg Emily.

'Ik weet het niet. Zijn moeder doet iets met hekserij,' zei Jason, terwijl hij uit de auto stapte. 'Ze houdt een soort regionale heksensabbat.'

'Ik ben wel eens ergens heen geweest met die Valp,' zei Emily. 'Hij praatte alleen maar over Noord-Korea. Die massabijeenkomsten met gekleurde kaarten, weet je wel? Zoals bij de Olympische Spelen, waar iedereen in de menigte een kaart omhooghoudt om een beeld te vormen. Kennelijk zijn ze daar erg goed in.'

Ze klonk verveeld, zoals gewoonlijk, het middelbareschoolwereldje moe. Emily had in het tweede schooljaar met haar ouders in Londen gewoond en was teruggekeerd met een onverschilligheid die alleen doorbroken kon worden door hen drieën, die zich vrolijk maakten over haar pogingen zich te vrijwaren van de vernederingen van Finden High.

Op het gazon naast de obelisk stond Jason te gebaren dat ze naar binnen moesten gaan. 'Jezus, kan hij de shit niet gewoon scoren en dan maken dat hij daar wegkomt,' morde Emily, voor de andere twee uit de oprijlaan op lopend.

Arthur Valparaiso had een ietwat afschrikwekkend voorkomen met zijn honderd kilo, gladgeschoren kop en het oranje judopak waarin hij vanavond was gestoken. Kennelijk hadden ze hem gestoord bij een soort meditatiesessie, waarin Arthur wel een uur lang één enkele naar voren gestrekte houding aannam, een kunststukje dat met zijn taille onwaarschijnlijk leek. Maar nu ze hem eenmaal hadden gestoord, had hij wel zin in wat gezelschap voordat hij de verkoop afhandelde. Zoals Nates vader ooit over God had gezegd: het ergst van drugs waren de andere mensen die erin geloofden.

De bong werd tevoorschijn gehaald, de muziek aangezet en de gebruikelijke onsamenhangende conversatie begon. Met in hun achterhoofd dat ze zo gauw mogelijk weg wilden, deden ze het rustig aan met roken en lieten ze Arthur het grootste deel van de pijp opzuigen, wat geen merkbaar effect op hem had. Hoe klein Nates shot ook was, hij voelde bij zijn achterhoofd een tinteling opkomen, en zijn gedachten begonnen langzaam af te dwalen, terwijl hij staarde naar de wanden van de hobbykamer in de kelder die volhingen met foto's van mensenmenigten: zwart-witluchtfoto's van massabijeenkomsten op pleinen en piazza's, krantenknipsels van betogingen op de National Mall, stadions vol rockfans van bovenaf genomen.

'Heb je veel van Guy Debord gelezen?' vroeg Hal hun gastheer met een stem die nog apathischer was door de pot.

'Wie is dat verdomme?'

'Een Fransman. Hij had net als jij iets met massa's. Hij schrijft over spektakel, hoe al die opgefokte collectiviteit bijdraagt aan onze vervreemding.'

'In de menigte gebeurt het, man,' zei de Valp. 'Het is de toekomst. Individualisme is, zeg maar, iets van vroeger. Burning Man... dat is de toekomst.'

Nate had in de hoek een zitzak van vinyl ontdekt. Vandaar keek hij toe hoe Jason een potje pool probeerde te spelen, maar het werd niets. Uiteindelijk verzonnen ze een smoes voor Arthur en werd de deal gesloten. Terug in de auto werd er voorin een joint gerold, en die gaven ze door, terwijl ze over de hoofdweg naar het winkelcentrum van Alden scheurden, waar ze op de voorste rij van een bioscoop belandden, pal onder een reusachtig scherm dat hun hersenpan kraakte met het bloed en de buit van een of andere oorlog van gramschap in midden-aarde, ongetwijfeld een film gemaakt door andere, oudere drugsgebruikers. Meer dan twee uur later waren ze weer op de parkeerplaats, flauw en sloom, zonder idee wat te doen of waar te gaan.

Een poos reden ze rond, gehypnotiseerd door de chaos aan lichten en de bassen van de autospeakers, wisten op een gegeven moment door een drive-through bij een Dunkin' Donuts te manoeuvreren en kwamen bij hun positieven toen ze kauwend op hun donuts en kaneelbroodjes Finden weer in rolden.

Tegen de tijd dat ze hem thuis afzetten was een licht doof gevoel achter de ogen alles wat van Nates trip restte.

Toen ze weg waren, bleef hij een poosje in de voortuin staan staren naar de donker geworden gevel, waar alleen de verandalamp en het licht boven in zijn moeders slaapkamer aan waren. Het was niet zo'n bouwvallig huis als dat van mevrouw Graves, en evenmin nieuw en zeker niet leeg. Binnenkort moest hij het gras maaien. De luiken hadden een verfje nodig. Binnen was er al tijden niets veranderd.

Toen ze voor het eerst in dit huis kwamen had het gestortregend, en zijn broer, zuster en hij hadden in de voorhal staan luisteren hoe hun moeder naar hun vader schreeuwde dat het donker was, de keuken krap, de kastjes lelijk en het behang lelijk, dat de verhuisdozen nog niet waren aangekomen en dat er boven geen dekens waren, en wat moesten ze nu? Hoe moest het verder? Alsof hij hen allemaal in het ongeluk had gestort.

Dat was tien jaar geleden en het behang was er nog steeds, net als de kastjes en de spiegel boven aan de trap waar zijn moeder altijd een hekel aan had gehad.

Hij liep de trap naar de veranda op, sloot zachtjes de voordeur achter zich en deed de verandalamp uit.

Ooit, toen hun moeder met hun vader naar New York was gegaan voor een bezoek aan een specialist, had zijn zus een feestje in het huis gehouden en had een meisje overgegeven op de trap aan de voorkant. Zijn zus had uit alle macht geprobeerd de trap schoon te maken, maar het schoonmaakmiddel had een bleek uitgeslagen plek achtergelaten waar Nate nu, op zijn weg naar boven, overheen stapte.

Overal waar mensen woonden, hoopten zich als sediment in een rivierbedding herinneringen op, die uit de tijdstroom vielen om zich vast te zetten op de plaatsen waar de tijd overheen liep. Maar in dit huis was het sinds de dood van zijn vader alsof er alleen nog sediment over was: de trapleuning, de spiegel in de gang, de zwart-witte tegels van de badkamer, het tijk van de loper die tot aan zijn moeders deur liep – alles beladen met zijn afwezigheid.

Dat was het probleem als hij bij zijn vrienden bleef en high werd. Hij voelde zich schuldig omdat hij zijn familie had vergeten, ook al was het maar voor een paar uur, alsof hij eeuwig moest blijven rouwen wilde hij zijn vader trouw blijven.

Hij klopte zachtjes op zijn moeders deur en draaide de klink naar beneden. Ze zat in bed te lezen, de dekens opgetrokken tot haar middel. Ze keek over haar leesbril heen, haar ovale gezicht vel over been, zoals het nu al maanden was. Ze was het laatste jaar een stuk magerder geworden en at nog steeds maar heel weinig.

'Was dat Emily die je heeft thuisgebracht?'

'Ja,' zei hij. 'We zijn naar de film geweest.' Hij zweeg even, omdat hij zich verplicht voelde haar iets meer te bieden.

'Ik ben bij die mevrouw van de bijles geweest.'

'O ja, dat was ik vergeten. Hoe was het?'

'Ze is een beetje vreemd. Maar het ging wel.'

Het bleef verschrikkelijk, zo alleen als zijn moeder eruitzag. Hij kon er niets aan doen, ook niet door er te zijn, ook niet als hij nooit meer wegging.

'Slaap lekker,' zei ze, met een tedere, enigszins afstandelijke blik, alsof ze hem al heel lang niet meer had gezien.

# Hoofdstuk 6

Tegen de tijd dat Nate voor de derde keer kwam, had mevrouw Gates de Amerikaanse geschiedenis helemaal laten vallen, en daarmee elk onderwerp dat op zijn examen ter sprake kon komen. Nadat ze Wilson had achtergelaten in Versailles, was ze in de diplomatieke correspondentie gedoken die een beeld gaf van de grillige Midden-Oostenpolitiek van het Verenigd Koninkrijk na de wapenstilstand.

'Het kwam neer op een tekort aan troepen. Hun leger verdween, snap je. Iemand moest de orde en rust bewaren. En dus deden de Britten wat imperiums altijd doen: ze installeerden marionetten. De Hasjemieten! Die verloren van de Saoediërs in de strijd om het Arabisch Schiereiland! Waarom hun niet Jordanië gegeven? Natuurlijk was het slechts bedoeld als een tijdelijke oplossing, zes maanden politiewerk tot het mandaat kon worden aangepast, een herenakkoord, maar kijk wat we nu hebben! Wat duidelijk de Palestijnse staat had moeten zijn, wordt nu al tachtig jaar bestuurd door een importmonarchie. Kanker nummer één. Maar waarom het daarbij gelaten? Gertrude Bell is een heel voortreffelijke en intelligente vrouw, maar niet direct geschikt om Mesopotamië te regeren, en omdat de Fransen broer Faisal uit Syrië hadden gesmeten, had die een baantje nodig, dus waarom hem niet Bagdad gegeven – nog een Hasjemiet op de troon gezet om te regeren over een onsamenhangend volk in een onsamenhangend land. Haal de soennitische elite erbij! Gooi de Koerden erbij! Heb je er een beeld van?' vroeg ze, haar armen in de lucht gooiend. 'Die kleine meneer Hoe-heet-ie-ook-weer in zijn kantoor op Whitehall bezig om nauwgezet zijn kaart te tekenen. Als het niet zo fataal was, had het een klucht kunnen zijn.'

Toen Nate opperde dat zijn gemiste lesuren over de Onafhanke-lijkheidsoorlog gingen, sloot mevrouw Graves haar ogen, stak haar handpalm naar voren als een verkeersbrigadier die hem tegenhield bij een zebra en zei: 'Ik kan George Washington niet behandelen. Dat kan ik gewoon niet. Niet van de triomfalistische kant, niet van een andere kant. Daarvoor moet je ergens anders heen.'

Weer onderuitgezakt in de oorfauteuil liet Nate het restje verant-woordelijkheid zich op zijn examen voor te bereiden varen. Wat had hij aan een toelatingscertificaat, terwijl hij zich niet eens voor een college had ingeschreven? Het boeide hem niet. Niet zoals de vrouw vóór hem, die onmiskenbaar was gedreven door haar eigen waan-ideeën. Het deed Nate denken aan de tijd dat zijn vader iemands jacht had geleend en met hem naar Block Island was gezeild om langs te gaan bij een zakenman die hij in een vliegtuig had leren kennen, een man die een papierfabriek had en misschien zaken wilde doen, alleen was de zakenman niet thuis toen ze arriveerden bij zijn huis aan het water; de hulp zei dat hij naar Brazilië was. Dus was Nate met zijn vader op het lege strand gaan zitten en had hij toegeluisterd hoe hij uit het niets de onderneming tevoorschijn toverde die hij bin-nenkort met de papiermagnaat zou opzetten, met in zijn mond de warme en tamelijk bittere smaak van de gin die zijn vader hem had aangeboden.

Toen mevrouw Graves Nate aan het eind van de sessie vroeg of hij hun werk wilde voortzetten bij een etentje, verraste dat hem dus wel, maar leek het hem ook op een rare manier logisch, en hij zei zonder aarzelen ja.

Om halfzes vrijdagmiddag waren ze de enige klanten in de Finden Szechuan.

Een ober met diepliggende ogen begroette hen en de twee honden met een gelaten hoofdknikje en bracht hen naar een zitje in de hoek.

'Hun prijzen lijken in ieder geval niet veranderd,' zei mevrouw Graves, terwijl ze door haar leesbril het menu bestudeerde. 'Maar dat is niet jouw zorg. Dat is mijn zaak. Ik heb iets te vieren, moet je weten. Vandaag kreeg ik een brief over die rechtszaak die ik heb aangespan-nen. Binnenkort is er een hoorzitting en het blijkt dat de zaak is toegewezen aan de perfecte rechter. Je hebt vast wel die kast van een huis naast het mijne zien staan.'

'Ja. Het is heel imposant.'

Haar hoofd schoot achteruit, alsof hij een rat op de tafel had gesmeten.

'Natuurlijk,' zei ze, terwijl ze langzaam haar zelfbeheersing hervond, 'waarom zou jij het ook begrijpen. Ik vergeet het iedere keer weer: de onwetendheid van de jeugd. Hoe kun je die dingen ook weten? Niemand heeft het je bijgebracht.' Ze legde haar menukaart neer en boog zich over de tafel naar hem toe. 'En daarom, met je welnemen. Dat huis,' zei ze, met zachte stem, 'dat huis is een grúwel.'

'Het was maar een mening,' zei hij.

'Nee!' riep ze. 'Dat is het nu juist niet! Dat is nu juist wat zo endemisch is geworden. Dat oppervlakkige, gedachteloze relativisme. Jullie verzuipen er allemaal in. Natuurlijk hebben we een pluralistische maatschappij. Dus zijn we bescheiden. In de grote dingen: religie, metafysica. We zijn geen absolutisten. Dat is secularisme. Dat is volwassenheid. Daar kunnen de fanatici niet tegen. Maar dat gedoe met meningen. Alsof de wereld geen tastbare kwaliteiten kent. Alsof er geen geschiedenis bestaat. Het is een ramp. Het is het prijsgeven van de Verlichting. Alles in naam van het individualisme. En ze verwachten dat mensen er gewoon bij gaan staan en ernaar kijken. Vanwege dit soort larie hebben ze me mijn baan afgepakt. Alle inspanningen van vierhonderd jaar geofferd op het altaar van de lieve vrede. Het is afschuwelijk.'

'Klopt,' zei Nate, voor het eerst bang voor de vrouw.

'Maar daar gaat het juist om!' riep ze uit, haar handen opzij slaand, zodat Sam een stomp tegen zijn kop kreeg. 'Je bent het met me eens omdat je denkt dat ik dat wil. Dat is het probleem. Dacht je dat ik degene was die de *Autobiografie van Malcolm x* het klaslokaal in bracht? Nee. Dat vergeten ze maar even. Het waren léérlingen, zwarte leerlingen godbetert, met de bus uit de stad hierheen vervoerd, die me zeiden dat ze niet meer naar de les zouden komen als ik het boek niet opnam in het lesprogramma als tegenhanger van Martin Luther King en de geweldloze vleugel van de beweging. En meer macht aan hen gaf. Ze hadden gelijk. Maar tegen de tijd dat de autoriteiten mij hadden geloosd, verslonden die kinderen dat boek als de zoveelste palliatieve druppel licht schuldgevoel en lichte loutering, het zoveelste onbenullige onderdeel in hun waardeloze, morele Olympiadetje waarin iedereen altijd een gouden medaille wint. De jonge lidmaten van het staatslichaam die zichzelf zuiveren om ze geschikt te maken voor de toekomst. Ik liet ze de banden van zijn toespraken horen en kwam ze zelfs tegemoet door ze die rotfilm te laten zien. Maar voor hen was het allemaal alleen maar amusement.'

De ober was gekomen om hun bestelling op te nemen, maar in het vuur van haar betoog merkte mevrouw Graves hem niet op.

'Maar ik dwaal af. Het gaat erom dat dit huis, let op mijn woorden, gaat verdwijnen. Deze stad – die gemeenteraadsleden – hebben de wet overtreden.'

Nate wierp een blik op de wachtende ober en probeerde zijn lerares te waarschuwen dat hij er stond.

'O, goedendag,' zei ze, haar hand in de zak van haar vest stekend, waaruit ze een verbleekte krantencoupon opdiepte met een aanbieding van twee hoofdgerechten voor de prijs van een. 'We vroegen ons af,' zei ze, terwijl ze de coupon aan de ober overhandigde, 'welke gerechten van u hiervoor in aanmerking komen?'

Het toch al hangende gezicht van de man verslapte nog meer. Hij nam het verkreukelde krantenknipsel van haar aan en draaide het een paar keer om, alsof uitstel hem deze finale vernedering zou besparen.

'Dit is niet goed,' zei hij. 'Het is verlopen. Drie jaar geleden.'

'Nou, dat is ook raar. Het heeft ons wel hierheen gelokt. Bedoelt u dat u helemaal geen aanbiedingen heeft?'

'Nee, nee. We hebben wel aanbiedingen. Nieuw is onze pad thai. Daar staat het op het bord. Aanbieding. Zeven negenennegentig.'

'Maar dit is een Chinéés restaurant.'

'Volgende week niet meer,' zei hij. 'We gaan sluiten.'

De dobermann had op een vensterbank aan de andere kant van de zaal een kat ontdekt en begon te grommen.

'Ik ben het met je eens, Wilkie,' zei mevrouw Graves, 'dit is belachelijk. We kwamen hier in de volkomen redelijke veronderstelling dat we korting zouden krijgen. Maar laat ook maar. We gaan bestellen.'

Toen de moo shu arriveerde, raakte ze die nauwelijks aan, maar schonk zich in plaats daarvan een kop thee in.

'Zo. Vertel me nu eens. Waarom is de wereld voor jou een probleem?'

'Hoe bedoelt u?' vroeg Nate.

'Nou, voor sommige mensen is de wereld een min of meer vanzelfsprekend oord. Voor hen is ze gemakkelijk te begrijpen. Op zichzelf is de wereld geen raadsel dat moet worden opgelost. Wat betekent dat hun interesses gewoon smaken en voorkeuren betreffen. Maar als de wereld voor jou een probleem is, zijn jouw interesses anders. Jij bent erdoor ingelijfd. Je weet toch wat inlijven betekent?'

'Ik denk dat ik ervoor ben geregistreerd.'

'Je begrijpt mijn vraag. Waarin ben je onbewust geïnteresseerd?'

Terwijl Nate pruimensaus over zijn derde pannenkoek smeerde, probeerde hij te raden waar ze precies op uit was.

'U bedoelt zoiets als, zeg maar, wat me ongelukkig maakt?'

Enigszins met de ogen knipperend zei mevrouw Graves: 'Dat kan er wel mee door, denk ik, maar je begrijpt dat ik hier niet vraag naar de bekende weg. Bijvoorbeeld een prijs mislopen of zoiets. Ik vraag het omdat je op een specifieke manier naar me luistert – en geloof me, jarenlang hebben er mensen van jouw leeftijd naar me geluisterd – en ik maak daaruit op dat de wereld voor jou niet vanzelfsprekend is. Ik wil eenvoudigweg weten waarom niet.'

Toen hij vroeg of hij eerst zijn lo mein mocht opeten, wapperde ze afwijzend met haar hand, zonder ook maar een moment haar ogen van zijn gezicht af te nemen.

Omdat hij geen reden zag het niet te doen, noemde Nate zijn vader.

'Ja. Ik dacht al dat het zoiets was. Waar heeft hij het gedaan? In jullie huis?'

'Nee, in het bos.'

Ze dacht hier even over na.

'Wat bij jou, zo stel ik me voor, op de standaardvraag waarom zelfmoord plegen, de tegenvraag moet hebben opgeroepen: waarom niet? Een pedante vraag, maar dat neemt niet weg dat er momenten zijn in het leven dat je er daardoor niet makkelijker omheen kunt.'

Nate knikte traag. Het was raar om hierover te praten met mevrouw Graves, maar ze had geen ongelijk en deed niet schijnheilig. Het was zelfs een opluchting om het iemand te vertellen zonder een onhandige betuiging van medeleven als reactie te krijgen. Om het gewoon te vertellen en te worden aangehoord.

'Meestal is het gewoon eenzaam,' zei hij.

'Daar wen je aan. Misschien kom je op een dag wel iemand tegen. Wat het gevoel al dan niet kan verzachten. Wanneer was het ook weer gebeurd?'

'September vorig jaar.'

'O,' zei ze. 'Je bent nog in het eerste stadium. Als jij op mijn leeftijd komt, gaan de grenzen enigszins open. De barrières tussen de tijden zijn niet meer zo strikt, een probleem waardoor ik als het ware ben ingelijfd. Op de manier waarop we niet alleen maar stervende dieren zijn. Hebben we een ziel die aan ons lichaam is vastgeklonken? Die scheiding lijkt me te gemakkelijk, maar dat is een intellectuele kwestie. Uiteindelijk is dat niet overtuigend genoeg. Maar verval – bederf –, dat ligt gecompliceerder. Dat heeft immers een doel. Het leidt tot nieuwe dingen. Tot ander leven.'

Een paar minuten daarna kwam de ober vragen of ze een toetje wilden. Mevrouw Graves schudde haar hoofd en de ober ging de rekening halen. De resten van hun eten waren snel gestold. Ze zette een paar schalen op de vloer voor de honden en een poosje waren hun likkende tongen het enige geluid in de eetzaal.

Halverwege mei was het toelatingsexamen geweest. Maar nog steeds ging Nate iedere vrijdagmiddag naar het huis van de oude vrouw. Hij gaf haar geen cheques meer, maar dat leek haar niet op te vallen. Haar lessen, als je het zo kon noemen, werden in de loop van de weken steeds onsamenhangender. Opmerkingen over de afschaffing door Hendrik II van de kerkelijke jurisdictie in het twaalfde-eeuwse Engeland leidden tot een bespreking van de voorlopers van de Engelse Revolutie, van vierhonderd jaar later, die iets te maken scheen te hebben met het gedicht over het gesprek van Adam met God dat ze voorlas:

'"… Is er geluk/ In eenzaamheid? Wie kan, alleen genietend,/ Hoezeer hij ook geniet, tevreden zijn?" Hoor je dat?' vroeg ze. 'Hij vraagt God hoe een mens alleen tevreden kan zijn.'

Met haar stem die van kwaad omsloeg in klagend klonk ze alsof ze verhalen vertelde die bij haar bovenkwamen door familiefoto's, de personages allemaal intimi en hun daden nog steeds vol gevolgen en schuld. Aan het eind van een uur, soms twee, als Nate aan haar keukentafel thee zat te drinken of in de deur stond om te vertrekken, kwam ze niet met zoete woordjes of een afscheidsgroet, maar verkondigde ze plompverloren wat ze in zijn gezichtsuitdrukking zag.

Op een keer zei ze: 'Verveling is gemakkelijk. Daarom gaat daar vaak triestheid achter schuil. Maar laat je niet te lang voor de gek houden. Doodgaan van verveling. Die uitdrukking heeft een grond. Het wordt je dood, zoveel is zeker.'

Haar vreemde manier van doen gaf hem de vrijheid dingen te vragen die hij anders niet had gevraagd.

'En als ik nou eens niemand tegenkom?'

'Dan kom je niemand tegen. En is dat de omstandigheid waarin je leeft. Maar bedenk wel: mensen zijn niet je redding.'

Elke keer hield Nate op zijn weg van en naar haar huis stil op de top van de heuvel om te zien of er enig teken van leven was daar beneden in het grote huis aan de rivier, een auto op de oprijlaan of een licht binnen. Er was geen bord met Te Koop in de tuin verschenen, maar toch was er nog steeds geen aanwijzing dat daar iemand woonde. Sinds die eerste dag had hij het huis niet meer uit zijn hoofd kunnen zetten.

Ten slotte, op de laatste vrijdag in mei, nadat mevrouw Graves had doorgeratelld tot het bijna zes uur was en Nate vermoeider dan anders door haar woordenstroom het huis had verlaten, besloot hij dat het geen kwaad kon om nog eens te gaan kijken. En dus liep hij de helling af in het warme licht van de vroege lenteavond, over het pasgemaaide gras. Op de hoek van de garage ontwaarde hij een bewakingscamera, en hij vroeg zich af of die beelden leverde aan een scherm in het huis of aan het kantoor van een of andere bewakingsfirma honderden kilometers verderop.

Hij stapte uit het bereik ervan en liep rond de andere kant van de villa, een beglaasde veranda, ongemeubileerd, met daarboven een onoverdekt terras. Aan de achterkant lag een bakstenen terras tot het gazon, dat doorliep tot de rivieroever zo'n veertig meter verderop. Nate zag door een van de kleinere achterramen een provisiekamer met kale witte schappen. Daarnaast lag een kamer met een perfect geboende houten vloer die glansde in de ondergaande zon. Hij kwam bij een stel openslaande deuren van de keuken, een enorme ruimte met een leistenen kookeiland, twee fornuizen, twee spoelbakken en een dubbele koelkast. In de hoek stond een kleine houten tafel met één stoel, die nietig leken door de ruimte waarin ze geplaatst waren.

Hij ontdekte geen camera's langs deze kant van het huis. Hij probeerde de deurkruk. Tot zijn verbazing bewoog die soepel naar beneden en ging de deur een centimeter of vijf open. Hij deed die direct weer dicht, doodsbang dat er een alarm zou afgaan.

Een minuut of twee verstreken en hij hoorde niets.

Wat voor kwaad kon het? dacht hij. Er was hier niemand en hij was niet van plan iets te stelen. Hij opende de deur op een kier die net breed genoeg was om te luisteren. Geen ander geluid dan het gebrom van de koelkast.

Zodra hij de keuken was binnengegaan en de deur achter zich had gesloten, voelde hij het bloed naar zijn hoofd schieten van opwinding. Hij liep naar het aanrecht en stopte daar om weer te luisteren. De ruimte rook naar boenwas en schoonmaakmiddel. Hij liep verder het huis in, over de marmeren vloer van de voorhal en ging een kamer binnen die bijna even groot was als de hele benedenverdieping van zijn eigen huis. De gigantische haard had geen rooster en de schoorsteenmantel was leeg. Daarachter lag de kamer met de bank tegenover de enorme televisie in de hoek. De bierfles van de eerste dag dat hij door de ramen naar binnen had gegluurd was verdwenen en op de vloer lag een stapel mappen.

Hij was nog nooit een huis binnengedrongen. Hij had niet geweten dat het zo opwindend kon zijn, en al zijn zinnen stonden op scherp. De angst om gesnapt te worden was bijna heerlijk. En wie was het die zo leefde? Wat voor soort leven hield het in?

Toen hij de achtervleugel van het huis betrad, stond hij voor een trap, waar hij nog eens stilhield om het geringste geluidje op te vangen.

Boven liep hij een middengang door langs nog meer ongemeubileerde kamers aan beide zijden. In de bewegingloze lucht hingen de dennengeur van een luchtverfrisser en een vleugje verse verf. Nog steeds opgewonden door zijn huisvredebreuk begon hij de leegte van het huis bijna kalmerend te vinden. Een huis zonder merkteken, onbezoedeld door herinnering of teleurstelling. Het leek zelfs niet meer in Finden te liggen.

Bij de vierde deur in de gang wierp hij een blik door wat een halletje van een soort suite leek. Toen hij daar naar binnen ging, bleef hij abrupt staan bij de aanblik van een enorm bed, pas nog beslapen, de lakens gekreukt en het kussen nog steeds met de gerimpelde indruk van een hoofd. Op de vloer lag een draadloze telefoon met de rug naar boven en ernaast stond een waterglas. De enige andere objecten in de kamer waren een televisie en een staande lamp.

Enkele minuten bleef hij roerloos naar het bed staren.

Langs de tegenoverliggende wand was een inloopkast. Een rij van tien of twaalf pakken, blauw, zwart en antracietgrijs, hingen aan de ene kant en tientallen frisgewassen overhemden, nog in plastic, hingen in een rij aan de andere kant. Achterin stond een ladekast met een berg wasgoed opgehoopt tegen de onderste la. Geklede schoenen gerangschikt onder de pakken geurden naar pasgepoetst leer. Voorzichtig, met een hand die begon te trillen, voelde Nate aan de mouw van een van de jasjes van de pakken, zich verbazend hoe soepel de fijne wol tussen zijn vingers bewoog. Op dat moment hoorde hij een autodeur dichtslaan.

# Hoofdstuk 7

Gewoonlijk kwam Doug niet zo vroeg thuis. Maar die middag had hij een onverwacht telefoontje gehad, zomaar uit het niets, van Vrieger, zijn oude superieur bij de marine. Hij bleek ten zuiden van Boston te wonen en had via vrienden gehoord dat Doug in de stad werkte. Hij had rond het middaguur gebeld uit een restaurant niet ver van het kantoor en hem voorgesteld samen te gaan lunchen. Dougs eerste neiging was natuurlijk om te zeggen dat hij niet kon, dat zijn afspraken al weken van tevoren vastlagen en dat ze een latere datum moesten prikken. Maar het leek op de een of andere manier belachelijk om dat aan Vrieger te zeggen, en hij hoorde zich ja antwoorden, leuk, hij zou er over een uur zijn.

Lopend onder de restanten van de Central Artery sloeg hij de smalle straten van het North End in, blij dat hij tenminste even uit het kantoor weg was.

De laatste week was hectisch geweest. Het ingrijpen van het Japanse ministerie van Financiën om de aandelenmarkt van het land te ondersteunen was uiteindelijk openbaar gemaakt, waardoor de Nikkei-index was gaan dalen. Doug had direct naar McTeague gebeld en hem opgedragen de posities van Atlantic Securities terug te schroeven en hun exposure te verlagen. In eerste instantie had McTeague geaarzeld, met het argument dat het niet meer dan een korte storing was, dat ze te snel uit de markt zouden zijn als ze nu verkochten. Ten slotte was Doug gedwongen geweest hem duidelijk te maken dat de keuze niet aan hem was. De posities van de firma, in de loop van maanden opgebouwd, waren inmiddels enorm en het zou tijd kosten om de zaak terug te draaien. Maar als dat goed werd aangepakt, konden ze eruit stappen met hun hele winst nagenoeg intact en zou de hele operatie van Finden Holdings nog steeds als een groot succes gelden. Als Mc-Teagues klanten wilden doorgaan en meer geld in de strategie wilden stoppen, was dat hun zaak, en hun risico.

In de Prince Street ging Doug het restaurant binnen en trof Vrieger bij de bar nippend aan een glas bourbon, een bijna volle asbak naast hem. In de vijftien jaar dat Doug hem niet meer had gezien, was hij wat aangekomen, maar over het geheel genomen was hij opvallend weinig veranderd, met zijn kaarsrechte houding en zijn haar nog steeds kort volgens voorschrift. Hij droeg een variant van dezelfde vierkante metalen bril, nu net zo weinig in de mode als destijds in de jaren tachtig.

'Jezus,' zei hij, toen hij Doug in het oog kreeg. 'Je had op zijn minst wel wat lelijker kunnen worden.'

'Luitenant, fijn je te zien.'

'Dus je zit in het bedrijfsleven? Een pak. Je zei altijd al dat je dat wilde.'

'Is dat zo? Om je de waarheid te zeggen, ik kan me niet herinneren er ooit over gepraat te hebben.'

Doug bestelde een biertje en de barman kwam met een paar lunchmenu's. Voordat de twee uit elkaar gingen in San Diego, had Vrieger aan Doug verteld dat hij zich wilde opgeven voor een nieuwe uitzending. Zoals hij Doug nu vertelde, had zijn derde opdracht hem weer naar de Perzische Golf gebracht tijdens Desert Storm. Naderhand, halverwege de jaren negentig, had hij voor de kust van Noord-Korea een clandestiene opruimingsoperatie geleid als onderdeel van een actie tegen kernwapens die in verkeerde handen dreigden te vallen. Zoals hij het vertelde, had hij onderweg te veel commandanten tegen zich in het harnas gejaagd om verdere promotie te kunnen verwachten. 'Eerlijk gezegd,' zei hij, 'kon me dat na de Vincennes niet echt meer schelen. Ik wilde alleen maar bezig blijven.' Toen de marine hem een kantoorbaan gaf, thuis in Norfolk, Virginia, had hij besloten ontslag te nemen. 'Dat was vier jaar geleden,' zei hij. 'Ik dacht dat ik een baan zou krijgen bij Raytheon. Gevechtssystemen testen. Iets dergelijks. Ik heb het zo'n twee sollicitaties volgehouden.' Sindsdien woonde hij bij zijn vader in Quincy, zei hij, en werkte in een groothandel in drank.

Hij vertelde dit alles op onaangedane toon, zijn ogen gekluisterd aan de televisie boven de bar waarop CNN een steeds herhaalde reeks van satellietbeelden van gebouwencomplexen in de Iraakse woestijn vertoonde, terwijl een commentator een uitvoerige beschrijving gaf van de verdachte bewegingen van trucks.

'En jij? Zo te zien heb je goed geboerd.'

Doug vertelde hem hoe hij zijn eerste baan in New York had gekregen en hoe hij zijn tijd had gebruikt om het vak te leren van nerds en analisten, de bleke mannen in slecht zittende pakken die je de rentecurve van obligaties in Braziliaanse pijpleidingen konden vertellen, zonder op te kijken van hun broodje. En hoe hij, toen hij de vicepresidenten afkomstig van topuniversiteiten aan de Oostkust voor zich moest winnen, gewoon was begonnen met een compliment en de rest van het gesprek aan hen had overgelaten. En hoe laatdunkend ze naderhand, toen hij enkelen van hen ontsloeg, hadden gekeken, alsof ze de hele tijd al hadden geweten dat hij een sjacheraar was en dat ze hem nooit hadden moeten toelaten tot de club waarvan ze zo graag zeiden dat die niet meer bestond, in de diepe overtuiging dat de hele financiële wereld nu een meritocratie was.

'Je kent het wel,' zei Doug. 'Onzinnige hiërarchie en een hoop regels die je moet omzeilen om iets gedaan te krijgen.'

'Getrouwd?' vroeg Vrieger.

'Nee. Jij?'

'Ben je gek? Negen maanden is mijn record. En ze was een drinker. Maar jij? Ik bedoel, kom op, zeg. Jij bent een mooie jongen. Jij moet je ze ongetwijfeld van het lijf houden.'

Doug kon zich niet herinneren wanneer iemand hem voor het laatst dit soort vragen had gesteld. Mikey en hij praatten nooit over persoonlijke dingen en hoe vaak Sabrina Svetz het ook had geprobeerd, tegen haar had hij ook nooit veel losgelaten. De enige vrouw met wie hij het meer dan een paar weken had uitgehouden was Jessica Tenger, en aan haar had hij al in geen tijden meer gedacht.

Ze hadden elkaar leren kennen op een feestje in SoHo. Vrieger had gelijk dat Doug gewend was geraakt aan meisjes die hij met een paar gemakkelijke complimentjes het bed in kon krijgen. Het bijzondere aan Jessica was geweest dat ze het spel zonder omwegen speelde. Haar tweede vraag was waar hij woonde en haar derde wanneer hij van plan was het feest te verlaten. In zijn appartement hadden ze eten besteld en al gevrijd voor het arriveerde. Ze was die nacht niet blijven slapen, noch enige andere nacht.

Ze hadden elkaar niets gevraagd over het werk noch gesproken over actuele gebeurtenissen of het verloop van hun dag. In feite hadden ze bijna niets tegen elkaar gezegd.

Toen hij haar beschreef aan Vrieger, haar smalle heupen en page-kapsel, moest hij er weer aan denken dat hij tijdens het vrijen het licht had aangelaten en dat zij liever haar ogen dicht had gehouden, zodat hij ongezien naar haar kon kijken. Ze kon zich overgeven aan om het even welke fantasie, zonder dat hij de details ervan hoefde te weten. In een opdrukhouding boven haar bekeek hij dan zichzelf: de aantrekkelijke omvang van zijn biceps, zijn glimmende borst, het platte schild van spieren dat over zijn onderbuik tot in zijn liezen liep en de schitterende aanblik van zichzelf, in haar verdwijnend als een anker-blad dat zich vastgrijpt in de zeebodem. Op zo'n moment voelde zijn strakke, onberispelijke lichaam springlevend, en bij de aanblik van dat bewegende lichaam kwam hij dan klaar.

Ze hadden tot in het oneindige kunnen doorgaan. Maar op een avond, toen Doug vroeg van zijn werk was weggegaan, had hij haar ge-beld en had zij gezegd dat hij moest langskomen op haar appartement in de Washington Street aan de Hudson, dat hij nog nooit had gezien. Het was een verbouwde pakhuisruimte, met ruwe houten vloeren, ijzeren zuilen en ramen hoog in de muren. Het bleek dat ze een soort van beeldhouwster was. Een rij werktafels aan één wand van het appar-tement stond vol bakjes met een inhoud die varieerde van koperdraad tot zand. Op een van de werktafels lagen enkele bleekwitte hoofden op hun kant, levensgroot en zo te zien gemaakt van was. Ze schonk wijn in, en zodra ze op haar bank zaten, had Doug zich gerealiseerd dat wat ze ook gehad mochten hebben, nu voorbij was. Dat ze kunstenares was of in dat appartement woonde, had er niets mee te maken. Ze had net zo goed juriste kunnen zijn, of actrice of student. Het was het specifieke karakter van de omstandigheid die de kortsluiting veroorzaakte. De eigenheid van haar leven, zoals hij dat nu kon zien. Zoals alle eigenheid had het iets eindigs. Op het werk, dat wil zeggen in zijn leven, gleed zijn geest over het heden heen, altijd op weg naar het mogelijke. Maar dat appartement – die getuigenis van al die individuele, onherroepelijke keuzen – eiste dat hij ophield. Dat hij niets meer van zich liet horen.

'Ik heb tegenwoordig niet veel tijd,' zei hij tegen Vrieger. 'Eerlijk gezegd houd ik me niet zo met relaties bezig.'

In de stilte die volgde begon Doug zich af te vragen waarom hij ermee had ingestemd hierheen te komen. Was het uit gehoorzaamheid aan zijn oude superieur? Dat klopte niet: van de kapitein zou hij niet eens een telefoontje hebben aangenomen. Vriegers aantrekkingskracht lag ergens anders. Toen Doug hem zijn derde bourbon van de middag zag bestellen, bedacht hij dat het typische van Vrieger, iets dat hij altijd had gevoeld sinds die zomer in de Golf, was dat alles wat ze hadden meegemaakt hem in een trance had gebracht, alsof hij, waar hij ook was, wat er ook om hem heen gebeurde, nog steeds vastzat op die ene plek, het commandocentrum van de Vincennes, op 3 juli 1988, zijn vinger aan de lanceerknop. Daar hadden de jaren geen verandering in gebracht. Doug zag het in de blik die constant op de televisie gericht was: die permanente waakzaamheid eigen aan de overlevenden van een noodsituatie.

'We gaan weer terug, weet je,' zei Vrieger. 'Snap je dat, ja? We gaan helemaal tot Bagdad. Op dit moment poetsen ze de raketten op. De Vijfde Vloot heeft het materieel voor de Golf al ingepland.'

Doug wenkte de barman en bestelde nog een bier.

'Heb je je tong verloren?' vroeg Vrieger, met een stem waarin iets van agressie was gekropen. 'Ik weet niet hoe het met jou zit,' vervolgde hij, 'maar wat ik me herinner zijn de vrouwen. Die in die zwarte soepjurken, met hun hoofd bedekt, alleen spleten voor de ogen. Het gejammer van ze. Herinner je je dat nog? Het is vreemd, niet? Zo op de grond bij die kisten, tegengehouden door hun families, alsof ze er geen controle over hebben. Je vraagt je af waarom wij dat niet doen. Op die manier rouwen, bedoel ik. Eraan toegeven. Rouw is hier een soort kwaal. Een ziekte.'

De tv-camera volgde een colonne Israëlische tanks die door stof-wolken de westelijke Jordaanoever in reed.

Toen zijn bier kwam, vroeg Doug de barman of hij een ander ka-naal wilde opzetten. De man reikte omhoog en drukte één keer op de plus-knop, waarna ze een close-up van een roterende diamanten ring in een fluwelen doosje te zien kregen, boven een andere tekstband, ditmaal met de details van het artikel en een telefoonnummer.

'Gaat jou dat zo gemakkelijk af?' vroeg Vrieger.

'Wat?'

'De knop omdraaien. Vergeten.'

'Wie zei dat ik iets vergeten ben?'

Vrieger zette zijn lege whiskyglas ondersteboven op de bar en boog zijn hoofd om te bekijken hoe het glas was geslepen. 'Kom op, zeg het eens. Het interesseert me. Hoe ga jij ermee om? Met wat we hebben gedaan?'

Daarom had Vrieger dus gebeld. En daarom was Doug misschien gekomen.

Die zomer in 1988, een paar dagen nadat ze het passagiersvlieg-tuig hadden neergehaald, had een bemanningslid van de uss Sides een journalist van een krant verteld dat hij lichamen uit de lucht had zien vallen. Bij de terugkomst in San Diego kreeg de hele bemanning van de Vincennes een Combat Action Ribbon voor het treffen met de Iraanse kanonneerboten. Vrieger had de eremedaille voor betoonde heldenmoed van de marine gekregen. Ook dat had hij al die jaren moeten meedragen.

Doug nam een sigaret uit Vriegers pakje en stak die aan. 'Weet je wat de Iraniërs hebben gedaan?' zei hij. 'Nadat ze de wapenstilstand met Irak hadden gesloten? Ze gingen naar hun goelags en dreven alle politieke gevangenen bijeen – progressieven, moedjahedien, iedereen die volgens hen zijn voordeel kon doen met de wapenstilstand. En ze vermoordden ze allemaal. Ofwel je toonde berouw en begon te bid-den, ofwel ze vermoordden je. Uitgeputte oude kerel die jarenlang was weggekwijnd in een cel? Pang. Zestienjarige jochies. Pang. Meis-jes? Die werden eerst verkracht en dan neergeknald. Vrouwen werden erbij gehaald om te zien hoe hun mannen werden opgehangen. Dat doen ze met hun eigen mensen. En dan heb ik het niet eens over onze eigen jongens – Beirut, Khobar Towers – niets van dat al.'

Vriegers volgende bourbon arriveerde. Nu CNN niet langer zijn waakzaamheid opslorpte, staarde hij met een soort trieste overgave in het amberkleurige vocht, alsof hij in de donkere opening van een tunnel tuurde, luisterend of hij het gebulder hoorde. 'Interessant,' zei Vrieger.

'Wat bedoel je daar nu weer mee?'

'Je bent nog steeds op een rad van vuur gebonden.'

'Ik kan je niet volgen.'

'Ja,' zei Vrieger, 'zal wel.' Met een licht trillende hand bracht hij zijn glas naar zijn lippen en dronk het leeg. 'Dat is koning Lear die aan het slot van het stuk door zijn dochter wordt gewekt. Als zijn wereld helemaal naar de verdommenis is gegaan. Gij doet niet wel, dat gij uit mijn graf mij oproept, zegt hij tegen haar. Gij zijt een zaal'ge geest, maar ik ben op een rad van vuur gebonden, door mijn tranen met vloeibaar lood omsproeid.' Hij zweeg, zijn mond ietwat vertrokken, alsof de woorden hem fysiek pijn deden. 'Je zit nog steeds in de hel. Dat bedoel ik. Je zit nog steeds in de hel van de wraak.'

Volgens de klok boven de kassa was Doug bijna een uur in het restaurant geweest. Nog even en McTeague zou op het kantoor in Hongkong arriveren om nog wat geld van Atlantic Securities uit de markt te halen. Doug moest eigenlijk terug om de cijfers nog eens door te nemen, om er zeker van te zijn dat ze hun exposure snel genoeg verlaagden.

'Woont je familie nog steeds hier in de buurt?' vroeg Vrieger, de stilte tussen hen verbrekend.

'Van wie heb je dat?'

'Van jouzelf. Toen ik je leerde kennen.'

'Alden,' zei Doug. 'En alleen mijn moeder.'

'Ging me destijds niet aan en gaat me nog steeds niet aan.'

Hij nam een handjevol nootjes, haalde zijn sigaret tussen zijn lippen vandaan, gooide zijn hoofd achterover en liet ze in zijn mond vallen. 'Ik neem je niets kwalijk. Je bent eruit gestapt, zoals je wilde. Je hebt een leven opgebouwd. Je hebt iets. De vraag is eigenlijk alleen wat je eraan hebt overgehouden. Ik? Ik niet veel. Het is wel zo dat ik terugga.'

'Terug waarheen?'

'De Golf.'

'Waar heb je het goddomme over?'

'Ik ken een vent in Virginia. Die is zo'n beveiligingstoestand begonnen. Heel wat ex-militairen. Het is nog een tamelijk kleine groep, maar als ik door de training kom, zegt hij, geeft hij me een baan. Neem van mij aan dat iedereen staat te dringen. Logistiek. Bewapende beveiliging. Ze weten nog niet waar ze heen gaan, waar ze nodig zijn. Maar het wordt een shitstorm.'

'Je neemt me in de maling. Waarom zou je dat in godsnaam gaan doen?'

'Waarom niet?' zei Vrieger. 'Hier heb ik niets. Niets om mijn leven mee te vullen. Daar zit ik er tenminste weer middenin. Het gaat me er niet om goed te maken wat we hebben gedaan. Of om te winnen of om vergeving te krijgen of zoiets. Dan kun je zeggen dat het treurig of geschift is of dat ik getraumatiseerd ben of wat dan ook. Maar dat kan me allemaal niets meer schelen. Ik ben niet op zoek naar genezing.'

Op de terugweg onder de geroeste balken van de Central Artery, het gedreun van drilboren in zijn oren, voelde Doug zich draaierig. Tegen de tijd dat hij de koelte van de lobby in de wolkenkrabber bereikte, had zijn duizeligheid plaatsgemaakt voor een gevoel van uitputting. Hij kon de ene voet nauwelijks voor de andere krijgen. Hij was er niet zeker van dat hij de lift zou halen en ging zitten op een van de chromen banken langs de glazen wand van het atrium. Hij zag werknemers komen en gaan: de directiesecretaresses die langs trippelden met hun schoudertassen vol kruiswoordpuzzels en breiwerk, junior analisten in gewichtige pakken, bedrijfsbewakers in paarse sportjasjes die terugkwamen met hun afgehaalde eten. Een jonge vrouw die uit de lift stapte wierp een blik in Dougs richting, en toen ze hem herkende, leek ze verbaasd dat ze hem in zijn eentje zag, zonder papieren, aktetas of blackberry in zijn hand.

Ten slotte lukte het hem zijn telefoon tevoorschijn te halen en Sabrina te bellen.

'Bel de garage voor me, wil je?' zei hij. 'Laat ze de auto boven brengen.'

Tegen de tijd dat die voor het gebouw verscheen, voelde hij zich helder genoeg om zelf te rijden. Hij zette koers naar de Storrow Drive met het idee misschien een wandeling langs de rivier te maken om een frisse neus te halen, maar alleen de gedachte al maakte hem nog vermoeider, en dus reed hij door en sloeg af naar de Pike, waar het hele verkeer vastzat. Het kostte hem twintig minuten langer dan gewoonlijk om bij zijn huis te komen. Hij smeet zijn sleutels op het aanrecht in de keuken, liep de trap op en liet zich op het bed vallen, zonder zelfs maar de moeite te nemen zijn schoenen uit te trekken.

Op het punt in slaap te vallen hoorde hij uit de badkamer achter zich een geluid komen.

Hij opende zijn ogen en bleef roerloos liggen. Hij spitste zijn oren en hoorde twee voorzichtige voetstappen. Niets in het huis was het stelen waard, behalve de televisies, en die waren er nog. Wie het ook was, hij had staan wachten. Langzaam, heel langzaam, bracht hij zijn hand naar de vloer. Onder het bed tastte hij naar de stalen arcering op de kolf van zijn pistool en greep die voorzichtig vast. Tussen de volgende voetstap en de daaropvolgende telde hij vijf seconden. Het geluid was nu nog maar een paar meter van zijn schouder vandaan. Toen hij het weer hoorde, graaide hij het wapen van de vloer, ontgrendelde het en vloog overeind, schreeuwend: 'Achteruit!' Hij kon nog net de knieën van de jongeman zien knikken voordat die flauwviel en de kamer in plofte.

Doug kwam van het bed, beende naar de deur, controleerde de gang en liep daarna weer de kamer door naar het raam om te zien of er iemand op de oprijlaan of in de tuin was. Toen bleek dat er niemand was, draaide hij zich om naar de jongen, die ineengezakt in de badkamerdeur lag. Hij had warrig bruin haar en droeg een gerafelde spijkerbroek en een sweatshirt. Doug gaf hem een duwtje met zijn voet, maar hij was finaal van de wereld.

Hij hurkte neer om zijn ene arm onder de knieën van de knul en de andere midden onder zijn rug te steken. Hij was zwaarder dan Doug had verwacht, met zijn achteroverbungelende hoofd en zijn middel dat tussen Dougs armen wegzakte. Een vreemd gevoel – dat warme, bewusteloze lichaam tegen zijn borst gedrukt. Hij liep de kamer door en legde hem op de verfrommelde lakens. Hij zag er vredig uit, zoals hij daar lag. Niet wetend wat te doen, stond Doug daar een poosje boven hem en had een eigenaardige gewaarwording, een soort gevoel. Een vluchtig verdriet terwijl hij de jongen zag ademen.

# Hoofdstuk 8

Boven Nate draaide geluidloos een ventilator. Zijn rechterzij deed zeer van zijn middel tot zijn schouder, en hij had hoofdpijn. Naar links kijkend zag hij een man bij het raam staan met de rug naar hem toe gekeerd, gekleed in een broek van een kostuum en een overhemd. Onmiddellijk kromp zijn maag samen, een beklemming die naar zijn borst en keel trok en zijn hart deed bonzen.

Hij probeerde te gaan zitten, maar werd duizelig en ging weer op het kussen liggen.

'Zo. Zou je me willen zeggen wat je in mijn huis doet?' vroeg de man, zonder zijn gezicht naar hem toe te draaien. Zijn handen in de zakken van zijn broek lieten sleutels of kleingeld rinkelen.

'Ik... ik stak alleen de tuin over...'

'En toen belandde je in mijn slaapkamer?'

'Dat had ik niet moeten doen, het is alleen... '

'Waarvandaan ben je het gazon overgestoken?'

'De buren.'

Nu draaide hij zich naar de kamer en keek Nate aan.

'Van het huis van die vrouw? Was je daar binnen?'

Hij had glanzend, kortgeknipt zwart haar, een brede kaak en een kin met een kuiltje. Hij was zeker één meter vijfentachtig lang. Door de spieren van zijn borst en schouders, geprononceerd onder zijn maathemd, stak zijn bovenlichaam enigszins vooruit, als bij een bokser die over zijn tegenstander hing.

Op internet waren talloze foto's van mannen waarvan Nate op een melancholieke manier dromerig werd en een stijve kreeg. Maar zij waren van een andere wereld.

'Ik vroeg je wat,' zei de man.

'Mevrouw Graves. Ik krijg bijles van haar.'

Zijn ogen versmalden zich, waardoor de puntjes van de wimpers aan elkaar kleefden, alsof ze nat waren, alsof hij net onder de douche vandaan kwam.

'Zij heeft je hierheen gestuurd, nietwaar?'

'Nee. Echt niet. Ik was alleen nieuwsgierig. Meer niet.'

'Doe je dat vaker? Gewoon huizen van anderen binnenwandelen?'

'Nee.'

'Het had je dood kunnen zijn. Besef je dat wel?'

Nate knikte, met ingehouden adem.

'Ben je gewond?'

'Ik denk van niet.'

'Goed dan. Laten we gaan.'

Hij voerde Nate door de gang en de gebogen voortrap af, die uitkwam op de hal, waar Nate nog geen uur tevoren doorheen was gelopen. Dat was het, veronderstelde hij: nu kreeg hij te horen dat hij kon gaan. Maar de man ging niet in de richting van de voordeur, maar liep door naar de keuken. Hij pakte een fles wodka uit de koelkast en schonk een glas voor zichzelf in. Geleund tegen het aanrecht, zijn benen enigszins gespreid, draaide hij de transparante vloeistof rond met een korte, kleine handbeweging. Al zijn gebaren hadden een precisie, een soort oppervlaktespanning in de manier waarop zijn lichaam bewoog, en hij had een zelfverzekerdheid over zich waar die atletische types op school niet aan konden tippen. Een koude, strakke blik die direct duidelijk maakte dat hij niets nodig had.

'Nu zou ik de politie moeten bellen,' zei hij.

'U maakt een grapje, hè?'

'Woon je in Finden?'

'Ja.'

'Denk je dat deze stad alleen maar een speeltuin voor jou is? Dat je gewoon kunt doen wat je wilt omdat het uiteindelijk toch allemaal een veilige en gezellige boel is? Je hebt huisvredebreuk gepleegd. Je hebt de wet overtreden.' De manchet van zijn hemdsmouw gleed van zijn pols toen hij zijn glas naar zijn mond bracht.

'Ik heb niets gestolen,' voerde Nate aan.

Een minuut of langer gaf de man geen antwoord, zijn blik de hele tijd recht op Nate gericht. Er zat iets gemeens in zijn zwijgen, alsof hij het leuk vond hem bang te maken. Nate voelde het tussen hen in hangen. Maar er was ook iets anders, iets verleidelijks: om zo intens bekeken te worden, met die ondertoon van dreiging. Nate wilde wel zijn ogen sluiten en zich laten bekijken, maar hij durfde niet.

'Die bijleslerares van jou, die is niet goed bij haar hoofd. Ze denkt dat dit hier van haar is.'

'Ja. Dat zei ze.'

'En jij beweert dat je alleen maar nieuwsgierig was. Naar wat?'

'Omdat het zo'n kast van een huis was, denk ik. En leeg. Ik dacht niet dat hier iemand woonde.'

De man wierp een blik door de ruimte, alsof hij de kaalheid ervan nu pas opmerkte. In profiel was hij nog fantastischer, met zijn baardschaduw, zijn volmaakt gevormde neus en zijn volle, iets vaneen staande lippen. Dat Nate het huis was binnengedrongen had zijn zinnen gespitst, maar wat hij nu ervoer, was van een andere orde, alsof de hele fysieke wereld een nieuwe scherpte had gekregen, geslepen door het mes van begeerte.

'Ik zou inderdaad wel wat meubels kunnen gebruiken,' zei hij, terwijl hij zijn glas leegde en het op het aanrecht zette.

'Ik vind het best wel cool zo.'

'Ja? Waarom?'

'Ik weet het niet. Je voelt je vrij, denk ik. Alsof je kunt doen wat je wilt.'

'Hoe heet je?'

'Nate.'

'Wat doe je, middelbare school?'

'Ik zit in het laatste jaar. Over een paar weken doe ik eindexamen.'

'Nou, Nate. Ik moet nog wat dingen doen, dus ik denk dat je maar eens moest gaan.'

Terwijl hij de weg naar buiten wees, volgde hij Nate de keuken uit.

'U gaat de politie niet bellen?'

'Daar heb ik eerlijk gezegd geen tijd voor.'

109

Terwijl de man de voordeur openhield, zag Nate het felle oranje van de straatlantaarns langs de weg aanfloepen. Als hij nu zomaar wegging, zonder dat er nog iets werd gezegd, hoe zou hij dan ooit hier terug kunnen komen?

Hij talmde even op de drempel. Flapte er toen uit: 'Misschien kan ik u helpen.'

'Hoe bedoel je?'

'Als u dingen wilt weten. Over mevrouw Graves. Over haar rechtszaak.'

De lippen van de man gingen vaneen en voor het eerst glimlachte hij, een schattende blik op zijn gezicht.

'Interessant,' zei hij. 'En waarom zou je dat doen?'

Hoeveel moeite Nate ook deed, hij kon niet voorkomen dat het bloed hem naar de wangen steeg.

'Ik weet het niet,' zei hij. 'Daarom.'

De man zweeg nog een lang moment.

'Oké,' zei hij ten slotte. 'Waarom ook niet? Ik ben meestal rond half-elf thuis. Probeer de volgende keer te kloppen.'

Nate rende de kleine kilometer naar het huis van Jason en kwam bezweet aan.

'Waar heb jij verdomme gezeten?' riep Emily boven het geluid van de stem uit die van de stereo in Jasons kamer dreunde. Ze lag op het onopgemaakte bed te bladeren in een *Harper's Magazine*.

'Sorry. Ik werd opgehouden.'

De avond moest nog op gang komen. Jason zat aan zijn bureau witachtig-bruine stelen en hoedjes te verdelen in glazen kommetjes. In de hoek zat Hal, die kennelijk zo vrij was geweest een douche te nemen, te niksen in Jasons blauwe badstoffen badjas, een onaangestoken sigaret in de ene hand en een leeg doosje lucifers in de andere.

'Weet je,' zei Hal. 'Ik zat te denken...'

'Stil!' eiste Jason. 'Het is bijna afgelopen.'

Gehoorzaam luisterden ze allemaal naar de stem uit de luidsprekers die heen en weer zwenkte tussen bedachtzaamheid en een soort profetische bezieling. Een professor, zo klonk het, een onderzoeker op verlof voor onbepaalde tijd.

'Dus u ziet,' ging de stem voort, 'de hele menselijke geschiedenis heeft zich afgespeeld in het licht van de traumatische breuk met de moedergodin, de planetaire matrix van organische heelheid die destijds in het hoogpaleolithicum de climax van psychedelische ervaring was. Met andere woorden, de wereld van hallucinatie en visioen die psilocybin je binnenvoert, is niet je eigen onbewuste of de structuur van je neurale programmering, maar het is in feite een soort van *intellecti*, een soort zijn, een soort Gaiaanse geest. Als je je eenmaal hebt losgemaakt van de matrix van betekenis, die James Joyce de 'meest mysterieuze mama-matrix' noemde, als je je eenmaal hebt losgemaakt van dit alles, kun je je alleen nog laten leiden door rationalisme, ego, mannelijke dominantie, en dat heeft ons gebracht in het nachtmerrieachtige labyrint van de technologische beschaving, al het kwaad van de moderniteit. We moeten in de conventionele maatschappij bijna als een Trojaans paard het idee binnensmokkelen dat deze psychedelische samenstellingen en planten geen aberraties zijn, dat ze niet pathologisch zijn, dat ze geen onbelangrijke ondergroep zijn van het menselijk kunnen waarmee alleen excentriekelingen en gekken zich inlaten, maar veeleer de katalysator die menselijkheid oproept uit dierlijke natuur. Daar roep ik toe op.'

Het publiek applaudisseerde, terwijl het geluid wegstierf.

'Waar haal je dit spul godverklote vandaan?' vroeg Emily.

'Interessant,' moest Hal toegeven. 'In ieder geval is het een goed, valide excuus om high te worden.'

'Daar gaat het niet om. We gaan niet "high" worden. Dit is geen feestje.'

'Tuurlijk niet,' zei Hal. 'We verbreden ons perspectief.'

'Precies,' zei Jason, die van het bureau opstond om hun allemaal een kommetje te overhandigen. 'We nemen wat hij de "heroïsche dosis" noemt. De dosis waarbij je niet meer bang bent, omdat er geen ego meer is om bang te worden.'

De paddo's hadden een vezelige, modderachtige structuur waarvan Nate moest kokhalzen. De Brita-waterfilter ging rond en ze hadden ieder een glas water nodig om de bittere brij door de keel te krijgen. Toen alles was ingenomen, zette Jason wat paniekvertragende Franse

popmuziek op, een en al zachte falset en ijle synth. Nu het openings-
ritueel van de avond was voltrokken, gingen ze verder met chillen. Er
verstreek zo'n halfuur terwijl het discodoek wapperde in de lucht om
hen heen.

'Op een dag,' zei Hal loom tegen Jason, 'leid jij volgens mij een sekte. Niet op een slechte manier, althans eerst niet. We lezen dan over je
dat je op een eiland zit met heel veel vrouwen en kinderen en dat jullie
allemaal wachten op een of andere astrale bus. Mijn loopbaan is dan
voorbij, op mijn acht- of negenentwintigste, en ik vraag me af of ik
me bij jullie zal aansluiten.'

'Luister even,' zei Jason. 'Er volgt nu een mededeling van de overheid, oké? Dat vrije geassocieer... dat kan een probleem zijn. Ik bedoel,
"astrale bus"? Dat is iets wat iemand anders zomaar serieus zou kunnen nemen, en voor je het weet zijn we verloren. Zie het als meditatie.
De gedachte komt en de gedachte gaat. Je bent niet de gedachte.'

'Ik zeg alleen maar dat ik denk dat jij een sekte gaat leiden.'

'Oké,' antwoordde Jason, 'oké.'

Zwaar vocht begon zich achter in Nates hersenpan op te hopen.
Hij ging naast Emily liggen en sloot zijn ogen, terwijl het nabeeld van
de plafondlamp als een zonsverduistering op de achterkant van zijn
oogleden brandde.

'Shit,' zei Emily tegen niemand in het bijzonder.

De muziek kwam nu in golven, met de top in het midden van de
kamer, klotste tegen de wanden en droop op de vloer om vervolgens
weer tot boven hun hoofden te stijgen.

'Het eten is bijna klaar, jongens.'

Toen de vier mevrouw Holland in de deuropening zagen staan,
schrokken ze op. 'Waarom ruim je het hier niet op, Jason? Je vrienden
hoeven toch niet tegen je vuile was aan te kijken?'

Ze droeg een jurk van witte kunstzijde met een riem van slangen-
leer en nam slokjes van een heldere vloeistof uit een whiskyglas dat ze
met beide handen omklemde.

Van de andere kant van de kamer wierp haar zoon haar een boze
blik toe.

Met een vage glimlach naar de andere drie begon ze voluit te lachen, als wilde ze zeggen: wat een kwibus, hè? En draaide zich vervolgens om, de deur achter zich openlatend.

'Nou,' zei Hal, 'dat is me nog eens een meest mysterieuze mamamatrix.'

'Doe me een lol,' snauwde Jason, terwijl hij opstond om de deur dicht te doen. Met zijn rug ertegenaan maakte hij aanstalten hen toe te spreken, maar terwijl hij zijn lippen opende om iets te zeggen, werd zijn aandacht getrokken door iets op het vloerkleed, en als een generaal die geen angst wil tonen voor zijn troepen moest hij zich vermannen voordat hij ging spreken: 'We hebben een probleem,' verklaarde hij. 'We hebben minder tijd dan ik dacht. We ontkomen er niet aan om naar beneden te gaan en op ordentelijke wijze iets van dat eten te nuttigen. Begrijpen jullie? We zijn er vroeg bij. We kunnen het wel aan. We moeten alleen snel handelen.'

Hal stond op, trok de riem van zijn badjas strakker en riep: 'Ik ben er klaar voor.'

'Dit is een heel slecht idee,' zei Emily.

Maar Jason was de deur al uit, en ze volgden hem de gebogen trap af.

De keuken van de familie Holland leek ongeveer zo groot als een tennisbaan. Op zoek naar een operatiebasis in deze uitgestrektheid liepen ze af op een rustieke houten tafel achter in de ruimte. Als ze high werden in de auto, kon Nate de sensatie over zich heen laten komen zonder last te hebben van de wereld. Nu niet. De omstandigheden hadden hem teruggedrongen naar zijn eigen, persoonlijke commandoposten, waar hij een wanhopige strijd voerde tegen de innerlijke overstroming.

'Ik zit op die mesjogge chatbox,' riep mevrouw Holland van achter het fornuis, 'met oude vrienden van mij, en met wie weet nog meer trouwens... alles en iedereen, neem ik aan... de terroristen!' Ze giechelde. 'Hoe dan ook, iemand stuurde dat idiote ding, zogenaamd een Soemerisch kookboek. Stel je voor, Julia Child die vierduizend jaar geleden rondzwerft in Mesopotamië. Volkomen geschift. Maar ik vond dat ik een van die koude gerechten maar eens moest uitproberen. Jullie hebben geluk dat de supermarkt geen jak had. Ik heb hertenvlees gebruikt. Met dat riviergras waar ze allemaal zo enthousiast over zijn. Geen van jullie doet toch zo'n dwaas dieet? Emily, jij toch niet, wel?'

'Nee,' zei Emily, haar handen om de tafelrand geklemd. 'Ik ben op een dieet van gewoon eten.'

'Nou, beschouw het maar als onderdeel van je multiculturele vorming,' zei mevrouw Holland, terwijl ze zich nog een glas inschonk. 'Jasons vader is helemaal voor dat soort dingen, weet je. Een heel progressieve man.'

'Ze staat op instorten,' fluisterde Emily tegen Nate. 'Ik ken dat.'

Nate wierp een blik op de andere twee en probeerde hun coördinatie, reactievermogen en algehele overtuigingskracht te schatten. Hij keek stomverbaasd toe hoe Jason, die op Hals gezicht een vlieg zag zitten, zei: 'Wacht even', en vervolgens een walnoot uit een schaal op tafel pakte en die naar Hals voorhoofd zwiepte, waarbij hij het insect met bijna tien centimeter miste.

'O kut,' zei Hal, die nu breed lachte, zonder te reageren op de noot. 'We hebben geen tijd meer.'

Langzaam vielen Jasons ogen dicht. Het enige roer op hun boot raakte los.

Plotseling zette mevrouw Holland een schaal met een donkere, enigszins levende substantie voor Nate op de tafel. Hij keek omhoog in haar felle ogen en hoorde haar zeggen: 'Jullie zien eruit of jullie net een marathon hebben gelopen. Moet ik de airconditioning hoger zetten?'

Nate zag dat zich op de brij in zijn kom slijm begon te vormen, wat wees op een larve van een akelig prehistorisch wezen. Wat voor primitief beest, vroeg hij zich af, was eindelijk tot leven gekomen, ongeboren gebleven sinds deze ingrediënten zich voor het laatst hadden vermengd in een of ander moeras in de oude wereld.

'Blijf bij je positieven daar,' fluisterde Jason scherp, waardoor Nate plotseling besefte dat zijn gezicht slechts twee centimeter verwijderd was van de incubatie die zich voor zijn ogen ontrolde. Hij ging snel rechtop zitten en probeerde niet te gillen van angst.

'Beginnen jullie maar vast,' zei mevrouw Holland, weer mijlenver weg. 'Ik moet deze graanpasta doen.'

Emily's hals verstijfde. 'Er moet,' zei ze, 'er moet iets gebeuren.'

Heftig knikkend stak Hal zijn hand onder zijn badjas in zijn broekzak en wist op een of andere manier zijn mobieltje te laten rinkelen, een oproep die hij direct beantwoordde.

'O mijn gód,' zei hij, belachelijk hard. 'Dat méén je niet! Ons kleine poesje? Op de snélweg? Nu meteen? O, mam. Kan ik iets doen? Wil je dat ik nu metéén kom?'

Hij wierp een blik op Jason, die zich snel naar zijn naderende moeder keerde en naar een punt ergens boven haar schouder kijkend zei: 'Tjee. Ik denk, tja, dus Hal... het ziet er naar uit dat hij een... probleem heeft. Ik bedoel, dat dier. Dat huisdier van de familie. Het ziet er naar uit dat het hulp nodig heeft.'

Hal legde zijn mobieltje op de tafel, alweer vergeten wat hem tot deze list had gebracht.

Een moment lang was het enige geluid het gesis van insecten die levend verbrandden in het gekooide blauwe licht op de veranda.

'En jullie maaltijd dan, meneer?' zei mevrouw Holland.

Op dat moment besefte Nate dat hij was ingelijfd bij een soort paranormale luchtverkeerscontrole, zonder enige opleiding of kans van slagen. Mevrouw Hollands laatste, bittere woorden waren van onder de wolken naar beneden gekomen als een onontdekt passagiersvliegtuig dat recht op de luchthaven afzweefde.

'Kom nou, mam. Dit goedje ziet eruit als stront.'

Haar benevelde ogen vernauwden zich.

'Vind je? Ik ben blij dat je geleerd hebt zo eerlijk te zijn, Jason. Dat is een geweldige eigenschap voor een man. Je zult je vrienden wel hebben verteld dat je te veel hebt gespijbeld om te kunnen slagen. Heb je ze dat verteld?'

'Krijg de klere,' zei hij, terwijl hij van tafel opstond. 'Kom, jongens, we gaan.'

Hij liep de keuken door naar buiten, de hordeur achter zich dicht klappend. Emily volgde gegeneerd.

'Weet u, mevrouw Holland,' begon Hal, terwijl zijn oog viel op een doosje lucifers naast het peper-en-zoutstel en hij eindelijk de sigaret aanstak die hij de hele avond al tussen zijn vingers hield. 'Ik kon die Soemerische invalshoek wel waarderen. Het is altijd interessant om je bezig te houden met de oorsprong van dingen. Vooral in deze tijd. Dat lijkt me werkelijk een geweldige chatbox die u daar hebt.' Hij inhaleerde, blies de rook omhoog naar het plafond, schoof zijn stoel achteruit en vertrok toen in de tegenovergestelde richting van de anderen, via de voorhal.

Alleen met haar overgebleven keek Nate toe hoe de stroperigheid in de lucht, die naar hij had gehoopt alleen maar een voorbijgaande afwijking van zijn oog was, voor iedereen zichtbaar de wereld begon in te lekken en het plafond boven mevrouw Holland veranderde in een glibberig, lillend drab. De lichten in de kamer gingen pulseren, dropen omlaag langs de randen van haar starre moederlichaam en toen ook in haar, waarbij haar hele gedaante een zacht oranjerood uitstraalde, de gloed van een of andere langzaam wegebbende behoefte.

'Het spijt me,' zei hij, terwijl hij opstond van tafel. 'Het spijt me echt.'

Hij haastte zich door de tuin om de anderen in te halen, opgelucht door het ontbreken van helderheid op dit verduisterde toneel van wilgen met takken treurend in poelen lamplicht, de lucht om hem heen zacht en vochtig. Hij hoorde Jason verderop en toen zag hij ze, terwijl hij de bocht omging en ze inhaalde, zonder dat iemand er acht op sloeg. Naar wat een hele poos leek, liepen ze de Chandler Drive af en de collegecampus op. Ze gingen het bos in, het pad naar het ronde stenen terras volgend, en toen ze dat op gingen, zagen ze het meer, dat zich voor hen uitstrekte, zwart en glad onder een koepel van sterren.

Ze stonden gevieren bij de reling van het terras, passagiers op de voorsteven van een stilgevallen schip.

Jason trok zijn sneakers en overhemd uit en liep de trappen af, tot zijn borst het water in wadend. Hij draaide zich om naar de andere drie, stak zijn armen in de lucht en ging achteroverliggen, vallend in het bed van water, waarbij zijn hoofd en lichaam zo lang onder het donkere oppervlak verdwenen dat de sfeer onbehaaglijke associaties wekte met naschoolse activiteiten, waarin kinderen onder invloed

116

verdronken en de stad een wake met kaarsjes hield, hun avond op het punt een van die ernstige, tragische affaires te worden, waarvan het plaatselijke nieuws verslag deed, waar linten en bloemen aan te pas kwamen, kiekjes in het jaarboek, vervlogen hoop enzovoort, het echte leven en verdriet bedrogen en bevroren door de arrogantie van het sentiment, en toen kwamen zijn hoofd en schouders een meter verder weer tevoorschijn, en Emily lachte.

Ze stapte uit haar sandalen en liep de trap af om naar hem toe te gaan.

'Dít,' zei Jason, op zijn rug drijvend, 'dít is de meest mysterieuze matrix. En weet je wat? Die geeft geen snars om ons. Die kan het zelfs niet schelen of we bestaan.'

Hij begon in een trage rugslag van de oever af te zwemmen.

Nate bleef aan de reling staan: de zichtbare wereld slierde in haar eigen kielzog en strekte zich naar voren uit, het gloeiende puntje van Hals sigaret en Emily's deinende hoofd werden het wazige gemiddelde van het nog steeds waarneembare verleden en de nabije toekomst, en ook de lucht veranderde in een reeks witte strepen die zigzagden over honderden heldere centra. Wat bij hem de vraag opriep of een gevoel zo'n patroon kon vertonen: begeerte die de angst doorstreept, die weer het verlangen doorstreept, dat weer de dreiging doorstreept, met als helder centrum van alles het vreselijke verlangen dat hij voelde toen hij nog maar een paar uur geleden voor die man in de voorhal van de villa stond en in de naam van een of andere god wenste dat de man hem zou aanraken.

Hoe konden mensen dat verdragen? Die ontstellende behoefte gered te worden.

'De professor heeft gelijk,' schreeuwde Emily. 'Dood het ego! Laat de wereld binnen!'

'Kom nou,' riep Jason, 'zwemmen!'

Hal trok zijn badjas uit, drapeerde hem op de reling en boog voorover om zijn schoenen en broek uit te trekken. Zijn blote rug was bleek en smal. Een jongenslichaam, dacht Nate, slungelig, onzeker, een beschermer van niets.

'Kom je?' zei Hal.

Nate kleedde zich uit tot op zijn onderbroek en nam een platte duik van de onderste tree, zijn magere gedaante gleed in het water en de dag, de drug, alles spoelde door de koude sensatie een moment lang uit zijn hoofd, en er openden zich kieuwen in zijn borst toen hij alles losliet. Weer boven water werd zijn hoofd opnieuw omsloten door de warme nachtlucht, terwijl hij zich op zijn rug draaide en een verblindende zigzag van sterrenlicht in zijn ogen stroomde.

Ze zwommen op zo'n meter van elkaar naar de formele tuin, waarbij Jason de witte balustrade als eerste bereikte en zich optrok om te gaan zitten op de brede bovenkant. Achter hem, op een steile helling, stonden de kunstig geknipte bomen en heggen, snoeiwerk in de vorm van kegels en kubussen, en ertussen een paar cipressen, alles evenzeer gezien in zijn herinnering als door de lagen schaduw die het nu bedekten. Hij hielp ze een voor een op de kant en ze staken het pad over naar het gazon. Op een horizontaal stuk gras halverwege de helling, onder de grote piramide van een buksboom, gingen ze zitten, nog steeds druipend, en keken terug over het meer naar de campus met daarachter de lichten van Finden.

'Het blijft maar komen,' zei Emily, terwijl ze haar hoofd op de grond liet rusten.

'Laat het komen,' antwoordde Jason. 'Laat het gewoon komen.'

Vele uren later, nadat de drug eindelijk was uitgewerkt en Nate stilletjes het huis was binnengeslopen, kleedde hij zich uit in zijn kamer, trok een oude boxershort aan en poetste zijn tanden. In de spiegel boven de wastafel zag hij er schriel uit, zijn armen dun als die van Hal, amper een spier op zijn borst, en holten in zijn schouders boven de sleutelbeenderen. Niets, dacht hij, van het lichaam van de man die hij die dag had ontmoet. Niets van diens sterke aanwezigheid. In bed liggend met de lichten uit stelde Nate zich de man voor op de bovenverdieping van dat immense huis van hem, hoe hij zijn stropdas afdeed, zijn krijtstreeppantalon en gestreken witte overhemd uittrok, een volmaakte kracht die uitstraalde naar de volmaakte duisternis achter Nates ogen, dichtgeknepen door deze dagdroom, terwijl hij zijn vuist bij zichzelf op en neer bewoog, in een verwoede poging de droge stilte van het huis te laten overlopen met de vloed van die andere verbeelde plek, vrij van alles behalve een genot zo diep dat het hem wel eens zou kunnen vernietigen. Toen, twee of drie extatische seconden lang, kwam de vernietiging, in een vloedgolf die zich veel te snel terugtrok met achterlating van de verwoeste oude wereld van dingen zoals ze echt waren.

Hij lag nu roerloos. Onder aan het rolgordijn zag hij het fletse blauw van de straatlantaarn. Een hoop kleren was vaag zichtbaar op de stoel in de hoek en de rug van een studieboek stak uit over de rand van zijn bureau. Hij deed zijn ogen weer dicht, maar de fantasie was weg en hij was klaarwakker.

# Hoofdstuk 9

Kwart over negen gaf de klok op de schoorsteenmantel aan. Te vroeg om naar bed te gaan, dacht Charlotte, als ze niet in het holst van de nacht wakker wilde worden. Ze ging bij het open raam in de woonkamer zitten, waar warme avondlucht binnendreef over de vensterbank, op haar schoot en op de koppen van de honden aan haar voeten. Vanmiddag was ze te lang doorgegaan met de jongen Nate, zozeer was ze opgegaan in de werkverschaffingspolitiek, maar het was sterker geweest dan zijzelf.

Hij had haar overvallen, die eerste dag dat hij was verschenen, en een uurtje les was alles wat ze had kunnen opbrengen. Terwijl hij af en toe een aantekening had opgekrabbeld, was de vertrouwde domper van onbegrip en verveling als pudding over zijn gezicht gaan liggen. Hoe vaak had ze dat niet gezien, terwijl ze heen en weer liep in haar klaslokaal, waar Lincolns droefgeestige ogen over de vrucht van zijn nog perfectere unie heen staarden? In al die jaren wisten de leerlingen nooit wat ze moesten denken van haar drammerigheid, haar eis de omstandigheden van hun eigen leven in historische termen te zien. Te midden van alle stompzinnige onverschilligheid waren er altijd een paar bereid geweest te overwegen dat de wereld misschien meer was dan wat zij ervan konden gebruiken. Aanvankelijk had ze Nate niet als een van hen gezien.

Maar nu zag ze het anders. Hij luisterde naar haar woorden alsof het niet alleen om de inhoud ging. Tegen het einde van haar schooltijd waren zelfs de betere leerlingen louter feitenverzamelaars geworden, niet bereid te veranderen door wat ze konden leren. Ze stonden niet open voor die hogere dubbelzinnigheid die je alleen meekreeg door een kennisgedreven persoon van nabij te observeren, iemand die je met zijn voorbeeld kon laten zien hoe je eerste zelf, onvrijwillig opgelegd, kon worden ingewisseld voor de zelfgekozen levensweg. Maar deze jongeman niet. Niet dat die paar vragen van hem nu zo diepgravend waren, en het had haar zelfs bijna met stomheid geslagen dat hij zich had laten imponeren door de villa van de indringer. Maar hij nam haar argumenten in overweging; hij volgde het ritme van haar woorden.

Een gulle aandacht. Daar zat het hem in.

*Dacht je dat wij dat geloofden?* zei Wilkie, die overeind kwam om zijn snuit tegen de hor te drukken, zijn oren opgestoken als vleermuisvleugels. *Alsjeblieft, zeg, wees eens eerlijk tegen jezelf.*

De huid van de jongen, bleek als boter, de grote bruine ogen, de manier waarop zijn haar in een golf over zijn voorhoofd viel. Ze had de gelijkenis meteen al gezien, maar de gedachte terzijde geschoven. Maar een week of wat geleden, toen ze tegenover hem zat bij de chinees, had het geen zin meer te ontkennen dat hij net een jonge uitgave van Eric was.

*O, daar gaan we weer,* zei Sam.

Hoe kon ze ooit nog denken, ooit nog haar gedachten ordenen als die twee zo bleven kletsen.

Die middag tijdens de bijles aan Nate, net toen een idee op het punt stond vorm te krijgen en te ontsnappen aan de maalstroom van verandering en voorbehoud, was er een minuscuul feit – as op het vloerkleed, een draadje tijk los op de leuning van de bank – helder voor haar opgerezen en had al haar voorwaartse beweging gestuit, en ze had daar rondgezwalkt, verloren, de donkere fonkeling opvangend van de ogen van Sam of Wilkie, die naar haar hadden geroepen: *Er bestaat geen andere plaats dan deze: welkom,* wat haar bang had gemaakt, maar ook vastbesloten zich te verzetten, de stroom weer te vinden voordat die ophield en zo uit haar geblokkeerde hoofd een samenhangende gedachte te halen.

Maar zelfs nu ze zich probeerde te concentreren, haar gedachten hier in het heden te houden, bracht de herinnering, als een bezorgde vriend die door de hor fluisterde, het beeld van haar oude appartement aan de West Eleventh Street, die twee kleine kamers op de begane grond met het geplaveide vierkantje tuin achter, zij tweeën die het brandhout naar binnen droegen dat Eric ergens had gevonden op de dag dat hij bij haar introk, zijn vaders oude auto geparkeerd in de regen, zij tweeën die de houtblokken de treden af het huis in brachten, ze opstapelden op een blauw zeil uitgespreid op de vloer van de woonkamer, zaagsel en stukken schors klittend aan hun jassen.

De meeste studievriendinnen van Charlotte hadden hun echtgenoot leren kennen voor hun afstuderen of die niet lang daarna aan de haak geslagen. Jongens uit Amherst en Williams die met zijn vieren of vijven per auto kwamen dansen in het Smith, lange avonden van kletsen over de kleinste koetjes en kalfjes, de jonge meneren die praatten als slechte imitaties van hun vaders, een en al zomervakanties en namen van banken, kleine lords van het financiële landgoed. Ze zag hoe vrouwen die ze op college welbespraakt over Shakespeare of Rome had horen spreken, knikten en glimlachten, geduldig luisterend naar de ene vleierei na de andere, terwijl de jongens rondkeken om te zien of er nog meer aanbod was, en dan schaamde ze zich voor haar jaargenotes en voor zichzelf. Misschien kwamen de jongens niet naar haar toe omdat ze nooit terugkeek, want ze was een beetje te lang, en blond noch knap in de conventionele zin, maar haar opstandige blik kon hen ook niet hebben aangemoedigd. Wanneer een jongen een gesprek probeerde aan te knopen, meende ze dat ze de door haar jaargenotes weggemoffelde ontwikkeling moest compenseren. Gewoonlijk begon ze met een analyse van wat ze die week las. Een verschansing was haar trots geweest, hoog en veilig.

Als ongetrouwde vrouw in de grote wereld had die verschansing haar des te noodzakelijker geleken. Wanneer ze zat te werken achter de informatiebalie van de New Yorkse Openbare Bibliotheek, wierpen middelbare mannen haar knipoogjes toe. In de ondergrondse probeerden ze ergere dingen.

'Is het niet wat eenzaam?' herinnerde ze zich dat haar moeder haar met Thanksgiving aan tafel vroeg in het najaar dat ze was gaan studeren aan Columbia. 'Al die uren opgesloten zitten om te studeren?'

'De uren die jij opgesloten zit in dit huis dan niet?' antwoordde ze, wat stilzwijgen en een vernietigende blik opleverde.

Haar vader begreep haar: hij had haar van begin af aan gestimuleerd.

'Ik ben gewoon praktisch,' zei haar moeder, ter verdediging van haar zorg om Charlottes toekomst. Henry, vijf jaar jonger, was al afgestudeerd in de rechten, begonnen bij een kantoor en, om het verhaal te vervolmaken, getrouwd met Betsy, die hij in een zomer had leren kennen op een reis naar de Cape. De bruiloft was gehouden bij Betsy's ouders in Hyannis, allemaal witte tenten en hoog-episcopaalse correctheid, van de bloody mary's tot de gesteven boorden, de ingehouden, om niet te zeggen nederige zelfingenomenheid van de heildronk van de vader en de blik in de ogen van Charlottes moeder toen Henry zijn bruid bij de arm nam en naar de parketvloer leidde voor de eerste dans. Of de laatste dans, zoals Charlotte het zag. Na alle introductiebals, universiteitsbals en debutantenbals was het de dans die je je definitieve plaats wees. Voor Henry was het een door vrouwen in het leven geroepen verkleedpartij waarin hij die dag met plezier zijn rol speelde, want wat kostte hem dat nou, en het maakte zijn moeder zo gelukkig (decennia later zouden imitaties van de kleren die ze op dat soort weekeinden droegen verschijnen in al die catalogi, Ralph Lauren en de rest, waarin de burgerlijkheid van die vervlogen tijd herleefde als commerciële fantasie). Aan het diner zat Charlotte naast de broer van de bruid, een Cadillac-dealer die *Appointment in Samarra* duidelijk nooit gelezen had. Het sierde Henry dat hij niet meedeed aan de weeë toespelingen dat zij de volgende was.

Ze deed drie jaar over haar studie: volgde werkgroepen, woonde extra colleges bij, werkte in de bibliotheek en las 's avonds. Haar vrienden waren andere mensen van de geschiedenisfaculteit, samen met de twee of drie vrouwen van het college die in de stad waren blijven wonen. Op de universiteit viel het minder op dat ze alleen was dan thuis bij haar ouders. De tijd was zinvol, ook zonder metgezel. Toch greep de eenzaamheid haar soms naar de keel. Hoe ze ook haar best deed, ze ontkwam niet aan de dwang van de 'zaterdagavond' en de noodzaak om dan iets te doen te hebben. De week ervoor maakte ze geen plannen, en dan bleef ze op de zaterdag alleen en bekroop haar de twijfel die anders door concentratie op afstand werd gehouden, en hoorde ze haar moeders stem. De woorden in de boeken en tijdschriften uitgespreid op haar keukentafel leken dan levenloos, even dood als de tijd die ze beschreven. Maar het gevoel ging altijd voorbij: een essay eiste meer lezen, meer onderzoek. De vergezichten openden zich weer in haar, gaven de wereld dat gevoel van heelheid, terwijl ze steeds meer van de structuur van het heden ontwaarde in de samenleving en de politiek van het Europa van drie eeuwen geleden, alsof ze een glimp opving van de verborgen orde der dingen. Probeer dat maar eens onder het drinken van gin-tonics in de beach club uit te leggen aan een van de zonen van haar moeders vriendinnen. Nou nee, Chuck, aan squash spelen kom ik niet echt toe. Weet je, ik ben een seculiere mystica, tijdens mijn privé-uurtjes in vervoering gebracht door de immensiteit van de menselijke kennis. Meen je dat nou? Ja, werkelijk waar.

De meeste mannen die ze in de stad tegenkwam waren getrouwd of leken te worden afgeschrikt door haar gebrek aan eerbied.

Op een feestje in de winter, gegeven door een van haar professoren aan Columbia, had ze Eric voor het eerst ontmoet. Ze kende de meeste mensen daar, andere promovendi, wetenschappelijk medewerkers bij wie ze werkgroepen of hoorcolleges had gevolgd. Ze zag hem voor het eerst toen hij met zijn rug naar de ruimte de boekenkast stond te bekijken, reikhalzend om de titels te lezen. Toen hij zich omdraaide, ontmoetten zijn ogen toevallig die van Charlotte en lachte hij verlegen alvorens in zijn glas te kijken. Iets in het krullende bruine haar dat over zijn voorhoofd hing, zijn romige huid en de brede, enigszins ongeschoren kaak had haar blik getrokken. Die middag had ze, gezeten aan haar bureau achter in haar kamer, terwijl het begon te schemeren op het binnenplaatsje, voltooid wat ze als haar tot nog toe beste werk beschouwde, een essay over Miltons ambtsperiode in de regering van Cromwell, het resultaat van jarenlang onderzoek. Ze was nog steeds vervuld van de voldoening dat het af was, een genoegen dat ze zo lang en scrupuleus had uitgesteld. Eric leek iets jonger dan zij, halverwege de twintig misschien. Uitkijkend naar hem ontdekte ze hem een paar minuten later aan de andere kant van het vertrek en liep naar hem toe om zich voor te stellen. Het was het soort gelijkheidsgebaar waarin ze geloofde, en voor deze ene keer had ze genoeg gedronken om het aan te durven.

Ze zaten die avond twee uur lang te praten op de bank in de erker, de Hudson zichtbaar door de kale bomen. Na enkele momenten van verlegenheid wilde hij meteen, zonder inleidende vragen over wie ze was en hoe ze op dit feest verzeild was geraakt, weten wat ze de laatste tijd had gelezen, 'de beste dingen', zei hij, 'de dingen die je kunnen veranderen', en hij wilde dat niet alleen van geschiedenis horen, maar ook van romans, journalistiek, poëzie. En via de boeken kwam hij op haar gedachten, zonder meer aannemend dat haar ideeën even integer en waardevol waren als de boeken die ze hadden helpen vormen. Zijn honger om dit alles te horen leek bijna dierlijk, alsof ze hem voerde met haar bespiegelingen. Aanvankelijk sprak ze aarzelend. Ze was gewend aan de gereglementeerde discussies van seminars: haar was nooit gevraagd zo uitvoerig in te gaan op haar opvattingen. Bij het beantwoorden van zijn vragen voelde ze hoe sinds lang sluimerende ideeën scherper omlijnd werden. De eenvoud van het vroegprotestantse geloof verklaarde iets van haar fascinatie, de zomer daarvoor in Amsterdam, voor Vermeers schilderij van een alledaags exterieur: de bakstenen voorgevel van het koopmanshuis, de grijze wolk, de vrouwen aan hun dagelijkse werk. En dit had weer te maken, ze kon slechts raden hoe, met politiek idealisme, met de nadruk op gelijkheid, de eenvoud ervan, en dus op de een of andere manier ook met de kracht van het beeld van troepen in Little Rock die een zwart meisje escorteerden naar zoiets normaals als school. Ze begreep toen, en later nog meer, iets waar anderen, de mooie mensen misschien, om zouden lachen als ze het zou bekennen, maar zoals ze daar volledig gekleed op die bank in de erker zat, zonder ook maar een haar op Erics lichaam te hebben aangeraakt, voelde ze zich seksueel springlevend. Als hij het had gevraagd, zou ze zo een slaapkamer in dat appartement zijn binnengelopen, het feest hebben buitengesloten en ter plekke met hem naar bed zijn gegaan.

Het geval wilde dat ze de volgende avond na het eten vrijden op haar bank, en de hitte van zijn borst op de hare en de geur van zijn huid waren een geluk dat ze gedacht had nooit te zullen smaken. Nog voor ze zelfs maar samen in bad stapten, nog voor hij zich zelfs maar van haar verhief en ging staan, naakt en nat, en verrast op haar neer-kijkend, was ze al bang voor de kracht van haar begeerte. Ze was ne-genentwintig en met hart en ziel maatschappelijk onafhankelijk, een houding die haar het gevoel van een zekere toekomst had gekost. Ze hadden niet gepraat over wat ze met elkaar hadden, hoe konden ze ook? Maar die eerste avond al voelde iedere keer dat hij haar aan-raakte, daar in het zeepwater, haar inzeepte, zijn hand om haar borst legde, als een belofte voor haar.

*Had God de geraffineerdheid van jullie moderne duivels voorzien,* be-gon Sam, terwijl hij zijn stompe kop ophief van het vloerkleed, *dan had hij misschien een Gebod toegevoegd: Gij Zult geen Medelijden met Uzelf hebben. In het geval van Verdriet om een Dode Vriend: Stel, ik was Dood; zou ik willen dat mijn Vriend om mij rouwt, met een Buitenspo-rig, Deprimerend, Destructief Verdriet? Nee, zeker niet. Laat mijn Ver-driet om mijn Vriend dan gematigd zijn. Jij zwelgt in de Herinnering als een Zwakheid des Vlezes. Een zonde tegen het geschenk van de Schepping is het zo door te zeuren over de doden terwijl de levenden nog lijden.*

Ze liet zich zo niet de les lezen. Niet in haar eigen huis. Niet door Sam. Zoals hij daar lag met zijn mooie lichte vacht en arrogante hou-ding. Het was geen groot raadsel met wie hij zich was gaan vereenzel-vigen. Die hele zuivere afkomst en King James-dictie. Alsof ze iedere dag Cotton Mather aan de riem uitliet op de golfbaan. Dacht hij wer-kelijk dat ze geloofde dat het zo was?

Aan de andere kant van de kamer stond de televisie uit, het glas mat, groenig zwart. De ontvangst was met de jaren slechter geworden, ook al had ze er niets aan veranderd, totdat de ruis op het laatst zo erg was dat het geen zin meer had en het gesis Jim Lehrer overstemde. Ze gaf trouwens toch al de voorkeur aan MacNeil.

In de keuken sloeg de koelkast sidderend af, en er heerste weer ab-solute stilte in het huis.

Erics huis leek op dat van haar, een studio bij het water aan de Bethune Street. Een warboel van boeken en tijdschriften en nauwe-lijks een plank om ze op te leggen, een houten tafeltje, één stoel. Vorig najaar was hij filosofie gaan studeren aan de New School en bedolven onder het werk. Hij was altijd te laat als ze ergens naartoe gingen en zag er dan onverzorgd en vaak moe uit. Daarom hield Charlotte van hem en nog meer omdat ze uren met elkaar konden praten en ze hem mocht zoenen wanneer ze maar wilde, want Eric liet zich graag door haar leiden, liet haar bepalen wanneer ze zouden studeren en wanneer ze zouden stoppen, wanneer ze zouden slapen en eten. Die eerste paar maanden stond hij vroeg op en ging iedere ochtend enkele uren naar zijn flat om zich voor te bereiden op zijn werkgroepen, zei hij, en wanneer ze laat in de middag terugkwam, trof ze hem gewoonlijk weer duttend bij haar thuis. Soms bleef ze naar hem zitten kijken terwijl hij sliep, zijn benen opgetrokken tot zijn borst, zijn iets geopende mond tegen het kussen. Zijn leeftijd had ze meteen goed geraden. Hij was pas vijfentwintig. De jongste van zeven. Door zijn moeder uitverkoren om priester te worden. Maar uiteindelijk de enige van zijn broers en zussen die niet op een kort autoritje van het huis in de arbeidersbuurt van Philadelphia woonde, waar hij was opgegroeid. Charlotte was het grootste deel van haar leven omringd geweest door mensen die naar hun plaats in de wereld kuierden en daar aankwamen alsof het hun goed recht was. Dat was voor haar niet zo geweest, want zij had niet de platgetreden paden genomen. Als ze dan zo naar de slapende Eric keek, met nog een hele avond samen in het huis voor de boeg, voelde ze zich niet alleen bevrijd van de gebruikelijke eenzaamheid – zo goed verborgen door de manier waarop ze met familie en collega's omging –, maar ook van de jaren van eenzaamheid die ze al had doorgemaakt, de vermoeiende taak van op jezelf wonen, zo'n vreemde vogel zijn, een vrijgezelle vrouw op haar leeftijd destijds in 1962, werkend aan haar promotie, geen huwelijk in het verschiet. Iemand die niet paste in de wereld. Het was alsof Eric haar die jaren teruggaf door nu bij haar te zijn.

Hij maakte haar jong. Bij hem mocht ze dwaas zijn. Ze had nooit dwaas mogen zijn. Zoals flikflooien in Henry's appartement, waar ze was gaan eten met Eric, flikflooien in de badkamer na het dessert, hun glazen op de wasbak. Duffe Henry en duffe Betsy in hun keurige appartementje in de Upper East Side, de opgeknapte sofa van de achterhal in Rye in de woonkamer, kleden op de vloer die hun moeder van de zolder had gehaald, het huwelijkszilver blinkend gepoetst en de twee al op zoek naar een huis, hoe dichter bij pappie en mammie hoe beter. Charlotte kon haar lachen nauwelijks inhouden toen ze weer gingen zitten, zo bedwelmd en blij was ze.

Toen Erics beurs op was, vroeg hij of hij bij haar kon intrekken. Eerst was ze overdonderd, dat het zo snel gebeurde, zo informeel, maar daarna leek het te passen bij de manier waarop alles was begonnen. Eigenlijk woonde hij toch al bij haar. De meeste nachten sliepen ze bij elkaar en zijn kleren stapelden zich al op in haar laden. Andere vrouwen zouden er misschien moeite mee hebben gehad, vrouwen als Betsy, die zouden hebben willen weten wat precies zijn bedoelingen waren. Maar Charlotte had al zoveel van dat gedoe vaarwel gezegd – de jacht op een man – en vond het juist prachtig dat Eric zo gemakkelijk haar hart was binnengeglipt, alsof hem de rigiditeit, die misschien wel de prijs was geweest om zich van dat alles los te maken, niet eens was opgevallen.

Ze had het later nooit aan iemand kunnen uitleggen. Hoe dankbaar ze hem was dat hij van haar hield precies zoals hij haar had gevonden. Er was te veel aan te pas gekomen, er was te veel te verklaren. En tegen die tijd hadden ze hun mening al klaar, Henry en haar moeder: dat ze was ingepakt door een slecht mens. Als er sprake was geweest van gevoel, nou, hemeltjelief, dan was het misplaatst geweest. In godsnaam. Wil je dat we het anders zien? Dat je nog steeds liefde en bewondering voor zo iemand kunt voelen? Wat natuurlijk allemaal nooit hardop werd gezegd, maar hun strakke lippen en afgewende ogen zeiden genoeg.

'Maar ik heb met hem geleefd,' wilde ze zeggen. 'Moeten jullie niet eerst vragen hoe dat was? Hij hield van me. Dat voelde ik. Hij vond het vreselijk dat hij me dit moest aandoen.'

Ze was haar geloof in deze fundamentele feiten nooit kwijtgeraakt. Want ook al was het waar, achteraf gezien, dat hij aan de dope was in de tijd dat ze elkaar leerden kennen – die eerste paar maanden dat hij overdag nog terugging naar zijn kamers – en misschien was het ook waar dat zijn geldgebrek daaruit voortkwam, maar zodra hij bij haar was ingetrokken, was hij ermee opgehouden. Hij moest wel zo zijn, want het was zomer en geen van beiden volgde colleges, dus brachten ze al hun uren samen door. Ze zou het hebben geweten. En dat waren de mooiste maanden die ze samen hadden. De gelukkigste van haar leven. Halverwege de ochtend wakker worden, doezelig, met gesloten ogen zoenen en strelen, zijn hoofd in haar handen tussen haar benen. De ene heerlijke ochtend na de andere. Opgegaan in hem. En dan slenteren naar een eethuisje, waar ze aten, lazen en praatten. En dan films, iedere avond zo leek het wel, al kon dat niet zo zijn geweest, en soep maken of roerei met spek op het elektrische fornuis en dat opeten waar ze maar een zitplaats vrij konden maken tussen de stapels papieren van hem en van haar.

In het voorjaar had hij een werkgroep gevolgd bij een leerling van Karl Jaspers en die zomer had hij zich door Heidegger geploegd. 'Hoe gaat het met je serieuze jongeman?' vroeg Henry als ze elkaar spraken, en natuurlijk was Eric dat wel een beetje, met zijn lange discussies over authenticiteit en het zijn, een waterval van woorden voortgestuwd door de behoefte te geloven dat er een wereld bestond, hoe ondoorgrondelijk ook, buiten de loutere dingen en onze verzoening daarmee. Maar was dat zo lachwekkend? Niet voor Charlotte. Zij en Henry waren opgegroeid in het minst dwingende geloof denkbaar, een temend, zelfvoldaan episcopalisme gekenmerkt door de domineesvrouw in haar nertsmantel en leuke kerstliedjes. Aan tafel zouden ze net zomin over hun geloof hebben gediscussieerd als biefstuk van de haas hebben gebakken. Eric was streng katholiek opgevoed. Toen hij niet meer naar de kerk ging, noemde zijn moeder hem afvallig en sprak ze een jaar lang niet met hem. Misschien had hij zo nu en dan iets geposeerds als hij de filosofie die hij studeerde toepaste, iets onvolwassens in de aanmatigende manier waarop hij boeken of mensen afdeed die de noodzaak van de existentiële gedachte niet zagen, maar aan de basis ervan lag een eerlijk verlangen. En een triestheid.

*Ach, kom nou, zuster, zei Wilkie. Je mag het zo mooi maken als je wilt, maar een junkie is een junkie, en ik kan het weten. Een blanke jongen kon het misschien beter geheimhouden dan een neger uit de achterbuurt, want hij hoefde niet op straat te scoren. Maar het is een ziekte en niets anders. Er komt een dag dat je desperaat wordt en dat het smerig wordt. Een vrouw, als je die dan nog hebt, is gewoon een manier om te scoren.*

Het had even geduurd, maar sinds kort had Charlotte ook Wilkies pretentie door. Die orakeltoon van hem, de stem van Malcolm x die uit zijn zwarte gezicht kwam rollen.

Het was niet zo geweest als Henry en zijn moeder hadden gedacht. Eric had nooit iets gestolen. Hij had haar nooit kwaad gedaan. Ze waren van elkaar blijven houden. De hele zaak was haar zo vreemd dat ze in eerste instantie niet wist wat ze moest doen. Ze vroeg hem of hij alsjeblieft wilde stoppen, en hij zei dat hij het zou proberen. Wat hij een tijdlang deed, al waren het misschien slechts weken. Ze herinnerde zich dat ze op een middag laat terugkwam van de bibliotheek en hem slapend op de bank aantrof, zijn mouw opgerold, een rode stip waar hij in zijn huid had geprikt. Ze depte de plek met een watje gedompeld in ontsmettingsmiddel en deed er een pleister op, ruimde vervolgens het huis op en ging aan haar bureau haar leesaantekeningen uittypen, want wat moest ze anders, ze verlangde immers nog steeds naar hem? Toen hij wakker werd, rolde hij zonder iets te zeggen zijn mouw naar beneden, liep om haar heen en drukte haar rug tegen zijn borst. Zij warmde viskoekjes op en een blikje witte bonen in tomatensaus, precies zoals haar moeder op vrijdag altijd deed als de kokkin vrijaf had, en ze gingen zitten aan het tafeltje bij het achterraam. Zij huilde een beetje, maar hij zei haar dat hij alleen gebruikte om de nu volgende tijd door te komen, de druk van het werk.

'Jij bent de enige bij wie ik me niet eenzaam voel,' zei hij met haar hand in de zijne.

'Is dat dan niet genoeg?'

'Ooit wel.'

Ze wist niet hoe die dingen gingen. Hoe kon ze dat ook weten? Als hij om geld vroeg, gaf ze hem wat ze had. Hij heeft griep, zei ze in de keuken tegen haar moeder, toen ze voor kerst in Rye waren en het aan de eettafel naast Henry en Betsy en haar neven en nichten plotseling duidelijk werd hoe bleek hij eruitzag – haar moeder, die sinds Charlotte Eric kende werd verscheurd tussen haar verlangen naar een bruiloft en haar wens dat Eric uit een iets betere familie kwam, of in ieder geval, een protestantse. En natuurlijk was het leeftijdsverschil ook verkeerd om. Zij was op haar eenentwintigste getrouwd met Charlottes vader in de kerk op het Copley Square en had, in navolging van haar moeder, haar echtgenoot beschouwd als een soort noodzakelijk aanhangsel in het grotere geheel van haar huishouden, met als hoogste doel de perfecte productie van haar kinderen. Een doel dat Charlotte jaren geleden al was gaan dwarsbomen, zonder haar minachting voor dat hele rigide, geïsoleerde, matriarchale privilege te verbergen. Als er iemand was in de familie aan wie ze haar gevoelens over Eric had kunnen toevertrouwen, was dat haar vader, die bewondering had voor de manier waarop ze haar eigen weg was gegaan, maar het zou nog steeds het einde hebben betekend: hij zou haar troosten, maar wel ingrijpen om zijn dochter te beschermen.

In januari ging Eric niet meer naar zijn colleges, las weinig meer en verliet het huis alleen tegen de schemering om ongeveer een uur later terug te keren en een poosje in de badkamer door te brengen voordat hij in slaap sukkelde. In bed trok ze hem tegen zich aan en streelde zijn klamme haar. Tegen die tijd, om middernacht of één uur, hervond hij meestal weer een soort evenwicht, en met de lichten uit en de stilte in het gebouw praatten ze weer zoals in het begin, waarbij Charlotte vertelde over een roman die ze had gelezen of hardop dacht over haar betoog in het stuk dat ze op dat moment aan het schrijven was, en Eric haar vragen stelde en luisterde, haar verzekerde dat hij het wilde weten. Ze herinnerde zich nu de nacht dat ze de moed had verzameld om hem te vragen hoe het was met die vloeistof in zijn aderen. Hij zei dat het voelde alsof je in staat was te leven in de herinnering van een jeugd die hij beslist nooit had gehad, alsof de hele wereld om je heen het toneel van een mooie, nostalgische droom was geworden, een onverwoestbare zomer. Ze begreep dat hij voor een deel verliefd was op de romantiek ervan, het affectieve correlaat voor de intellectuele overtuiging over onze verloren ervaring van het zijn, alsof hij het levende experiment was voor de dingen die hij bestudeerde en het op een dag zou afsluiten en allemaal opschrijven. Ongetwijfeld naïef. Maar door hun samenzijn besefte Charlotte dat ze zonder hem akelig praktisch was geworden, iemand die wist wat nodig was om lof te oogsten en vooruit te komen. Hij gaf haar zoveel vreugde, dat ze dat allemaal vergat. Inderdaad, hij hield zichzelf voor de gek en verwarde iets simpels als drugsgebruik met het complexe probleem hoe te leven, maar juist het jeugdige van die vergissing maakte iets in haar los, een eigen heimwee naar romances die ze nooit had gehad.

'Hij heeft me niet gebruikt, Wilkie,' zei ze. 'Daar vergis je je in. Ik deed ik het beste vond.'

In het begin van het voorjaar vertelde Eric haar dat hij bij een arts was geweest en dat hij aan het minderen was. Daarom voelde hij zich zo ziek, zei hij. Op sommige dagen kwam hij nauwelijks zijn bed uit. Ze liet baden vollopen en waste hem precies zoals hij haar gewassen had die eerste weken nadat ze gevrijd hadden. Op een vrijdagmiddag was hij door de voorraad heen die hij op de een of andere manier had weten op te bouwen. Het was gevaarlijk om te snel op te houden, zei hij.

Eerst aarzelde ze. Ze konden daar in de flat blijven en zich er samen doorheen slaan, zo nodig de dokter erbij roepen. Maar hij zag er verschrikkelijk uit, zijn huid groen, zijn ogen hol. Het was maar een klein eindje lopen door het Washington Square Park naar een gebouw in de MacDougal Street. Vier trappen op langs de kwebbelende oude Italiaanse dames in de trapportalen. Zeven of acht jongeren, de meeste in de twintig, samengepakt in een flatje, de zonweringen dichtgetrokken voor openstaande ramen, iedereen rokend, geschreeuw van de straat en het geluid van motoren dat tegen het tegenoverliggende gebouw terugkaatste in de bedompte woonkamer zonder vloerbedekking. De jongens droegen brogues als die van haar vader. Brogues en coltruien, de meisjes ribfluwelen broeken en slobbertruien. Ze staarden naar haar zoals ze zich voorstelde dat ze naar hun moeder zouden staren. Iemand was een pamflet aan het schrijven. Er waren bijeenkomsten die ze moest bijwonen. 'In de keuken,' zei iemand die het doel van haar komst vermoedde. Ze gaf het geld aan een man met een lui oog, die met een licht Canadees accent sprak, in ruil waarvoor ze een envelopje ontving. Toen ze terugliep over de Fifth Avenue, zag Charlotte de stelletjes die hand in hand tevoorschijn kwamen uit de felverlichte lobby's van de chique gebouwen, op weg naar een etentje, de Henry's en Betsy's, die als ze een blik op haar wierpen, een van hén zagen, terwijl zij zich bezorgd afvroeg of haar vermomming wel goed genoeg was en of ze ooit konden vermoeden wat ze had gehaald.

Tot haar verrassing had Eric in haar afwezigheid het bed opgemaakt en bovendien de keuken opgeruimd. Hij had zijn boeken van de tafel gehaald en bij de deur opgestapeld.

'Je gaat minder nemen?' vroeg ze, en hij knikte.

Ondanks zijn ziekte zag hij er jonger uit dan toen ze hem had leren kennen, was zijn gezicht op de een of andere manier opener, niet langer getekend door een hongerig zoeken. Opnieuw bood ze aan de dokter te bellen. Natuurlijk was hij nooit bij een dokter geweest, dus was er ook geen nummer om te bellen. In plaats daarvan legde ze de envelop op het aanrecht en ging de voorkamer in. Wat ze niet kon, was toekijken hoe hij het deed. Nog met haar jas aan ging ze bij het venster zitten en keek door de raamspijlen naar de voorbijgangers.

Als het eenmaal zomer was, dacht ze, zouden ze naar Massachusetts gaan, en een paar weken in het huis in Finden gaan zitten als haar ouders er niet waren. Ze zouden met de jeep naar het meer rijden en op de terugweg mais en fruit bij de boerenkraam kopen. In het najaar zou Eric weer college gaan volgen en zou zij haar proefschrift afmaken. Misschien gingen ze over een jaar wel trouwen. Ze zou zijn broers en zussen ontmoeten. En uiteindelijk zouden zijn ouders op bezoek komen.

*Het was die dag algemene Dankdag voor de Hemelse Genade in het voorbije jaar,* reciteerde Sam. *Ik legde mijn beoogde onderwerp terzijde en 's Ochtends schreef ik een preek over de regel in 1 Samuel. Dan weende zij en at niet. Een preek over het Dankoffer, waarin die Observatie wordt uitgewerkt, dat een gevoel van Smart vaak een Obstakel vormde voor het Danken, maar dat dit niet zo moest zijn. Mijn zoon stierf omstreeks het Middaguur. Mijn preek in de Middag bleek heel aannemelijk, redelijk en nuttig.*

Waarom jij? dacht Charlotte. Van alles wat ik heb gelezen en vergeten, waarom een pompeuze oude prediker? Waarom niet een lied van Whitman of de blinde Milton om een eenzame oudere gezelschap te houden?

Hij wreef zijn oor over haar voet om zijn jeuk te verlichten. Wilkie, die bespeurde dat er iets werd verstrekt waar hij geen deel aan had, haalde zijn kop van de vensterbank en duwde zijn snuit in Charlottes schoot.

De honden volgden haar de voorslaapkamer in, nestelden zich op hun dekens, terwijl zij haar vest uittrok en zich begon uit te kleden. Het was zoveel zwaarder geweest om hier te wonen, al die jaren geleden, in het begin. Zo'n intens besef van alleen-zijn in het huis, de dagelijkse handelingen die ze zich zag doen: haar jurk teruggehangen op het knaapje, haar schoenen teruggeplaatst in hun buidels, het horloge op het nachtkastje, nachtcrème op haar gezicht, de slaapkamerdeur dicht. Een beetje vergeten, het verleden en zichzelf, meer wilde ze toen niet. Zich ongezien bewegen door het oneindige ontvouwen van de tijd. Het kritische oog gesloten, de narratieve intelligentie te ruste gelegd. De welkome overwinning van de herhaling op de gebeurtenis. Opstaan bij het geluid van de wekker, de schooldag die andere gedachten voorkwam, net als het werk dat ze mee naar huis nam. En als onvermijdelijk toch de terugblik tussenbeide kwam, wist ze, toen zo goed als nu, dat anderen haar gemaakt of sneu of beide vonden, ten prooi aan een nu morbide romantiek. Dat had haar moeder tot aan haar dood gedacht. Dat verbeeldde Henry zich nog steeds. En wie was zij om de varianten in troost en liefde op een rij te zetten om hun vervolgens te vertellen dat ze het mis hadden? Zij kon alleen weten wat zij had gevoeld, bijvoorbeeld op die middag tijdens die lange zomer van hen, toen ze in het Metropolitan Museum samen stonden te kijken naar een klein werkje van Daubigny, een schilderij van een dorp aan de oever van een rivier in de schemering, gezien van de overkant van het water, waarbij het licht en de vredigheid zo wonderbaarlijk goed waren gevangen dat het haar in vervoering bracht. Voordat ze een woord van lof uitte, nam Eric haar hand en zei dat hij van alles wat hij had gelezen of bestudeerd alleen maar het vermogen had willen leren om te beschrijven hoe een menselijk wezen de lucide sympathie kon bereiken die deze man moest hebben gevoeld voor wat hij zag. Een lucide sympathie. Dat waren zijn woorden. Alsof hij in haar hoofd was gekropen, daar een nog ongevormde emotionele gedachte had aangetroffen en die haar definitieve vorm had laten vinden. Moeilijk om niet te denken dat je een heel leven met een ander zou kunnen doorbrengen zonder ooit zo rijkelijk beloond te worden. Om dan met deze man op het gras van het park te liggen, te vrijen voor het avondeten, te blijven discussiëren over schilderkunst als het eten koud was geworden en de tijd om naar de film te gaan voorbij was. Wat wisten zij daarvan?

Ze kon maar beter verhuizen na zoiets. Dat had de huisbaas gezegd tegen Henry, die op verzoek van Charlotte had gebeld om uit te vinden waarom de man haar huurcontract niet had verlengd of haar telefoontjes beantwoord. Er was tenslotte een ambulance aan te pas gekomen, en de buren hadden in de hal staan toekijken.

Een halfuur, zolang was ze daar bij het voorraam blijven zitten. Ze hoorde de badkamerdeur dichtgaan en na een paar minuten weer opengaan, toen Erics voetstappen in de richting van de bank. Zo klein was het huisje, slechts die twee kamers. Er kon niet meer dan vijf of zes meter tussen hen zijn geweest. Op het eerste gezicht zag hij er alleen maar bleker uit dan gewoonlijk, zijn lichaam in een vreemde houding, rug gekromd, een arm uitgestrekt, zijn kin tegen zijn borst. Nadat ze zijn hand had gevoeld, schudde ze aan Eric, eerst licht, om hem te dwingen zijn ogen te openen. Verwoestende minuten wachten op de komst van de ambulancebroeders, zijn hoofd in haar armen op haar schoot. Ze had zijn ouders nooit gesproken. Ze hadden tenslotte in zonde geleefd. Zijn vader klonk alsof hij stikte en naar lucht moest happen. Mevrouw Ruskemeyer van boven kwam met een bord komkommersandwiches, wit brood zonder korsten, in perfecte Engelse stijl. Charlotte bood de politieman er een aan, die eraan rook en hem teruglegde op het bord.

'U bent zijn vrouw?' vroeg hij.

'Nee.'

In haar nachtpon stond Charlotte nu aan de wastafel voor haar spiegel en bracht de vette Niveacrème aan op de zijdezachte rimpeltjes onder haar ogen, als altijd verbaasd dat één stukje tijd zich zo diep in de geest kon kerven. Morgen geen school om de dag te vullen, zoals die haar leven had gevuld. En zo ging het raam open, vielen de spijlen weg en raakten de voorbijgangers verzeild in de kamer waar zij nog zat terwijl Eric stierf, sommige stil als voorbije generaties, andere vurig, met de felheid van hondenogen. Het membraan poreus, de orde overhoop gehaald. Hoe aanmatigend, hoe verkeerd van de mens te geloven dat zijn dierlijke zinnen het hele spectrum omvatten. Een avontuur was de tijd, als je de rust nam om je ervoor open te stellen.

*Deel 2*

# Hoofdstuk 10

Op de laatste ochtend van een kort verlof van haar baan bij Atlantic
Securities keek Evelyn Jones uit het raam van haar moeders flat over
de Lincoln Avenue en zag dat auto's de parkeerplaatsen bij de Second
Baptist Church begonnen te vullen. Een grijze Cadillac, voor de gelegenheid gehuurd, kwam bij de stoeprand tot stilstand en Evelyns
tante Verna stapte het trottoir op, waarbij haar gehandschoende hand
gracieus omhoogging om te voelen of haar hoedje en sluier goed zaten. Ze was begin zestig, maar haar figuur was nog steeds slank en
elegant, uitdagend elegant zelfs: een lichaam waarvan ze zich buitengewoon bewust was en dat ze in de wereld gebruikte als een soort permanent verwijt aan iedereen die zich had laten gaan. Met haar platte
borst, haast holle buik en gebogen bovenrug had ze de torso van een
wesp, gewelfd en stijf.

'Je zus is er,' zei Evelyn, zich weer naar de schemering van de flat
draaiend. Haar moeder zat op de bank in de oude, zwarte tafzijden
jurk die ze zolang Evelyn zich kon herinneren bij officiële gelegenhe-
den had gedragen, een jurk waarvan de ondiepe v-hals de gerimpelde
huid boven haar borsten vrijliet. Haar make-up verborg adequaat de
wallen onder haar ogen.

'Ben je van plan te laat te komen op de begrafenis van je zoon?'
vroeg Evelyn.

De ogen van haar moeder kreukelden dicht en haar hoofd kantelde
omhoog naar het plafond. 'Je kent geen greintje mededogen,' zei ze.

Evelyn liep naar de kast en pakte hun jassen.

'Gaan we?'

Toen ze de Avenue op liepen, nam haar moeder Evelyn bij de arm en hield die vast tot aan de deuren van de kerk en vervolgens binnen, door het middenpad naar de voorste bank, waar tante Verna hen opwachtte. De dominee kwam van de zijkant van de kist om hen naar hun plaats te begeleiden. Toen iedereen weer zat, ging hij voor de avondmaalstafel staan en heette iedereen welkom bij de dienst.

Terwijl het trage, zware ritme van zijn openingsgebed over hen neerdaalde, staarde Evelyn naar de uitvergrote, met irissen en lelietjes-van-dalen omkranste foto van haar broer op de ezel naast de glanzend witte kist: Carson in zijn rode toga met baret tegen de gebruikelijke hemelsblauwe achtergrond van de eindexamenfoto, zijn smalle gezicht bijna verloren in het volslagen conventionele beeld, de algemene belofte van een mooie toekomst voor de geportretteerde. Meer had Evelyn niet kunnen opdiepen uit de troep in haar moeders huis. De foto was minstens tien jaar oud. Ze had er nu spijt van dat ze de moeite had genomen. Deze foto leek onoprecht. Haar broer was niet gestorven in een mediageniek ongeluk – een bus vol jongelui op weg naar een sportwedstrijd of een man die tijdens een overstroming zijn buurman probeerde te redden. Hij was halverwege de middag neergeschoten in een portiek van een flat en daar voor dood achtergelaten.

De dominee, die Carson nauwelijks had gekend, hield een korte lijkrede waarin hij de biografische feiten had verwerkt die Evelyn hem had verschaft. En zoals afgesproken stond daarna tante Verna op om iets te zeggen.

'Mijn neef Carson Jones is dood,' begon ze, haar handen samengevouwen voor haar borst, alsof ze een groep kinderen van de zondagsschool lesgaf. 'Een ellendige zondaar heeft hem vermoord. De mensen zeggen altijd dat een deel van je sterft met een dierbare. Daar vergissen ze zich in. Er sterft niet een deel van je. Dat zou gemakkelijk zijn. Verwijder het lichaamsdeel en ga verder op je weg. Maar zo zit het niet met de liefde. Als iemand van wie je houdt sterft, blijft hij je achtervolgen – ik heb niets tegen begrafenisceremonies en ik weet zeker dat Carsons ziel daarboven bij de engelen is –, maar het is een feit dat de doden je blijven achtervolgen, de verspilling en dwaasheid ervan, de liefhebbende ziel van die jongen, de liefde die hij voor zijn familie had... die liefde blijft je beslist achtervolgen. En zo hoort het ook als je door de straten van deze wereld wilt lopen met je door God gegeven ogen open. Ik weet dat ik hier sta om iets opbeurends te zeggen, maar laten we onszelf niet voor de gek houden. De wereld is een hongerig oord en heeft mijn neefje achteloos verzwolgen. De waarheid is dat hij is doodgeschoten om geld. Om papieren biljetten. Daar is hij voor gestorven. Het is niet wat er in het betere deel van zijn ziel leefde, maar het is wat hem het leven heeft gekost. Het spijt me dat ik dit allemaal zeg, echt waar, want Carson was een prachtige jongeman die het hart meestal op de goede plaats had, maar voor degenen onder ons die van plan zijn verder te gaan, en ik zeg u, dames en heren, ik ben daar één van, we kunnen niet doen alsof en ik denk niet dat de Heer dat van ons verlangt.

Wat mensen, denk ik, ook altijd zeggen, is dat iemand in de hemel is en dat hij nu in een beter oord is, en daar ben ik het wel mee eens. Carson is in de hemel en dat is ongetwijfeld beter dan wat we hier beneden hebben. God zegene zijn moeder en zijn zus en moge hij rusten in vrede.' Ze trok haar handen uit elkaar en stapte van het podium af, en Evelyn tilde haar moeders gekromde gedaante zo ver op dat haar tante kon passeren in de rij om naar haar zitplaats te gaan.

De dominee, overdonderd door de toon en de korte duur van de familietoespraak, nam zijn plaats voor de kist weer in en ging, zijn beste droeve gezicht opzettend, de gemeente voor in een gedragen versie van 'All to Jesus I surrender'.

De dag daarop ging Evelyn weer aan het werk. Ze was sinds acht jaar in dienst bij Atlantic Securities en was na drie promoties nu hoofd betalingsbeheer, met een eigen kamer, zij het zonder raam. Het was haar taak, als onderdeel van de bedrijfsadministratie, om de levering en ontvangst van activa uit te voeren. Om geldig te zijn moest iedere order die een hoekman de beursvloer op schreeuwde of die bij een handelaar werd geplaatst het meer ordelijke overdrachtsproces doorlopen: de feitelijke transfer van geld en effecten van de ene instelling naar de andere. Dat kon van uren tot maanden na de aanvankelijke toezeggingen plaatsvinden. Evelyn nam niet de beslissingen die tot de transfers leidden en droeg dus ook geen verantwoordelijkheid voor het verlies of de winst die ze vertegenwoordigden, maar zonder haar goedkeuring wisselde geen cent van eigenaar.

Haar eerste ochtend terug op het werk concentreerde ze zich zo goed mogelijk op het scherm, liet haar ogen over de initialen van tegenpartijen en clearinghuizen gaan, tikte betaalcodes in, waarbij haar handen in een gedachteloos tempo over het toetsenbord vlogen, overschakelend van het ene naar het andere van het vijftigtal computerformulieren. Ze merkte dat het vanzelf ging, dat een flink uitgesleten pad in haar hersenen in een automatische cirkel schoot. En ze was dankbaar voor die herhaling: het was een soort zegen, die haar in staat stelde telkens een paar ogenblikken te vergeten.

Toen ze bezig was aan haar laatste berekeningen van de dag, klopte haar assistente Cressida op de open deur. Het was een tamelijk verlegen, alleenstaande zwarte vrouw, die Evelyn had geworven aan het Boston College in het kader van het minderhedenprogramma van het bedrijf. Evelyn had haar al tig keren gezegd dat ze zich niet hoefde aan te kondigen, dat ze gewoon moest binnenkomen en meteen zeggen wat ze wilde, maar Cressida was zich blijven verontschuldigen. Evelyn, die aan het begin van haar loopbaan zelf dit soort schroom had gehad, zag het als de eerste, zinloze verdediging tegen kritiek, die juist het tegendeel bewerkte. Er waren bedrijven waar een respectvolle houding haar verder zou brengen. Daar hoorde het bankwezen niet bij. Ze wilde dat ze de energie had de boodschap er nog eens in te hameren, het meisje eens en voor al ervan te doordringen, maar vanavond kon ze zich er niet toe brengen.

'Het gaat over die huisrekeningen,' zei ze.

'Je zult me even moeten bijpraten, meid. Kom op, ga zitten.'

'Van het kantoor in Hongkong,' zei ze, terwijl ze neerstreek op het puntje van de stoel tegenover Evelyn. 'De niet afgeronde transacties. Ik weet niet precies hoe ik ze moet opvoeren in het overzicht.' Ze keek naar het papier in haar hand alsof ze zich schaamde het te moeten toegeven.

Bij de banenmarkt op het college had Cressida, gezeten aan de andere kant van de vouwtafel in de sportzaal, zo haar best gedaan om zelfverzekerd over te komen en haar ingestudeerde zinnen over ervaring en belangstelling voorgedragen als een actrice die niet echt weet wat haar personage beweegt. Als personeelswerver wist Evelyn dat ze moest schiften op motivatie en gedrevenheid, dat ze de jonge mannen en vrouwen die onzeker van zichzelf leken eruit moest halen en in plaats daarvan die modelstudenten uit de minderheidsgroepen moest selecteren die niet alleen de regels van het presentatiespel doorhadden, met het idee dat ze zich dan ook de regels van toekomstige spelletjes eigen konden maken, maar die bovendien die regels leken te verwelkomen en er een soort stilzwijgend, ingehouden genoegen in schepten om hun diploma's professioneel voor het voetlicht te brengen. Dat waren degenen die je gegarandeerd zouden gehoorzamen, want hun angst voor armoede was al omgezet in voorzichtige ambitie. Cressida miste dat allemaal. Ze arriveerde in een slecht zittend broekpak dat duidelijk geleend was voor die dag en met een cv op gewoon wit papier, net als Evelyns cv toen zij voor het eerst bij een bank solliciteerde.

In het jaar nadat ze Cressida had aangenomen, had ze zich afgevraagd of sympathie misschien een vorm van nepotisme was, een bevoorrechting van mensen met wie je je verwant voelt. Op een paar fouten in het begin na, van het soort dat iedereen had kunnen maken, had ze goed gepresteerd. Evelyn had het idee dat haar motie van vertrouwen had gewerkt: de jonge vrouw aanmoedigen boven zichzelf uit te stijgen. Alleen kon ze de gedachte maar niet van zich afzetten dat ze Cressida behalve om haar geschiktheid ook om haar gezelschap had gekozen.

'Welke handelaar?'

'McTeague.'

Ze nam het rekeningafschrift over van Cressida en wierp er een blik op. Beursvloeren waren chaotische oorden en in de loop van een dag waren er altijd wel enkele mislukte transacties die op huisrekeningen werden geparkeerd om na het sluiten van de markt te worden afgerond. Sommige handelaren kwamen er een dag of twee niet toe om deze 'fails' op te ruimen. Maar McTeague had soms weken nodig en schoof miljoenen dollars naar tussenposities. Omdat hij de leiding over het kantoor in Hongkong had gekregen, was hij zijn eigen baas in boekhoudzaken. Evelyn kon zich bij hem alleen maar beklagen over zijn laksheid, wat ze verschillende keren tevergeefs had gedaan. Toch moesten de gegevens in dit stuk een vergissing zijn: ze lieten zien dat McTeagues huisrekening een niet gerapporteerd verlies van driehonderdveertig miljoen dollar vertoonde.

'Van wie heb je dit?'

'Van Sabrina. Zoals altijd.'

'Kwam dit uit het bureau van Fanning?'

Cressida knikte.

Evelyn had nooit kennisgemaakt met Doug Fanning, maar ze was een paar keer met hem in één ruimte geweest bij bedrijfsbijeenkomsten, en ze had gezien hoe hij te werk ging. Hij kon een potje breken bij de staf dankzij zijn schijnbaar informele benadering van mensen, die vanwege zijn inofficiële status als tweede man van de hele houdstermaatschappij buitengewoon egalitair op mensen overkwam. Hij had zich publiekelijk sterk gemaakt voor de renovatie van de derde verdieping tot gratis fitnesscentrum voor het hele personeel en stond erom bekend dat hij na zijn work-outs in korte broek door de gangen liep, zodat de telefoons van de trouwlustige vrouwen roodgloeiend stonden van het geroddel. Maar in weerwil van al zijn vertoon kwam hij niet over als de gewone hanige, wijsneuzige jonge bankier. Hij was anders, iets dat Evelyn herkende: de extra inzet van de buitenstaander. Ze vertrouwde hem niet echt.

Wat de reden was dat ze niet Fanning belde om hem te waarschuwen voor wat ze had ontdekt, maar het hogerop zocht bij Brenda Hilliard, van de afdeling Compliance. Als dit ging om verduistering van fondsen, zou die afdeling op de hoogte moeten worden gesteld, ongeacht wie de directe baas van McTeague was. Ze kreeg Brenda's voicemail. Tegen die tijd was het na negenen, was haast iedereen naar huis en was aan de andere kant van de gang de stofzuiger al aan het loeien. Ze besloot Brenda een e-mailtje te sturen om te zeggen dat ze haar de volgende dag moest spreken.

Toen Cressida en zij door de draaideuren de luchtdichte stilte van de lobby verlieten en de Congress Street in liepen, werden ze opgeslokt door de koelere avondlucht, die het geraas en gedreun van de snelweg meevoerde. Ze sloegen de Purchase Street in, en enkele taxi's toeterden voor een vrachtje, want in dit deel van de stad waren twee zwarte vrouwen in mantelpak kennelijk goed genoeg voor hun diensten. Zonder er acht op te slaan staken ze het plein voor de Boston Fed over en liepen het South Station in.

Evelyn had zich buiten het kantoor nooit op haar gemak gevoeld met collega's en merkwaardig genoeg des te beter met Cressida, met wie ze nog veel meer zou kunnen bespreken. Bovenal wilde ze het meisje niet teleurstellen door zwak te schijnen. Het was Cressida geweest, daar was ze van overtuigd, die ervoor had gezorgd dat het kantoor bloemen naar Carsons begrafenis had gestuurd, naast de bloemen die ze zelf al had gestuurd.

'Heb je nog iets gehoord?' vroeg Cressida, toen ze even bleven staan boven aan de trap naar de metro. 'Van de politie, bedoel ik.'

Wanneer was het, vroeg Evelyn zich af, dat ze was gaan geloven dat ze de wereld waarin haar zo'n vraag kon worden gesteld achter zich had gelaten? Hoe lang had die illusie geduurd? In Roslindale wachtte haar appartement, netjes en rustig, de afstandsbediening keurig op de salontafel, het aanrecht schoongeveegd.

'Ze hebben een verdachte,' zei ze. 'Gewoon een kwestie wat voor zaak ze hebben, denk ik.' Ze sprak meer tegen zichzelf dan tegen Cressida. 'Ik zou me daarmee bezig moeten houden. Wraak en wat niet al. Hem van de straat af halen. Maar ik doe het niet.'

Over de schouder van haar assistente zag ze de grote stationshal, waar de laatste reizigers van de dag aan glimmende stalen tafels onder het grote bord met de dienstregeling zaten te wachten op de forensentrein naar het westen.

'Als ik iets voor je kan doen...'

Evelyn schudde haar hoofd. 'Ga nu maar,' zei ze. 'Je mist je trein nog.'

# Hoofdstuk 11

Later diezelfde avond werd Doug gebeld door het hoofd van Data-security om hem te informeren dat er een e-mail naar Compliance was gestuurd met een verwijzing naar McTeague. Doug gaf hem opdracht die te wissen voor hij geopend kon worden. Hij had net ingelogd op de server van de bank om het personeelsdossier van Evelyn Jones op te vragen toen de deurbel ging.

Dat zou Nate wel weer zijn. De laatste paar weken was hij regelmatig langsgekomen. De eerste keer dat hij verscheen – precies om halfelf stond hij op de trap bij de voordeur, zijn reebruine ogen groot en vol verwachting – had Doug zitten kijken naar een wedstrijd van de Red Sox en er geen kwaad in gezien om het joch naast zich te laten zitten op de bank terwijl hij zijn correspondentie van die dag afwikkelde. Daarna was Nate bijna iedere avond dat de Sox speelden op komen dagen, maar al te graag bereid een biertje te drinken en de stand te volgen terwijl Doug aan het werk was. Na de wedstrijd ging hij dan weg. Zelfs als ze niet veel tegen elkaar zeiden – eigenlijk juist als ze niet veel zeiden – was het een prettig gevoel om een paar uur iemand anders in huis te hebben. Hij was niet het soort gezelschap dat onderhouden moest worden.

Maar een week geleden, terwijl Doug een dutje deed gedurende de pauze, had Nate zijn hand op Dougs dij gelegd.

Een gedurfde zet voor zo'n nerveus joch, maar hij had ook een paar biertjes meer gedronken dan anders.

Jaren geleden hadden matrozen beneden in de slaapruimte zo nu en dan avances gefluisterd naar Doug of met een hand over zijn arm gestreken, terwijl hij in zijn kooi lag. Hij was nooit op hun voorstellen ingegaan. Het idee had hem niets gedaan: twee kerels die elkaar laten klaarkomen.

Maar iets in het aarzelende gebaar van Nate maakte hem nieuwsgierig naar het vervolg en dus hield hij zijn ogen dicht en liet de hand van de jongen omhoog bewegen. De techniek was aanvankelijk wat onbeholpen, maar het voelde helemaal niet slecht om zich eens door iemand anders te laten afrukken. Naderhand was Nate weer snel vertrokken, zonder om een tegenprestatie te vragen. Wat afdoende reden leek om hem bij de hand te houden. Dat en zijn toegang tot Charlotte Graves.

De bel ging opnieuw en Doug stond op om open te doen.

'Je bent er,' zei Nate.

'Klopt,' antwoordde hij, terwijl hij in de deuropening bleef staan en de jongen zich liet afvragen of hij vanavond zou worden binnengelaten. Vanaf die eerste dag dat hij het huis was binnengeslopen had iets in het gedrag van de jongen Doug geprikkeld – zijn gebrek aan verdediging, een kwetsbaarheid die zelfs de meest verlegen vrouw miste. Een dergelijke zwakheid was een soort provocatie.

'Martinez werpt,' zei hij hoopvol. 'Ben je aan het kijken?'

'Ik heb het druk,' zei hij. 'Maar ga je gang. Zet hem aan, als je wilt.'

Het volgende uur verdiepte hij zich in Evelyn Jones. Haar conduitestaat was schitterend. Als je haar supervisor mocht geloven, was ze de beschermheilige van het betalingsbeheer, maar gegeven 's mans aftandse progressiviteit had Doug geen idee of hij het meende of eenvoudigweg de historische plicht voelde om zijn zogenaamde ondergeschikten te prijzen. Doug vertrouwde meer op de commentaren van de handelaren, die unaniem rapporteerden dat ze kundiger en sneller was dan bijna ieder ander die hun werk had behandeld. Rond middernacht belde hij Sabrina en droeg haar op archiefonderzoek te doen. Toen de wedstrijd ten einde liep, sloot hij eindelijk zijn laptop.

Nate zat met zijn benen over elkaar naast hem, de mouwen van zijn oxfordhemd opgerold tot boven de ellebogen van zijn dunne armen.

'Je bent geen honkbalfan, hè?' zei Doug.

'Hoe bedoel je?'

'Voordat je hier begon te komen, volgde je het niet.'

'Soms wel.'

'Wat wil je eigenlijk. Moet je niet ergens zijn? Uitgaan met je vrienden of zoiets?'

Nate keek in de opening van de fles waaruit hij had gedronken. 'Ik vind het hier fijn.'

'Waarom?'

Hij haalde zijn schouders op. 'Gewoon.'

'Nou, ik moet wat zien te slapen. Tijd om te gaan voor jou.'

'Zou je het erg vinden... Ik bedoel, prima als het zo is... maar zou je het erg vinden als ik misschien... bleef slapen?'

'Waar? Op de bank?'

'Oké,' zei hij, zijn ogen vol angst en verlangen. 'Als je dat wilt.'

'Jezus. Kom dan ook maar,' zei Doug terwijl hij hem voorging de trap op naar de slaapkamer.

Wat Nate wilde, en wat Doug hem liet doen toen hij het licht had uitgedaan, was zijn hoofd op Dougs buik leggen en zijn pik in zijn mond nemen. Hij had Nate nog nooit echt aangeraakt, maar nu streelde hij zijn kruin en stuurde zijn beweging. Het was lang geleden dat hij was gepijpt en hoewel de jongen niet in het vak zat, maakte zijn gretigheid veel goed.

Naderhand kon hij niet slapen, niet met Nate in het bed naast zich. Hij probeerde het een poosje, alvorens zijn computer van beneden te halen en weer te gaan werken. Een venster in de hoek van zijn scherm vertoonde een nog steeds dalende Nikkei. Ten slotte, na een uur of zo te zijn weggedut, stond hij op en nam een douche.

Toen hij in de kamer terugkwam om zich aan te kleden, was Nate wakker geworden en had zich op zijn rug gerold, zijn gezicht wazig van de slaap, zijn wang getekend door de kreukels in het kussensloop.

'Hoe laat is het?' vroeg hij.

'Kwart voor zes. Ik ga naar m'n werk. Je moest maar eens opstaan.'

Nate wreef met zijn knokkels in zijn ogen en ging overeind zitten in zijn gerafelde t-shirt en boxershort, en met zijn donzige, ongeschoren kaak zag hij er nog onverzorgder uit dan gewoonlijk. De

meeste avonden rook hij naar hasjiesj en had hij die laconieke, lusteloze blik van mensen die stoned zijn.

'Moet je niet naar school?'

'Het is de week van de eindexamenfeesten,' zei hij gapend.

Een leven lang van alleen meisjes neuken en nu dit. Een of twee
keer afrukken was nog tot daar aan toe – een dienst –, maar nu was
het joch hem al aan het afzuigen. De manier waarop hij naar Doug
keek in de kastspiegel was bijna devoot, zijn hunkering veel trouw-
hartiger dan die van de meisjes die iets van Doug wilden. Hij voelde
zich op de een of andere manier gecompromitteerd en dat irriteerde
hem.

'Mag ik je iets vragen?'

'Wat?' zei Doug.

'Heb je dit ooit eerder gedaan?'

'Wat?'

'Met een vent.'

'Ik heb een idee,' zei Doug, terwijl hij een stropdas van het rek trok
en die snel strikte. 'Laten we het praatgedeelte overslaan. Oké? Laten
we het eenvoudig houden.'


Beneden wilde hij net de voordeur openen, toen hij iets zag door het
raam.

'Niet te geloven. Moet je dat zien.'

Charlotte Graves en haar twee kanjers van honden stonden naast
de garage, de vrouw voorovergebogen om takjes te verzamelen die ze
in een plastic tas om haar pols stopte, terwijl de honden ongedurig
in het gras snuffelden. In de grijze dageraad zagen de drie eruit als
figuren in een droom, een nachtmerrie eigenlijk, alsof de wereld was
leeggeraakt door de pest en deze haveloze schooiers als enigen waren
overgebleven.

'Heb je zin om je lerares gedag te zeggen?'

'Nee. Ze laat ze alleen maar uit. Ze loopt wel door.'

'Reken maar.'

Doug was de bocht van de oprijlaan al overgestoken toen ze hem
pas zag naderen. Geschrokken schoot ze overeind, aan de honden

rukkend om ze rustig te krijgen. De dobermann ontblootte zijn tanden en gromde.

'Wat doet u hier?'

'U bent vroeger op dan gewoonlijk,' zei ze.

'U weet dat u op verboden terrein bent. Uw grond ligt honderd meter verderop,' zei hij, terwijl hij haar terug de heuvel op wees.

Ze grijnsde. 'Het interessante is, meneer Fanning, dat ik me niet alleen níét op verboden terrein bevindt, maar ook dat ú zich wél op verboden terrein bevindt. Het is een raar onderdeeltje van de wet, maar het is er nu eenmaal – ik heb het niet geschreven. U zult er snel genoeg achter komen. Snel genoeg,' zei ze.

'U bent geschift. Volkomen geschift.'

'Dat hoor ik vaak. Tegenwoordig zouden zelfs mijn honden het misschien met u eens zijn. Maar die zijn net als u. Die weten niet wie ze zijn. Of liever gezegd, ze doen alsof ze mensen zijn die ze niet zijn, wat volgens mij op hetzelfde neerkomt.'

'Nu moet u eens horen,' zei hij en deed een stap naar voren, waardoor de mastiff begon te blaffen en het slijm van zijn zwarte tandvlees droop.

'Samuel! Koest!' zei ze bestraffend. Wonderlijk genoeg gehoorzaamde het dier. 'Meestal maken ze niet zoveel kabaal op dit uur. Daarom laat ik ze vroeg uit: ik ben nu helderder van geest dan zij.' In de lichte regen was het gras glad geworden en raakte Dougs jasje langzaam vochtig. 'Op dit uur van de dag zie ik de dingen in een meer lucide licht,' zei ze. 'Bijvoorbeeld, waarom heeft u dit huis laten bouwen? Om een idee over uzelf te bevestigen, over het leven dat u leidt? Om dat idee een concrete vorm te geven, in de hoop dat het gebouw het waar maakt? Is het dat niet? En is het niet een vergissing? Vindt u ook niet dat de eerlijkheid – niet van het soort dat zich aan de regels houdt, maar van het soort dat een helder begrip van de wereld heeft –, vindt u niet dat dat soort eerlijkheid ons vraagt om op te houden met die kinderachtige gelijkstellingen: de pop met de persoon, het object met de droom? Als iemand dat niet kan, zou dat wel eens kunnen wijzen op een gebrek aan innerlijke rijkdom, denkt u niet?'

'U weet helemaal niet wie ik ben,' zei hij. 'U denkt dat ik net ben als ieder ander die in deze stad in een nieuw huis woont, maar u heeft het mis. Ik moet niets van ze hebben, net zomin als van u. En ik zal u eens wat vertellen, gratis en voor niks – u bent al even doorzichtig als zij. Omdat u hier toevallig als eerste was, denkt u dat u een of ander goddelijk alleenrecht heeft op alles.'

Terwijl hij sprak, hurkte de dobermann neer en deponeerde vervolgens een berg walmende stront op het grasveld.

'Ach, het spijt me. Heus. Dat is heel onbeleefd van hem. Stout, Wilkie! Nooit op het gras! Ik heb hem van het asiel, weet u, en hij heeft nooit echt leren luisteren. En nu heeft het geen zin meer,' voegde ze eraan toe. 'Het is gewoon onvoorstelbaar.'

'Hoor eens,' zei hij, terwijl hij zich voornam maar niets te zeggen over de hondenpoep, 'die rechtszaak van u, die gaat u verliezen, dus waarom ons beiden geen plezier gedaan en ervan afgezien. Ik heb het u nog niet lastig gemaakt. Maar als u hiermee doorgaat, dan doe ik het wel.'

Plotseling schoten beide honden volkomen onverwacht voor Charlotte naar links en dwongen haar mee te rennen achter een cyperse kat aan die Doug nog nooit eerder had gezien. Hun tempo was haar te veel, en bij de rand van de oprijlaan struikelde ze en gleed uit op het natte gras, waarbij haar hand en schouder en vervolgens haar dij hard op het plaveisel terechtkwamen. Bevrijd uit haar greep stormden de honden vooruit en verdwenen om de hoek van het huis.

'Mooi!' riep hij. 'Nog een rechtszaak, godbetert!'

Ellendig liep hij naar haar uitgestrekte gedaante, maar tegen de tijd dat hij bij haar was, zat ze weer rechtop en veegde het gras van de mouw van haar jas. De regen liep van haar voorhoofd, langs haar neus en in haar ogen. Op dat moment zag ze er totaal verloren uit, hulpeloos als een kind. Hij wilde haar juist zijn hand bieden om haar overeind te helpen toen hij Nate zag komen aanrennen dwars over de cirkel.

'Mevrouw Graves, gaat het? Heeft u iets?'

Nate knielde naast haar neer en legde zijn arm rond haar rug.

'Wie is dat?'

'Kunt u zich bewegen? Kunt u uw benen bewegen?'

Ze knikte, en Doug keek toe hoe Nate zijn schouder onder haar arm stak en haar met een hand rond haar middel optilde van de natte grond.

'Ze heeft een dokter nodig. We moeten een ambulance bellen.'

'Nee, nee,' zei ze. 'Doe niet zo gek. Ik heb niets.' Ze duwde het haar uit haar ogen en streek haar rok glad. 'Die beesten krijgen geen eten.'

'Er moet een röntgenfoto worden gemaakt.'

'Hemeltje, nee. Als je eenmaal in zo'n ziekenhuis terechtkomt, kom je er nooit meer uit.' Ze zag er beduusd uit, maar leek redelijk stevig op haar benen te staan.

'Dus,' zei Doug, 'voor de duidelijkheid, u is medische hulp aangeboden, maar u hebt die geweigerd, klopt?'

Nate wierp hem een boze blik toe, maar zei niets.

'Goed dan. Nate hier zal u wel naar huis brengen.' En daarmee beende hij weg, de twee in elkaars armen achterlatend in de motregen van de vroege ochtend.

Zodra Doug een uur later het kantoor van Evelyn Jones binnenkwam, besefte hij dat hij een plan B nodig had. Wat ook de oorzaak was van haar immuniteit – intelligentie, ras, lesbische geaardheid misschien, op feiten gebaseerde argwaan of een combinatie hiervan –, zijn standaardaanpak zou hem nergens brengen. En toch moest hij haar meekrijgen. Een administratief foutje was tot daar aan toe. Dat kon worden weggemoffeld als hij eenmaal een verklaring van McTeague had. Maar om de afdeling Compliance op de onderzoeksstand te zetten voordat hij de feiten kende – dat was geen optie.

'Vind je het goed dat ik de deur dichtdoe?' vroeg hij.

'Ga uw gang.'

Memo's hingen in slagorde op het prikbord, ringbanden stonden keurig gerangschikt onder een rij van vijf klokken, elke klok met de naam van de stad waar het zo laat was. Voor op haar bureau stonden twee fotolijstjes met hun rug naar Doug toe. Sabrina's speurwerk had opgeleverd dat ze nog maar een dag of twee geleden afwezig was geweest in verband met haar broers begrafenis.

'Zo,' zei hij, achteroverleunend in zijn stoel, terwijl zijn ogen over de maanwitte panelen van het verlaagde plafond gingen. 'Het ziet ernaar uit dat Jim Lowry verhuist naar Externe Relaties. Waarmee zijn post vrijkomt. Heb jij belangstelling voor die baan?'

Hij liet de stilte die viel een paar ogenblikken voortduren.

'Vicepresident. Bij Operaties? Meent u dat?'

'Klopt. Ik ben hier twee minuten in dit kantoor en weet nu al zeker dat jij geschikter bent voor de baan dan hij. Bovendien, het komt naar voren uit al je evaluaties. En ik zie aan de uitdrukking op je gezicht dat je weet dat het waar is. De meesten van die klootzakken daar – dat zijn runderen, mensen die alleen op hun pensioen zitten te wachten, lafaards. Maar leiderschap. Daar gaat het om, niet? De vraag waarover de aanstellingscommissie ampel beraad voert, om vervolgens juist te mikken op de middelmaat en hun doelwit even zeker te vinden als de mannen die hén weer hebben ingehuurd. Leiderschap. Wat is dat woord godverklote gedevalueerd, vind je niet? Sorry voor mijn taalgebruik. Seminars in chique hotels waar de lemmingen zich laten dicteren door een dikbetaalde aftandse goeroe. We betalen nog ook voor die shit, we betalen ze om te hoppen en de zeven beginselen te leren van het manipuleren van je ondergeschikten zonder dat ze daarbij het plezier vergaat. Miljoenen per jaar.'

Evelyn Jones knikte niet en keek ook niet weg; ze volgde hem met rustige, geconcentreerde aandacht.

'Er is nog iets dat wij allebei weten,' zei hij. 'Jij krijgt een grote promotie en de mensen zeggen, natuurlijk niet in je gezicht: ja, logisch. Ja? Afro-Amerikaanse vrouw, groot bedrijf, diversiteitsbeleid. Ze doen de cultisom en dat denken ze dan. Nou, als ik jou was zou dat me woest maken, want je bent goed in je werk. En eerlijk gezegd, ook al weet ik dat heel wat mensen van de staf hier me zien als het vriendelijke type, als het op management aankomt kan het me geen reet schelen wie iemand is. Ik wil dat de machine werkt. Want de beste onderdelen heb ik gemaakt. Daarom wil ik dat jij de baan van Lowry krijgt. En ik zal ervoor zorgen dat de mensen dat begrijpen.'

'Spelen we open kaart, meneer Fanning? Is dat het idee?'

'Beslist. Maar één seconde nog: ik denk dat ik weet wat jij denkt: "Gisteravond ontdek ik een gapend gat in de accounts van een van de handelaars van Fanning en vanochtend is hij hier in mijn kantoor om me een vicepresidentschap aan te bieden. Denkt hij dat ik zo gemakkelijk te winnen ben?" Zit ik goed?'

'Ja, ' zei ze, achteroverleunend in haar stoel. 'U zit goed.'

'McTeague heeft het verkloot. Dankzij jou heb ik vannacht aan de telefoon doorgebracht om uit te vinden wat er is gebeurd. Hij heeft een klant een plezier gedaan. Ik heb hem erover gesproken en het zal worden opgelost. Nou, voor de duidelijkheid,' zei hij. 'Wil ik dat Compliance hier zijn neus in steekt? Nee. Lees ik de e-mail van werknemers, inclusief die van jou? Dat spreekt voor zich. Als je het niet al doet, zul je het wel doen als je eenmaal bij Operaties zit. Je zou nalatig zijn als je het niet deed.'

'Dus u vraagt me om mijn mond te houden over een mogelijk verlies van driehonderd miljoen, nog afgezien van het geknoei met de rapportage?'

'Je houdt je mond niet. Ik ben zijn supervisor en ben op de hoogte gesteld. Wat ik zeg is dat het kantoor van de bestuursvoorzitter deze zaak zo wil afhandelen. Zo wil ík de zaak afhandelen. Maar ergens denk je nog steeds: "Hij is hier alleen maar omdat hij een probleem heeft en anders zou er ook niet worden gepraat over een vicepresidentschap." Daar heb je natuurlijk geen ongelijk in. Maar het is gewoonweg niet het hele plaatje. Het probleem heeft me op jou attent gemaakt, dat klopt, maar het feit blijft dat de bank mijns inziens meer geld maakt als we jou een promotie geven. En daar zijn we hier toch voor, niet? Jij bent daar toch niet romantisch over, hoop ik – over ons doel?'

'Ik ben niet onnozel,' zei ze. 'Als u dat soms bedoelt.'

Doug leunde ver genoeg voorover om een zijdelingse blik te kunnen werpen op de ingelijste foto's. Op één ervan, een vakantiekiekje, zaten Evelyn en twee andere vrouwen buiten aan een tafel onder een parasol te lachen voor de camera, met op de achtergrond een strand. De foto ernaast leek een familieportret: een oudere zwarte vrouw in een blauwe jurk zittend in het midden met een veel jongere Evelyn staand boven een van haar schouders en een jongen van een jaar of vijftien met een hand op haar andere schouder.

'Is dat je familie?'

Haar blik verhardde zich.

'Zonder onbeleefd te willen zijn, meneer Fanning, maar ik krijg het gevoel dat u al meer van me weet dan ik zou willen vertellen.'

Toen hij haar het aanbod van de promotie deed, kletste hij maar wat uit zijn nek, maar inmiddels vond hij het niet meer zo'n slecht idee.

'Ik vraag het alleen omdat ik, al heb ik nooit een broer gehad...'

'Kom me daar niet mee,' zei ze. 'Doe dat niet.'

'Waarom niet? Omdat we elkaar niet kennen? Ik betuig geen medeleven, als je dat denkt. Ik weet wel dat wroeging je ambitie kan verkloten. En dat moet je niet laten gebeuren.'

'Wat een verdomd arrogante klootzak bent u.'

Doug moest lachen om haar oprechte afkeer.

'Wanneer kun je beginnen?' vroeg hij.

Hij dacht dat ze zou opspringen en hem een klap in zijn gezicht geven, maar in plaats daarvan schudde ze alleen maar verbaasd met haar hoofd.


Tegen de tijd dat Doug wegging voor zijn lunchafspraak met Mikey, had Sabrina McTeague nog steeds niet weten op te sporen.

'Bel me zodra je van hem hoort,' zei hij tegen haar toen hij het kantoor uit liep.

Hij liep snel heuvelop naar de Common, waar de banken volzaten met juridische medewerkers en winkelbedienden die hun lunch uit zakjes verorberden. De gouden koepel van het State House fonkelde in de middagzon. Na Manila, Seoul of New York had Doug Boston altijd een onwaarschijnlijke stad gevonden voor het bedrijf dat Holland en hij hadden gecreëerd. Hun onderneming zou beter hebben gepast bij steden in opkomst, zoals Phoenix of Charlotte. Maar ze hadden het goed gedaan, met het beschikbare materiaal, en het historische aanzien van de stad gebruikt om een sfeer van zekerheid te creëren, een patina van betrouwbaarheid dat tientallen miljoenen aan reclame waard was.

In een zitje achter in het restaurant trof hij Mikey, prevelend in de draad die aan zijn oor bungelde. Hij krabbelde aantekeningen in de marge van zijn *Herald*, waarvan de tegenoverliggende bladzij de dunne rode saus opzoog van een half opgegeten bord manicotti waarin die terecht was gekomen.

'Je bent laat en je ziet er belazerd uit,' zei hij. 'Ga zitten.' Terwijl hij de draad opzij duwde, zei hij: 'Ik laat een detective de gangen nagaan van die orthodontist in Weston. Die kerel is nog een vracht aan alimentatie schuldig. Blijkt dat al zijn geld opgaat aan OxyContin. Ik moet zeggen, als je de vrouw hebt gezien, begrijp je het wel van die pijnstillers. Wat een mens. Derde echtgenoot, vierde detective. Ik hoef maar te wachten tot mijn mannetje me vertelt dat hij foto's heeft van hem als hij uit de apotheek komt.'

Hier had hij geen tijd voor, dacht Doug, terwijl hij zijn blackberry controleerde, alleen maar om te ontdekken dat de Nikkei weer honderd punten was gedaald.

De hele dag kon hij uit het raam van zijn kantoor naar binnen kijken bij de naastgelegen wolkenkrabber, waar werknemers aan hun schermen erop los klikten, hun dossierkasten vulden met eindeloze lijsten van prijzen, afschrijvingen en uitstaande schulden, totdat ze geen oog meer hadden voor het akkoord gesloten tussen zinloze dagen en alle persoonlijke gemakken die ze hadden gevonden om zichzelf wijs te maken dat de zinloosheid het waard was. Maar het was anders wanneer die werknemers jouw spieren en pezen waren die jij naar believen aanstuurde om de bloedstroom van geld te regelen. Dan was je geen doelwit van de machine. Je was iets anders: een kunstenaar van de wereld die ertoe deed. Een vormgever van feiten. Niet het soort auteur dat Sabrina wilde zijn – een pietepeuterige waarnemer van overbodige emotie –, maar meester van omstandigheden die anderen alleen maar ondergingen.

Daarom was hij erop tegen dat McTeague zijn eigen gang ging. Hij had hem niet in de hand.

'Goed,' zei Mikey, 'dus maandag hebben we die hoorzitting met mevrouw Graves. Je bent er toch?'

'Waarom?'

'Om het slachtoffer een gezicht te geven,' zei hij, terwijl hij de ober wenkte. 'Ze mag niet winnen louter omdat ze medelijden wekt. Oude-dame-tegen-anonieme-vijand, weet je wel. Geloof me nou maar, daar betaal je me voor.'

'Je hebt me gezegd dat het gelul was. Nu doe je alsof het een proces tegen de tabaksindustrie is.'

'Binnen een halfuur ben je daar weer weg.'

'Ik heb haar vanmorgen betrapt op mijn terrein. Moeten we de rechter dat nog vertellen?'

'Ze mag zichzelf de das om doen.'

Over Mikeys schouder kijkend zag Doug een vent aan een tafel bij het raam, begin twintig, gekleed in een dure gebleekte spijkerbroek en een nieuwe trui met elleboogstukken. Hij zat door een tijdschrift te bladeren; de witte draden van zijn koptelefoontje sliertten omlaag in zijn zak en naast hem stond een laptop open. Hij zag dit soort lui nu overal, die oudere jongeren die nooit iets hadden uitgevoerd en geen enkele verantwoordelijkheid hadden gedragen, en die in hun waardeloze, progressieve fijnzinnigheid hem, met alles wat hij had gedaan, veroordeelden als de vijand van het goede en redelijke, terwijl hun hoogstaande principes slechts dienden als versiering van een ander consumptiepatroon: het verleden op de markt gebracht als de toekomst ten gerieve van de verlorenen. En wie financierde dat? Wie leende hun het geld voor dit leven dat ze zich eigenlijk niet konden veroorloven met hun kredietkaarten en studieleningen? Wie anders dan de banken? En wat zat hij te lezen? GQ of *Men's Health*? Een of ander artikel dat hem vertelde hoe hij zijn ballen moest scheren of zijn wenkbrauwen epileren of zijn delicate buik modelleren. Zijn haar zat zorgvuldig in de war, glanzend van de gel, met een opzettelijk weerbarstige krul over zijn voorhoofd.

'Wat wil je eigenlijk eten?' vroeg Mikey. 'Pasta? Kip parmezaan? Wat wordt het?'

Die nacht had Nate zich in zijn slaap omgedraaid en was tegen Doug aangekropen en met zijn arm over Dougs borst blijven liggen. Doug had zich niet verroerd onder dat warme gewicht, had het van zich af willen schudden maar dat niet gekund.

'Ik moet gaan,' zei hij, toen hij McTeagues nummer op zijn telefoonschermpje zag verschijnen.

'Wat is dit nou voor lunch? Je bent er net.'

'Bel me later maar op,' zei hij, op weg naar het trottoir.

'Waar heb jij goddomme uitgehangen?'

'Ik ben met vakantie,' zei McTeague. 'Eindelijk. Want weet je, gek genoeg heb ik nooit vakantie genomen, niet meer sinds ik hier ben. En dat is de regel van het bedrijf: je moet je doorbetaalde vakantie opnemen. Een goed en eenvoudig instrument voor risicomanagement: zorgen dat mensen hun vakantie opnemen.'

'Nou, je timing is klote. Waar zit je goddomme?'

'Macao. Ooit geweest? Het is het Chinese Vegas. Overal casino's. Overdag strontlelijk, dat wel, maar 's avonds verlichten ze de fonteinen. Doe het neon aan en het is zo slecht nog niet. Wat echte glitter uit de oude doos. En de vogelmarkten, je zou de vogelmarkten eens moeten zien. Je kiest er een uit en ze draaien hem ter plekke de nek om en bakken die zielepiet voor je.'

'Je bent dronken.'

'Niet echt. Ik bedoel: min of meer. Begin pas, denk ik. Of misschien ben ik halverwege. D'r zijn ook geweldige meiden. Moet je proberen wanneer je er bent. Ze pijpen je urenlang, als je dat wilt. Ze sparen allemaal voor de universiteit.'

Op de achtergrond hoorde Doug de aanmoedigingskreten van een Aziatisch spelprogramma op televisie.

'Nou, ben ik even blij dat je je kwak kwijt kunt. Vanmorgen zat ik bij Evelyn Jones op kantoor om te proberen jouw manier van boekhouden uit te leggen. Is een van je hedgefondsvriendjes soms blut? Waarom heb je dan niet gebeld?'

'Moet je luisteren, Doug. Wat jij en ik in Osaka hebben gedaan... dat was geweldig. Dat was een klassieker. Ik bedoel, toen je die sukkel van een Japanse functionaris herkende – niet te geloven. Die maîtresse, die was wel wat gecompliceerd. Ik weet niet of ik het je ooit heb verteld. Eerst dacht ik dat ze me doorhad. Maar als je genoeg op hebt, doet het er niet meer toe wat je denkt, hè? Je doet gewoon wat je doet en het doet er niet meer toe wat je erover denkt. Dus uiteindelijk heb ik het haar niet eens hoeven vragen. Ik hoefde alleen maar de naam van die kerel te noemen – dat wil zeggen toen we al aan het neuken geslagen waren en zij nog wat te drinken pakte – en zij begint me toch op hem af te geven, ratelt maar door over wat voor vreselijke zeikerd het is, en dan vertelt ze me alles recht voor z'n raap. Het hele verhaal over de plannen van de regering. Als je het mij vraagt, wist ze precies wat ze deed: hem verneuken. Maar wat een tip? Ik bedoel, jezus. We zaten op zo'n vijfendertig procent winst het laatste kwartaal. Wie laat er nou zo'n geweldige tip liggen?'

Doug vertraagde zijn pas op het pad terug over de Common.

'Wat probeer je me nou te vertellen?'

'Hoor eens, Doug. Ik zweer je. Ik heb geen cent gestolen. Als je me niet zo in mijn waarde had gelaten, me zo had laten meedoen, dan had ik dat misschien wél gedaan, snap je? Maar om zo direct met jou te werken, een hoge pief, die me onder zijn hoede neemt en me hier zo mijn gang laat gaan. "Maak je niet druk om de tussenlaag." "Bel mij rechtstreeks." Dat heb je altijd gezegd.'

'Wat is dan verdomme het probleem?'

'Doug. Er zijn geen klanten. Ik heb ze verzonnen. Van het begin af aan. Al dat geld dat je hebt doorgesluisd om hun posities te dekken... dat is van ons. Het zit nog steeds in de markt.'

Doug kwam midden op de stoep tot stilstand, waardoor een jong stel dat in zijn richting liep de handen moest loslaten om te kunnen passeren.

'Je liegt,' zei hij.

'Ik bulkte van het geld. Ieder contract. Iedere positie. En jij wilde het allemaal terugtrekken. Maar ik bleef denken aan wat je me hebt gezegd: hou het hele plaatje voor ogen, laat je niet weerhouden door angst, de modellen kloppen niet altijd. Het lag voor het oprapen. En je hebt altijd gezegd dat de verliezers mensen waren die geen risico durfden te nemen. Ik bulkte van het geld, Doug. Het was alleen maar winst. Ik was net van plan je een mazzel cadeau te geven groter dan jij je zelf had kunnen voorstellen, met een strik eromheen. Maar toen de markt omsloeg, raakte ik gewoon verlamd. En ik moest om al die cash blijven vragen. Marge storten, de posities aanhouden. En jij... jij bleef het me maar fourneren.'

Doug proefde de restanten van zijn ontbijt achter in zijn keel en toen in zijn mond, en hij boog voorover om te kotsen op het gras. Een roek met glanzende veren keek volmaakt onverschillig toe. Hij veegde zijn mond af met de rug van zijn hand en ging weer rechtop staan.

'Je liegt,' zei hij. 'Zeg me dat je liegt.'

# Hoofdstuk 12

Toen Henry de laatste vrijdag van juni de smalle achtertrap van Charlottes huis opging en zijn tas neerzette in de kamer waar hij als jongen zijn zomers had doorgebracht, besefte hij dat hij zich had vergist: hier veranderde niets. Niet de oeroude bultige matras, niet de gerafelde satijnen lampenkap, niet het vierkante linnen kleedje op het nachtkastje vol kringen. In het hotelletje in de stad waar ze op aandringen van Betsy altijd hadden gelogeerd tijdens hun jaarlijkse bezoek, daar in het daglicht, in een restaurant of eethuisje, kon zijn zusters toestand altijd worden geanalyseerd, de afzonderlijke onderdelen diplomatiek benaderd, stuk voor stuk besproken en opgelost. Maar hier? Hier gaf juist het verval van het huis voedsel aan Charlottes cirkelredeneringen. Het huis wás haar argument, de veelheid aan associaties verplichtte tot behoud ervan. Misschien was het ooit van anderen geweest, van zijn voorouders of zijn ouders, maar het was nu helemaal van haar, de materiële vorm die haar wereldbeeld had aangenomen. Hoe kon hij ooit haar geest veranderen terwijl die zo in dit huis leefde?

De eerste tekenen waren beslist niet gunstig. Die middag had hij een wandeling met haar willen maken om voorzichtig ter zake te komen, maar Charlotte had die helemaal besteed aan een onsamenhangende bijles van een hologige jongen die verrukt luisterde naar een les die van William Jennings Bryan en de gouden standaard oversprong op Father Coughlin en de paranoia van de Amerikaanse politiek. Henry, die in de voorkamer zijn dagelijkse lawine van e-mails probeerde bij te houden, verwonderde zich erover dat een vrouw die zoveel van geschiedenis wist, niettemin zo ver heen kon zijn als het aankwam op het ordenen van haar eigen leven.

'Ik wist niet dat je nog steeds leerlingen aannam,' zei hij, toen de jongen was vertrokken.

'Ik stel me voor,' zei ze, 'dat er bij hem thuis niet veel boeken zijn. Je denkt als vanzelf dat het wel zo is. Maar veel mensen hebben ze gewoonweg niet. En hij heeft pit. Eerst dacht ik dat hij weer een van die sufkonten was. Maar hij heeft iets. De wereld – de feitelijke toestand van de dingen –, die is tot hem doorgedrongen. Wat ontroerend is. Je hebt geen idee hoe het op het laatst was op school. Hoe de inhoud hetzelfde bleef, maar de betekenis van de lessen volledig veranderde. Van Verlichting tot verzorging van huisdieren.

Zijn zusters bekende recept: goedbedoelde bevoogding doordesemd van geloof in meritocratie en afgemaakt met een dosis progressief apocalypsdenken. Ze was het schoolvoorbeeld van een democratische idealist uit het midden van de eeuw, die lang genoeg had geleefd om de hoop herhaaldelijk te zien sterven. Grootgebracht met Adlai Stevenson, Richard Hofstadter en verlossing door soberheid. Het zou voor Henry gemakkelijker zijn geweest als hij het niet in zoveel opzichten met haar eens was geweest. Als hun vader hen niet al op zo'n jonge leeftijd had doordrongen van een progressief patriottisme en een esthetische weerzin tegen iedere vorm van vertoon.

Ook als hij niet van haar had gehouden. Onontkoombaar. Een liefde doortrokken van een afgunst die hij nooit had begrepen.

Zijn praktische instelling was de barrière tussen hen geweest. Door keuze, omstandigheid of lot – maar naarmate hij ouder werd leek het verschil daartussen hem minder duidelijk – was hij de praktische van hen beiden geweest, degene die het leven van de praktische kant bezag. Hij was niet iemand die oordeelde over daden, niet eens iemand die veel dingen schiep, maar meer iemand die waakte, die het grotendeels onzichtbare behoedde. Zij had gelezen, gestudeerd en onderwezen, ooit gehouden van een man op wie een doem rustte, en bij dit alles de energie bewaard voor een min of meer permanente verontwaardiging over de waardeloze wereld die zich niet aan de eigen principes hield. Ze volgde de politiek op de voet, steeds het ingebouwde compromis verwerpend. Als ze niet zo doordrongen was geweest van de dubieuze morele reputatie van de meeste moderne martelaren, was ze er zelf misschien wel een geworden, met haar eigen doel. Nu had ze gewerkt op de school van een rijke stad en daar slag mee geleverd, en achtte ze haar inspanningen kennelijk grotendeels verspild.

Henry was van plan geweest om in de eerste twee dagen de ernst van de situatie te taxeren, om de angst van zijn zuster dat hij weer eens overhaaste conclusies zou trekken weg te nemen, en dan op zaterdag het onderwerp van haar verhuizing ter sprake te brengen, er op zondag met haar over na te denken, en als alles goed ging in het begin van de week misschien zelfs enkele adressen met haar te bekijken, vóór het Fourth of July-feest bij de Hollands.

In plaats daarvan overrompelde ze hem op zaterdag bij het ontbijt – dat bestond uit Orangina en oud brood – met het nieuws dat ze zonder een advocaat een rechtszaak tegen de stad had aangespannen, omdat Finden zich niet had gehouden aan de voorwaarden waaronder hun grootvader het land had gelegateerd.

Henry glipte de achtertuin in en belde Cott jr. om te vragen wat er in godsnaam aan de hand was. De vader van de man was juridisch adviseur geweest voor de kleine Graves Stichting, die schenkingen deed aan plaatselijke doelen, en hij had die taak geërfd.

'Ik nam aan dat je het wist,' zei Cott jr. 'Norberton van het gemeentehuis heeft me verteld dat ze de eis zelf heeft ingediend. Het moet een hele woordkramerij zijn. Maar ze heeft er een paar van de noodzakelijke formuleringen in weten te krijgen, dus konden ze het niet van tafel vegen.'

'Waarom heb ik daar niets van gehoord?'

'Van wie?'

'Van jou.'

'Aha,' zei hij. 'Ze zal wel nooit hebben gezegd dat ze me heeft ontslagen. Het komt erop neer, Henry, dat de Graves Stichting al minstens drie of vier jaar geen klant meer van me is. We hebben de cheque altijd naar de Audubonvereniging gestuurd, maar Charlotte heeft een meningsverschil over het beleid met ze gekregen – over beverhabitats, dacht ik. Hoe dan ook, ze heeft me opdracht gegeven de donatie te schrappen. Ik heb haar eraan herinnerd dat ze vijf procent per jaar aan iemand moest schenken. En toen heeft ze mijn naam verwijderd uit de betalingsopdrachten. Sindsdien heeft ze niet meer met me gesproken.'

Dus ging de zaterdagochtend verloren aan een achterhoedegevecht van informatieverzameling. Charlotte was niet van plan het geding in te trekken en kon niet begrijpen waarom hij dat zou willen. De hoorzitting voor de rechter was op maandag gepland en ze zou het heel fijn vinden, zei ze, als hij met haar meeging.

'Ik weet dat dit soort juridische kwesties altijd jouw afdeling was. Maar daarom hoef je je nog geen zorgen te maken. Ik heb het allemaal in de hand.'

Na een lunch van kwark met druiven begon Henry's telefoon te knipperen, en algauw zat hij midden in een telefonische vergadering met zijn staf en iemand van Buitenlandse Zaken die de hele morgen rapporten over een mogelijke coup in Oezbekistan had binnengekregen. Gezeten aan de tafel in de keuken, vanwaar hij toekeek hoe zijn zus gebraden lendestuk met wortelen voor de honden klaarmaakte, luisterde hij naar het relaas van zijn tweede man over het telefoontje dat hij een uur eerder had gekregen van de Oezbeekse minister van Buitenlandse Zaken, die de New York Fed had gebeld met het verzoek negentig procent van de staatstegoeden van zijn land over te maken naar een bank in Tasjkent. Het probleem was dat (1) niemand precies wist aan welke kant van de coup de minister van Buitenlandse Zaken stond, dat (2) de Oezbeekse president ietwat moeilijk te bereiken bleek en dat (3) Buitenlandse Zaken, niet in staat te bepalen of dit een islamistische revolutie of een prowesterse militaire putsch was, nog niet had besloten de huidige dictator te steunen of te laten vallen. Tachtig miljoen dollar was een onbeduidend bedrag voor een buitenlandse transfer, maar voldoende om een kleine burgeroorlog te financieren en daarmee een gevaar voor de vestiging van Amerikaanse bases die onontbeerlijk waren voor de bevoorrading van de troepen in Afghanistan. Tijdens een onderbreking merkte Henry's voornaamste juridisch adviseur Phillip Bretts schertsend op dat de man van Buitenlandse Zaken pas de week daarvoor was benoemd op de afdeling Centraal-Azië en afkomstig was van de Nationale Rundveehouders Associatie.

'Maken we een kans op een stukje van dat vlees?' fluisterde Henry, terwijl hij de hand over de telefoon hield op het moment dat Charlotte de bakpan leegde in de roestvrij stalen kommen van de honden.

'Het is Sam die per se kwaliteit wil,' merkte ze op. 'Wilkie was compleet gelukkig met de gemalen hap.'

Tegen het einde van het telefoontje was Henry toe aan een borrel.

Hij nam zijn bloody mary mee naar het achterterras en probeerde niet te letten op het onkruid dat tussen de bakstenen naar boven kwam. Ondanks zijn ergernis over Charlottes geschifte gedrag moest hij bekennen dat hij haar in jaren niet zo opgewekt had gezien. En nu hij erover nadacht, misschien wel sinds ze kinderen waren, toen zij als koningin had geheerst over het rijk waarin hij zo'n gelukkige gevangene was geweest. In Rye kon hij haar urenlang achternalopen van de speelkamer naar de tuin en weer terug naar boven, naar het heiligdom van haar slaapkamer, waar hij alleen werd toegelaten als het haar uitkwam, in die ruimte die 's middags werd overschaduwd door de gigantische bruine beuk. Hij kon zich nu nog steeds herinneren hoe de zon glinsterde op de ladekast, het dikke, rode vloerkleed en het bed waarop zij lag te lezen of in haar dagboek zat te schrijven. Hij betwijfelde of Betsy en hij voor hun dochter Linda ooit zo'n paradijs hadden geschapen. Misschien omdat ze enig kind was. Of misschien gewoonweg omdat Henry, als volwassene verdreven uit het koninkrijk van het mysterie, het bestaan ervan nooit helemaal geloofwaardig kon maken voor zijn dochter en alleen maar kon doen alsof hij erin geloofde omwille van haar, in de hoop dat aan de andere kant van die ondoordringbare scheidswand de tuin op de een of andere manier nog steeds vochtig en weelderig was en de tijd nog moest worden uitgevonden. Ondoordringbaar, behalve misschien op de vluchtigste momenten, samen met de persoon met wie je daar ooit op avontuur was gegaan.

Wat moest een broer doen? Charlotte was gelukkig voor het moment, omdat ze een mikpunt had gevonden dat dichter bij huis lag dan de wandelgangen van het Congres en ze had zichzelf ervan weten te overtuigen dat ze een kans had om te winnen. Maar niets daarvan veranderde wat onmiskenbaar was: ze at nauwelijks, het huis had meer weg van een ruïne dan ooit en hoe je het ook wendde of keerde, haar omgang met de honden was niet eens meer excentriek te noemen.

Op zondag reed hij naar de stad om behoorlijke broodjes voor de lunch te halen en wilde hij 's avonds beslist met haar uit eten. In het restaurant probeerde hij de verloren tijd in te halen, bleef vriendelijk op haar inpraten, bracht het gesprek op het probleem dat ze in haar eentje het huis moest onderhouden.

'Als je je er beter bij voelt,' zei ze, 'kun je een werkster voor me inhuren. Maar die mag dan alleen in de keuken komen.'

'Dat bedoel ik niet.'

'Natuurlijk niet. Niets wat je zegt bedoel je. Je wilt me hier weg hebben, want dan word je niet langer geplaagd door het idee van mij hier. Dat kun je nu eenmaal niet verhullen, Henry. Voor je eigen zuster. Maar ook al zou ik geneigd zijn te gaan, wat niet zo is, dan nu zeker niet. Hier, op dit moment. Ik bedoel, moet je zien wat er aan de hand is. Sta eens even stil en kijk wat er hier gebeurt in dit land, en dan bedoel ik niet alleen die misdadigers aan de top – die richten hun schade aan en blazen uiteindelijk wel de aftocht –, ik bedoel de laatste dertig jaar. En zeg me dan of je oprecht kunt beweren dat de illegale bouw van dat huis, het kappen van dat bos, van wie het ook ooit was, niet voor iets anders staat, een verdergaande neergang. En zeg me dan dat ik er verkeerd aan doe me ertegen te verzetten. Dat kun je niet. Niet zonder de taal te verraden, en ik acht je daar te goed voor. Dat weet ik wel zeker. Want dat zou echt het einde betekenen. Daaraan toegeven. Aan het idee dat woorden niets meer betekenen. Dat ze alleen maar tactiek zijn. Dat geloof je niet.'

En zo ging ze maar door, op hem in pratend, min of meer op de top van haar kunnen, zo moest hij toegeven.

Hij liet zijn missie even voor wat ze was, bestelde nog iets te drinken en stond zichzelf toe van haar gezelschap te genieten. De meesten van zijn collega's lazen niet veel meer dan de *Wall Street Journal*. Betsy had zich op de hoogte gehouden van alles, romans, films en biografieën, maar ze waren het over zoveel dingen eens dat ze op een zeker moment hadden opgehouden erover te discussiëren. Zijn zusters meningen waren even fel gebleven. Het was de geest van hun vader in haar, de strijdlust van de oude heer, soms moeilijk te verdragen voor hun moeder, maar overduidelijk de reden waarom ze verliefd op hem was geworden.

Toen het jonge stel aan het tafeltje naast hen begon te ruziën over hun verbouwing – de echtgenoot wilde per se af van de architect, die de vrouw niet alleen omschreef als iemand met visie, maar ook, voor het geval hij het laatste jaar geen tijdschrift of krant had gelezen, als 'godverklote belangrijk' –, wierp Charlotte Henry een blik van verstandhouding toe, waarmee ze hem weer opnam in haar kudde, een uitnodiging die hij op dat moment alleen maar kon accepteren met een rollende beweging van zijn ogen. Wie hield hij hier voor de gek? Zijn nieuwe buren in Rye waren absolute druiloren. Hun kinderen waren erbarmelijk, zoals doorgefokte honden dat waren. De man, die in het bankwezen zat, had Henry op de borrel gevraagd. Hun huis was op hem overgekomen als een kruising tussen een babybox en een of ander bedrijfsvakantieoord. Maar wat kon je daaraan doen?

Toen de ober hem vroeg of hij een derde glas wijn wilde, zei hij ja.

Terug in het huis had Charlotte thee gezet en hadden ze aan de keukentafel gezeten. De tafel waarop hun vader op zaterdagochtenden graag kapotte apparaten uitstalde, zoals een radio of broodrooster of lamp die het in de winter had begeven, om vervolgens zijn gereedschapskist te openen en te gaan zitten klussen. Als Henry, die een beetje dronken was, terugdacht aan deze ochtenden, voelde hij een dodelijke vermoeidheid, van het soort dat hij niet te vaak kon toelaten, niet in een baan waarbij er nooit een einde kwam aan de reis. Het was het soort vermoeidheid dat de geest het lichaam alleen toestaat wanneer hij weet dat hij thuis is.

'En, heb je de coup kunnen opvangen?' vroeg Charlotte. 'Is ieders geld veilig?'

'Het zal uiteindelijk wel goed komen. Een paar dagen voorzichtig zijn doet niemand kwaad.'

'Wat een anoniem soort macht oefen jij uit. Zo ver van de woelige menigte. Het heeft me altijd geïntrigeerd. Als ik denk aan de mensen die de gevolgen ondervinden van wat jij doet. Het feit dat ze je nooit zullen kennen. Natuurlijk berechtte pappie mensen, maar hij ontmoette zijn verdachten persoonlijk. Dat bleef binnen een bepaalde schaal. Het is geen kritiek. Het is alleen dat ik me soms afvraag wat het doet met je. Wat het al met je heeft gedaan. Die abstractheid. Levens als getallen. We doen het natuurlijk allemaal. We doen het als we de krant lezen. Wat zeggen tienduizend doden bij een aardbeving? Niets. Dat kan ook niet. Die kennis kweekt alleen maar onmacht. Maar jouw abstracties, jouw rentetarieven, die veranderen levens van mensen. En ze zullen nooit weten wie jij bent.'

'Als het erg slecht gaat, komen ze daar wel achter.'

'Dat is niet wat ik bedoel. Ik heb het over jou, Henry. Ik weet zeker dat er heel wat mensen zijn die gewoon genieten van jouw soort invloed – de ambitieuzen. De mensen die op hol slaan door hun macht. En dan heb je nog de cryptosadisten, ook een onderschatte groep. Maar jij bent geen van beide, ook al heb je je door de jaren heen misschien niet onbetuigd gelaten. En toch is het daar: jouw systeem en de ellende van de anderen.'

'Het is niet alleen maar ellende,' zei hij. 'Geld maakt dingen mogelijk.'

'Natuurlijk. Het gaat er alleen om voor wie. Maar daar ga jij niet over, wel? Die keuze is aan iemand anders.'

De dobermann kwam suf uit de huiskamer geslenterd en legde zijn kop op Charlottes schoot, en Henry keek toe hoe zijn zus hem over de kop streelde.

'Weet je, het is grappig,' zei ze. 'Het hele weekeinde heb ik geprobeerd Wilkie hier ervan te overtuigen dat je een goeie vent bent, maar hij wil me niet geloven, toch Wilkie? Hij is ervan overtuigd dat je lid van de Ku Klux Klan bent.'

Henry sliep die nacht tamelijk slecht, meer dan eens werd hij wakker van iets dat klonk als gegrom. *De Klan?* Hij zag de uitdrukking al op het gezicht van de directeur van een verzorgdwonencomplex als Charlotte zich zo'n opmerking liet ontvallen tijdens een intakegesprek. Hij had nog een paar volle uren tot het ochtend was en zijn zus hem zou komen wekken met de waarschuwing niet te laat te komen voor de rechtbank.

'We kunnen ze niet meenemen,' zei hij, met wazige blik naast de huurauto staand, terwijl zij met Sam en Wilkie het voetpad afkwam.

'Waarom niet?'

'Het is een overheidsinstelling. Geen kennel.'

'Doe niet zo gek. De parketwacht is een oud-leerling van me.'

De districtsrechtbank was een neoklassiek geval waarvan het zandsteen grijs van het roet was geworden. De grote hal met portretten van overleden rechters van de rechtbank was om halfnegen al vol bedrijvigheid: een beambte leidde een rij juryleden een wachtkamer binnen, advocaten zaten bijeen met cliënten en verklaarden de situatie van hun dierbare aan niet-begrijpende familieleden, terwijl op de banken in de buurt politiemannen de tijd doodden totdat ze werden opgeroepen om te getuigen.

En ziedaar, toen ze bij de rechtszaal aankwamen, verscheen er een lach op het gezicht van de kalende wacht van in de veertig.

'Mevrouw Graves,' zei hij. 'Hoe gaat het met u? Ik zag de naam op het papier en vroeg me af of u het was.'

'Heel goed, dank je.'

'Ik heb die zaak van een paar jaar geleden met de school en zo in de krant gelezen. Dat was verkeerd, hoe ze u hebben behandeld.' Hij stak zijn hand uit naar Henry. 'Beste leraar die ik ooit heb gehad,' zei hij, zijn stem vol verwondering over zijn eigen onvermoede nostalgie.

'Wat aardig van je om dat te zeggen. Luister eens, Anthony, ik vroeg me af. Ik wilde je om een kleine gunst vragen. Mijn honden. Ik hoopte dat ze mee konden. Met ons mee in de rechtszaal.'

'O, jee,' zei hij, met zijn tong klakkend. 'De rechter. Ik weet niet of hij dat wel goed vindt. Het is tegen de regels.' Hij nam Wilkie en Sam een moment in ogenschouw. 'Het zijn niet toevallig hulphonden, wel? Om u te helpen overal te komen, bedoel ik.'

'Ja... wacht eens, nu je het zegt, ze helpen me inderdaad. Heel veel.'

'Charlotte,' fluisterde Henry, om als antwoord alleen maar een elleboog in zijn zij te krijgen.

'Weet u wat, mevrouw Graves. Brengt u ze maar hier binnen en dan laat ik ze gewoon op de achterste rij zitten, waar niemand ze kan zien. Wat vindt u daarvan?'

'Prachtig. Ik wist dat ik op je kon rekenen.'

Henry en zij namen plaats op de derde rij in de rechtszaal en gingen staan toen Anthony een paar minuten later riep: 'Iedereen opstaan, de Edelachtbare George M. Cushman zit voor.'

'Dat verwachtte je zeker niet, hè?' fluisterde Charlotte.

'Wat?'

'Herinner je je de familie Cushman nog? Mammie en pappie borrelden altijd met ze. Dat is hun zoon, George. Hij ging wel met ons mee naar het meer. Weet je het niet meer? Dikke George.'

'Ach, jezus. Dat is belachelijk. Je brengt ons nog in de problemen.'

'Mijn god,' zei ze terwijl ze over haar schouder keek. 'Moet je dat zien. Hij is er, de schoft. Met een of andere gladjanus van een advocaat. Moet je die krijtstreep zien. Meer dan twee centimeter van elkaar.'

Henry draaide zich om en zag een man van achter in de dertig, met opgeschoren zwart haar en een tamelijk lege uitdrukking. Hij had dat al te verzorgde uiterlijk van heel wat jonge bankiers tegenwoordig, dat hun soms een bijna vrouwelijk voorkomen gaf, in weerwil van al hun uren in de fitnessclub. In tegenstelling tot zijn metgezel – een beer van een vent wiens krijtstreep inderdaad buitensporig breed was. Hij kauwde kauwgum en draaide ongeduldig aan het wieltje van zijn blackberry.

'Wat heeft die hier te zoeken? Ik heb hem niet gedaagd.'

'Tjee, dat weet ik niet hoor,' zei Henry. 'Je probeert die man alleen maar z'n huis afhandig te maken. Hij is een belanghebbende partij. Hij mag zich ermee bemoeien.'

Tot Charlottes zaak eindelijk voorkwam, moesten ze de zaken uitzitten van twee rijders onder invloed en een geschil tussen de golfclub en een van de jeugdleden over een defecte golfwagen, wat Henry eraan herinnerde dat alleen de onfortuinlijken, de kleingeestigen of de gestoorden in de rechtszaal terechtkwamen.

Toen George Cushman die ochtend zijn agenda doornam, dacht hij ongeveer hetzelfde als Henry bij de constatering dat hij die dag de hoorzitting over de zaak Graves moest behandelen. Het vooruitzicht maakte hem triest. Hoewel ze niet echt vrienden waren, kende hij Charlotte Graves al het grootste deel van zijn leven en groette hij haar altijd als ze elkaar tegenkwamen in de stad. Bovendien had hij, als bestuurslid van het Historisch Genootschap, niets liever gedaan dan in haar voordeel beslissen. Hij vond huizen van het soort dat op dat terrein was opgetrokken bijna even weerzinwekkend als zij. Niemand ontkende dat Willard Graves het perceel aan Finden had geschonken om het in stand te houden of dat hij in zijn legaat had bepaald dat het zou terugvallen aan de boedel als de stad het zou verkopen of ontwikkelen. Maar de regel tegen eeuwigheidsclausules was ondubbelzinnig in deze staat: na dertig jaar golden dergelijke beperkende bepalingen niet meer. Omdat die termijn al sinds lang was verstreken, stelde de stad volkomen terecht dat ze nu een absoluut recht kon doen gelden. De stad kon met het terrein doen wat ze wilde. Zoals bij iedere eiser die zelf zijn zaak bepleitte had rechter Cushman zijn best gedaan een plausibel argument te peuren uit de immense woordenstroom van Charlottes verzoekschrift. Maar toen ze na zes pagina's getier met enkele regelafstand begon aan een geschiedenis van de familiedonaties aan de plaatselijke liefdadigheidsinstellingen, had hij het opgegeven. Hij zou mevrouw Graves gelegenheid geven haar grieven te uiten en de klap verzachten door haar klacht pas over een paar weken ongegrond te verklaren.

En al meteen begonnen de problemen. Toen Charlotte opstond van achter de aanklagerstafel zei ze: 'Goedemorgen, George. Ik wilde alleen maar even zeggen dat ik blij ben dat jij het bent.'

Vol ongeloof stond de advocaat van de stad op om bezwaar te maken, maar Cushman weerhield hem daarvan voor hij iets kon zeggen. De advocaat van de interveniënt, Fanning, liet zich echter niet de mond snoeren.

'Mag ik overleggen, Edelachtbare?'

'Nee, raadsman, dat mag u niet. Gaat u alstublieft zitten. Welnu, mevrouw Graves,' zei hij, 'de partijen moeten de rechtbank aanspreken als "Edelachtbare" of "de rechtbank". Is dat duidelijk?'

'Natuurlijk. Het spijt me vreselijk. Het was niet beledigend bedoeld, Edelachtbare.'

'Goed dan,' zei hij. 'Heeft u nog iets toe te voegen aan uw verklaring in deze zaak?'

'Nou en of. Nadat ik u de brief had gestuurd, vond ik namelijk in de bibliotheek dit boek met wat zogeheten voorbeeldpleidooien, en ik besefte meteen dat ik mijn hoofdstelling misschien niet helemaal duidelijk heb weergegeven. De manier waarop ik het heb opgeschreven, bedoel ik. Die kwestie van die dertig jaar. Die begrijp ik. Waaróm we de wensen van de doden zo naast ons moeten neerleggen, weet ik niet, maar het is niet anders. Dat laat ik nu maar even voor wat het is. Maar wat ik zeg wijkt enigszins af. Mag ik een citaat voorlezen?'

'Gaat uw gang,' zei Cushman, achteroverleunend in zijn stoel.

'Ik vond dit in een boek van een zekere professor Duckington. Hij schrijft: "Hoewel de wetgever het in zijn oneindige wijsheid gepast heeft geacht om de rechten van individuen in het bezit van gesubstitueerde nalatenschappen in onroerende goederen nietig te verklaren, vermoedelijk om het gewoonterecht in de wet te ontdoen van die beschimmelde wetsteksten die werden gezien als obstakels voor een efficiënt en betrouwbaar systeem van aan- en verkoop, hadden de volksvertegenwoordigers voldoende oog voor hun eigen voorrechten, naast die van kerken en *liefdadige instellingen*, om zichzelf en *laatstgenoemden* uit te sluiten van de gevolgen van hun inzicht."'

Ze sloeg het boek dicht, legde het weer op tafel en lachte trots.

'De hemel sta de studenten van die man bij,' zei Cushman, 'maar het klinkt wel correct. De regel geldt voor individuen. Maar het onderscheid is niet relevant in deze zaak.'

'O, jawel hoor, George,' zei ze. 'Je moet weten dat mijn grootvader – hij was een liefdadigheidsinstelling.'

'Zeg dat nog eens.'

'Willard Graves maakte voor zijn dood van zichzelf een liefdadigheidsinstelling: de Graves Stichting. Sindsdien zijn we rustig doorgegaan. Mijn punt is dat, als je uitgaat van de documenten, niet híj het land aan Finden gaf, maar de Stichting. Dus je ziet... die dertigjaarregel... die gaat hier niet op. De voorwaarden in het legaat gelden nog steeds. Wat betekent dat het land niet langer toebehoort aan Finden of aan de heer Fanning. Het behoort toe aan onze familiestichting. In feite is dat het geval geweest sinds de stad het verkocht. Ik heb alle documenten hier in mijn dossier. Ik denk dat ik van de rechtbank alleen maar het eigendomsrecht nodig heb. En daarmee zijn we klaar.'

De volgende tien seconden zei niemand in de rechtszaal een woord. Niemand verroerde zelfs maar een vin. Als gasten op een begrafenis die er net getuige van waren dat de kist zich opende en het lijk rechtop ging zitten om hen met een glimlach te begroeten, staarden ze vol ontzag naar Charlotte.

Toen begon het geschreeuw.

Mikey viel bijna over de voorkant van de jurybank, waar Doug en hij hadden moeten plaatsnemen, toen hij opsprong en schreeuwde: 'Overleggen! Overleggen!' Paniekerig het procesdecorum schendend sprak hij met de stem van de rechter zelf, wiens repliek nauwelijks hoorbaar was boven de ziedende bezwaren van de stadsadvocaat, die niet eens de moeite nam om zich tot de balie te richten en zijn woorden rechtstreeks naar Charlotte slingerde. Tegen de tijd dat rechter Cushman zijn hamer te pakken had en ermee begon te hameren, waren Wilkie en Sam het middenpad opgerend en begonnen blaffend stampij te maken, iedereen behalve een ontzette Henry nog in grotere verbijstering brengend bij de aanblik van twee kwijlende honden die naar voren kwamen stormen in de rechtszaal.

'Parketwacht!' riep Cushman, die was gaan staan om met zijn hamer te beuken. 'Parketwacht!'

De orde was pas hersteld na nog eens tien minuten, waarin de honden grauwend uit de ruimte werden verwijderd en de advocaten tegen de regels in hun mobiele telefoons grepen om te bellen met hun kantoren en assistenten, in een wanhopige poging de plotseling gapende leegte in hun begrip van een zaak waarop ze zich nauwelijks hadden voorbereid, te vullen. Na herhaalde verzoeken om uitstel te hebben afgewezen laste rechter Cushman een pauze in en keerde met Charlottes dossier terug naar zijn raadkamer.

Tegen de tijd dat hij de documenten had bestudeerd, wist hij weer dat zijn beroep uiteindelijk toch een paar unieke geneugten kende. Hij kon de stad natuurlijk tijd geven om zich te hergroeperen. Maar die had geen deugdelijk argument voor een dergelijk respijt. Het bewijs waarop Charlotte zich baseerde, had opgeslagen gelegen in hun eigen kelder. En wat het juridische argument betrof had ze volkomen gelijk. Het land was geschonken door een liefdadigheidsinstelling. De regel gold niet. Hij hoefde niet in te gaan op de vraag of de stad bewust of alleen nalatig had gehandeld bij de verkoop. Verliezen deed ze in elk geval.

Weer terug op de rechterstoel luisterde hij sereen naar het pleidooi van de advocaten, hun bezwaren en zelfs hun dreigement in beroep te gaan en hem te wraken. Toen ze ten slotte alles hadden gezegd wat ze wilden zeggen, dankte hij hen voor hun raad en veroorloofde zich vervolgens voor één keer een staaltje van de retoriek waarvan hij als rechtenstudent had gedroomd, maar waarvan in de alledaagse rechtspraktijk weinig terecht was gekomen: 'Zoals de grote Britse premier William Gladstone het ooit verwoordde: "Recht vertraagd is recht ontzegd."' Hij verklaarde tot de slotsom te zijn gekomen dat Charlottes documenten geen ruimte voor twijfel lieten over haar eis en vervolgde: 'De rechtbank is zeker niet ongevoelig voor het lastige parket waarin de koper zich bevindt, nu hij een huis heeft gebouwd op land dat niet zijn eigendom blijkt te zijn. Maar het recht op terugkeer in het bezit van eigendom is een zeer oud recht, en dateert al van vóór onze eigen Grondwet. Ik kan het niet naast me neerleggen louter omdat het slecht uitkomt. Echter, nu de kwestie van het eigendom is beslist ten gunste van de Graves Stichting, hoop ik dat partijen tot een minnelijke schikking willen komen. Met dit in gedachten schort ik met zestig dagen het vonnis op dat ik hierbij wijs, namelijk de familiestichting van de eiser het eigendomsrecht van het land toe te wijzen.'

Over zijn bril neerkijkend op de opnieuw het zwijgen opgelegde rechtszaal vroeg hij: 'Zijn er nog vragen of opmerkingen in deze zaak?'

# Hoofdstuk 13

Glenda Holland had besloten dat het superbe zou zijn om op de Fourth of July in Finden te blijven en een groot feest voor al hun vrienden en relaties te geven. Jeffrey had hun plannen voor Capri laten vallen, de verbouwing van het huis op Cape Cod was nog niet klaar en bij dit afschuwelijke weer kwam Florida niet in aanmerking. Bovendien bleef de familie Harris in de stad, net als de families Finch en Muegler, het duffe bestuur van het Historisch Genootschap dat haar gedwongen had cheques uit te schrijven en natuurlijk haar waardeloze zoontje en diens kornuiten, en trouwens ook hun ouders, als die wilden komen – wie was zij tenslotte om zich ervoor te generen dat haar zoon niet eens uit de tobbe van een openbare school had weten te kruipen – met als bijkomend voordeel dat, als Jeffrey maar wat klanten en een paar blikken management van de Union Atlantic opentrok, de hele santenkraam kon worden opgevoerd als representatiekosten voor de bank.

Aangezien het te kort dag was voor r.s.v.p.-uitnodigingen had ze de kaarten per expresse laten uitgaan en het aantal verdubbeld. Bij de cateraar had ze een contract voor een bruiloft moeten afkopen, de lui van de feesttent moest ze omkopen en de bloemist met een boycot dreigen. Maar tegen de tijd dat het echt warm begon te worden in dat weekeinde voor de Fourth, werkten haar voornaamste leveranciers min of meer mee en stond de telefoon roodgloeiend.

Omdat ze pas laat was begonnen met dit feest midden in de zomer, had ze verwacht dat de helft van haar lijst andere plannen had, maar het bleek dat mensen dit jaar de drukte van de grote steden vermeden uit angst voor terroristische aanvallen en de uitnodiging enthousiast aanvaardden. De kok had het al over een vierde wild zwijn en het bedrijf dat was ingehuurd om het parkeren te regelen zei dat het veld waar anders de schapen stonden die Jeffrey jaren geleden had gekocht om in aanmerking te komen voor familieboerderij-aftrek, moest worden ontruimd voor de extra auto's. Het leek allemaal voor elkaar te komen. Alles behalve het vuurwerk.

Er was niemand te vinden voor het vuurwerk. De plaatselijke overheden hadden vaste jaarcontracten met bedrijven en de grote bedrijfsfeesten waren al lang geleden geboekt. Haar assistent Lauren had heel New England afgeschuimd naar iemand met een lucifer en een explosief, maar zonder succes. Pas enkele dagen voor de grote gebeurtenis lukte het Glenda ten slotte, praktisch op haar knieën achter in een restaurant in het North End, een neefje los te weken uit het team voor de show van het Boston Pops Orchestra, tegen een volstrekt belachelijk tarief en met de belofte dat hij zijn creativiteit de vrije loop mocht laten. Tegen drie juli zat het hele huis vol personeel en trok Glenda zich terug op de chaise longue in haar slaapkamer, waar Lauren al haar telefoontjes aannam, terwijl zij zich boog over de lijst met de belangrijkste gasten en de tafelschikking. Uitgespreid op de salontafel voor haar lag een plattegrond van de dinertent en een mandje met kleine witte vlaggetjes waarop Lauren de namen van de gasten schreef terwijl Glenda ze opnoemde.

Jeffrey had zich eerst tegen haar plan verzet omdat hij het te kort dag vond, maar toen hij voelde dat er schot in kwam, had hij zoals altijd het roer omgegooid en iedereen plus zijn accountant uitgenodigd, bepaalde koppelingen bij het diner geëist en haar opgescheept met een heel telefoonboek vol Koreaanse industriëlen en Duitse bankiers, wier sociale vaardigheden voor haar praktisch een zwart gat vormden.

'Wat moet ik in godsnaam doen?' zei ze, terwijl ze tafel nummer twaalf omhooghield en probeerde zo weinig mogelijk met haar lippen te bewegen om de blauwgroene laag klei op haar gezicht niet te breken. 'Sarah Finch naast de een of andere Braziliaanse suikerrietmagnaat zetten? Dat is absurd. Probeer ik een paar vrienden bij elkaar te krijgen en dan doet hij me dit aan.'

Met Jeffreys secretaresse Martha, die zich namens hem via de speakerphone met de zaak bemoeide, marcheerden hele legers van financiers over de plattegrond vanaf achteraftafels bij elkaar gepropt naast de keukentent helemaal naar de grens van het sociale centrum, alleen om te worden teruggedreven door Glenda's jaargenoten van Sweet Briar en een verdedigingsgarde van dorpsnotabelen per luchtbrug vervoerd naar een geïmproviseerd soort gedemilitariseerde zone rond de belangrijke tafels een tot en met negen. Een tijdlang ging het hard tegen hard toen Martha volhield dat je van de baas van Credit Suisse en zijn vrouw absoluut niet kon verwachten te converseren met de badmintoncoach van de middelbare school ('Mevrouw Holland, de bánk betaalt dit allemaal, beseft u dat wel?'), maar met wat tactische terugtrekkingen kon Glenda de saaie lagere rangen op afstand houden, de absolute top aan Jeffreys eigen tafel zetten en de rest terugdringen naar de periferie. Tegen zeven uur, toen Lauren en zij de tafelschikkingen op orde hadden en die naar beneden hadden gestuurd om de kalligraaf tafelkaartjes te laten maken, was ze afgepeigerd. Een martinicocktail, een caesarsalade met kip, een pilletje Ambien en twee Ativans later was ze klaar voor een gezonde nachtrust voor de grote dag.

Toen kort na zonsopgang de volgende ochtend de chauffeur die de mobiele airconditioningapparaten afleverde, zijn vrachtwagen achteruitreed tegen de achterste van de zes zwarte Cadillac Escalades met het full-event-protectieteam van Eversafe International, zag hij zich onmiddellijk omsingeld door een twintigtal mannen in slecht zittende donkere pakken en met wraparoundzonnebrillen, die met van alles zwaaiden, van verdovingspistolen tot Glock 9's, en hem toeschreeuwden dat hij moest uitstappen, zijn handen omhoogsteken en met zijn gezicht op het pas gesproeide gras gaan liggen.

Een jaar of zo later zouden de Hollands er ten koste van weinig geld en ergernis via hun advocaten achter komen, voordat ze in der minne schikten, dat de chauffeur van de vrachtwagen, een zekere heer Mark Bayle, een veteraan van de Eerste Golfoorlog was, wiens bijna genezen posttraumatisch stresssyndroom weer in volle omvang was teruggekeerd ten gevolge van het incident van die ochtend, dat hem pijn, lijden, angst en uiteindelijk ontslag had bezorgd. Maar op het moment zelf was het meest directe gevolg van het ongeluk dat het

Glenda, wakker geworden van het geschreeuw, ongeveer zes uur te vroeg een soort voorfeestelijke zenuwinstorting bezorgde.

Als Jeffrey Holland die ochtend alleen had hoeven uitleggen dat hij op advies van het hoofd van de bedrijfsbeveiliging had ingestemd met een complete kwetsbaarheidsanalyse, terreinbewaking en tactische eenheid op zijn grondbezit, zonder zich daarvan bewust te zijn of zijn vrouw te informeren, had hij zich kiplekker gevoeld. Maar toevallig had de NASDAQ de maandag van die week gesloten op het laagste punt in vijf jaar, had WorldCom opnieuw zijn winstverwachting naar beneden bijgesteld, waardoor de allergrootste leningnemer van de bank aan de beademing moest, en tot overmaat van ramp hadden de procureurs-generaal van Massachusetts en New York een gezamenlijk onderzoek aangekondigd naar begunstiging door Atlantic Securities bij de eerste aandelenemissie. Kortom, een echte feestdag zat er voor Jeffrey niet in. Tegen de tijd dat een razende Glenda in haar nachtjapon zijn studeerkamer binnenstormde en begon te gillen over die misdadigers op de oprijlaan, zat hij al een uur in een telefonische vergadering met het hoofd van de juridische afdeling en het halve bestuur om rekenschap af te leggen over intern beleid waar hij nog nooit van had gehoord, laat staan over gelezen.

Tegen één uur was de buitentemperatuur opgelopen tot zevenendertig graden en begonnen velen in het legertje dat de gasten van de Hollands moest voeden en vermaken uitgeput te raken onder de meedogenloze zon. Een assistent van het bedrijf dat door de kok was ingehuurd voor de houtovens was op zijn post flauwgevallen en met zijn hoofd op een koelbox geslagen, wat vroeg om overbrenging naar een slaapkamer met airconditioning achter in het huis. In een poging om zowel haar bazin als het feest in de hand te houden had Lauren Glenda geïnstalleerd op een bank in de bibliotheek, waar ze afgezanten van de bakkeleiende leveranciers kon ontvangen zonder op te staan of de hitte buitenshuis in te gaan, tenzij beide absoluut noodzakelijk waren. De band beweerde dat de cateraar hen zonder elektriciteit had gezet en de bloemiste waarschuwde dat haar creaties zouden verwelken en doodgaan als de technicus die door het airconditioningbedrijf was gestuurd ter vervanging van de getraumatiseerde chauffeur niet gauw de apparatuur aan de gang wist te krijgen. Dat waren tenminste nog mensen in dienst van Glenda. De brandweercommandant was een andere zaak. Hij was zo vriendelijk geweest haar verzoek om een vergunning voor de show versneld af te handelen, maar na inspectie en discussie met het neefje van het vuurwerk had hij bepaald dat de sloep vanwaar het vuurwerk zou worden afgestoken niet ver genoeg van de vijveroever dreef, dus moesten op die oever branddekens worden gelegd.

'Mijn Gód,' riep Glenda uit, neergezegen in de hoek van de bank. 'Kent u dan geen genade? Ziet u niet wat daarbuiten aan de hand is? Branddekens? Waar moet ik die in hemelsnaam vandaan halen? En het klinkt ook nog alsof ze afschuwelijk lelijk zijn. Kunnen we het niet gewoon vergeten?'

De man, een flegmatieke vent met een baard in een wit overhemd met epauletten, wierp een vermoeide blik op Lauren, die op haar telefoontje al naar het nummer van de gemeentesecretaris zocht.

'Als u eens wist hoe moeilijk het was om die jongeman in te huren. Als ik bedenk wat ik hem heb betaald. Daarvan kan hij zijn eersteling naar het college sturen. Ik smeek u,' zei ze, en wist nog een slokje uit haar glas te nemen. 'We hebben u toch uitgenodigd, niet? U en uw vrouw?'

Toen Lauren de commandant eenmaal de kamer uit had geloodst, besloot Glenda dat het al met al misschien het beste was maar een dutje te doen.

Beneden in het veld wees een middelbare scholier in een rood vest met vlinderdas Evelyn Jones via een haag van luxewagens naar een plek tegen een afrastering van prikkeldraad. Ze stiftte haar lippen in de achteruitkijkspiegel en baande zich vervolgens een weg door de geparkeerde auto's naar een menigte te hoop gelopen gasten bij het hek, waar een soort controlepost was opgezet.

'Glenda is ditmaal te ver gegaan,' zei een zilverharige dame tegen haar echtgenoot, terwijl bewakingspersoneel het lichaam van iedere genodigde scande met metaaldetectoren. 'Wie denkt ze dat we zijn? Terroristen?'

'Neem van mij aan,' zei de man voor haar in de rij, 'dat er mensen zijn die van alles beramen. Dit is helemaal zo gek nog niet.' Evelyn herkende hem van de krant: de directeur van State Street, de laatste tijd bedreigd met kidnapping. Verderop gaven verschillende bankemployés en hun partners hun ogen de kost wat betreft het landgoed van hun baas, niet gehinderd door de voorzorgsmaatregelen. Ze nam aan dat zij een van de weinigen was die zich afvroegen of ze wel zouden worden toegelaten. Maar ze lieten haar door, en ze liep verder over het pad naar een stel lange klaptafels bemand met een team van streng ogende, jonge blonde vrouwen die hun pennen en klemborden hanteerden als bewakers bij een veiling voor een selecte groep kopers en ieder moment die innemende, uitnodigende glimlach konden laten varen om het uitschot de pas af te snijden. Eén van hen straalde nog eens extra terwijl ze Evelyns naam afvinkte op de lijst en haar een tafelkaartje overhandigde, haar blik vol van dat heimelijke ruimdenkende genoegen over de kans om nu eens aardig en niet-discriminerend tegen een zwarte te kunnen zijn.

Op het grote gazon bood een ober in een wit jasje, met een gezicht dat droop van het zweet, haar een glas aan van een blad met mousserende wijn. Sommige gasten hadden hun mouwen al opgerold en betten hun voorhoofd met cocktailservetjes. Ze wandelde naar de open zijde van het vierkant gevormd door de achterkant van het huis en de twee tenten op circusschaal en keek vandaar de heuvel af naar een vijver waar verscheidene mannen in een roeiboot op weg waren naar een drijvend platform.

Toen ze via Fanning een uitnodiging voor het feest kreeg, had ze wel geweten dat ze geen barbecue in de achtertuin moest verwachten. Maar dit was wel iets heel anders.

Maar misschien hoorde dit bij haar nieuwe positie. Binnenkort zou ze immers vicepresident Operaties zijn.

Haar tante Verna was bijna flauwgevallen van blijdschap bij het nieuws. 'Daar heb je het,' had ze gezegd. 'Doorgaan, hoor je me? Gewoon doorgaan.' Verna was altijd de praktische geest in de familie geweest, de overlever. Jaren geleden, toen Evelyn nog een meisje was, had ze haar tante gevraagd hoe ze al die tijd toch zo slank had weten te blijven en ze herinnerde zich nog dat haar tante toen had gezegd: 'Nou, Evey, ik zal je mijn geheimpje verklappen: er is niets zo goed als flinke, ouderwetse woede om al die calorieën te verbranden.'

Wat zou Verna denken van dit alles? Zou ze niet meer weten wat te zeggen? Zou ze het overdreven vinden?

Toen Evelyn vorige week was gebeld door Fannings secretaresse met de boodschap dat hij haar wilde ontmoeten, had ze alleen maar verwacht dat er op haar ingepraat zou worden. Maar een verdubbeling van haar salaris? Een managementpositie? De enige andere zwarte vrouw in de hogere regionen van het bedrijf was Carolyn Greene, iemand van Princeton met een lichte huid en ouders die een huis op Martha's Vineyard hadden. Op Evelyns eerste lunch voor werknemers uit minderheden had Carolyn gevraagd wiens secretaresse ze was. Van de positie die Fanning haar had aangeboden kon Evelyn overstappen naar iedere andere bank in het land of naar een heel andere branche. Ze kon het huis kopen waarvoor ze al zo lang aan het sparen was. En in één ding had Fanning in ieder geval gelijk gehad: ze zou beter zijn in de baan dan haar baas.

*Droom je over zulke dingen terwijl je net je broer hebt begraven?*

Ze kon de stem van haar moeder al horen. Ja, dacht ze. Daar droom ik over.

Toen ze een zuchtje koelere lucht over haar voeten voelde, liep ze terug langs de tent en ging naar binnen. Een enorme kroonluchter hing rondom de middelste paal. Bloemstukken van een meter hoog verrezen midden op de tafels die nog gedekt werden door een legertje obers.

Vlakbij, met het gezicht naar Evelyn, zat een ouder stel dat hier zijn toevlucht had gezocht vanuit de dranktent ertegenover. Hij zag er bekend uit, de heer, in zijn verkreukelde grijze pak, een keurige scheiding in zijn witte haar, zijn handen gevouwen op zijn schoot, een vriendelijke blik in zijn ogen. Waar had ze hem eerder gezien, vroeg Evelyn zich af. En toen wist ze het weer. Het was in het voorjaar geweest, bij de conferentie over betaalsystemen in Florida die ze had bijgewoond. Hij was de man van de Federal Reserve die de inleidende toespraak had gehouden. Ze herinnerde het zich nog omdat die meestal oersaai waren. Maar aan het slot van zijn relaas over de vooruitgang in het garanderen van commerciële betalingen had deze man de details even gelaten voor wat ze waren en zijn toehoorders duidelijk gemaakt hoe belangrijk hun werk was, hun voorgehouden dat het weliswaar een technische kwestie was het geld rollend te houden, maar dat dit iedere dag miljoenen handelingen mogelijk maakte en ondersteunde, van het kopen van voedsel tot het betalen van huur, salarissen of doktersrekeningen. 'Politici ruziën over relatieve distributie,' zei hij. 'De markt manipuleert de prijs van goederen en werk. Maar het hangt allemaal van jullie af. Jullie zijn het onzichtbare medium. Niet de hand van de markt, maar het doorgeefluik. Jullie houden je bezig met bijna alles om je heen. De meesten van jullie werken voor particuliere bedrijven. Maar het vertrouwen, dat is publiek.'

Iemand van de oude school, wist ze nog dat ze op dat moment dacht. Een man die klonk alsof hij meende wat hij zei.

Zijn vrouw – kon dat zijn vrouw zijn? – trok Evelyns aandacht en lachte naar haar met een blik van verstandhouding, alsof ze zojuist een privégrapje hadden uitgewisseld.

Voordat Evelyn gedag kon zeggen, bood meneer Graves excuses aan voor het geval ze op haar plaats zaten. Ze verzekerde hun dat dit niet het geval was en legde kort uit dat ze hem had horen spreken.

'O,' zei hij. 'Ik hoop dat ik u niet verveeld heb. Ik doe soms wel een beetje gewichtig.'

'Dat is een waarheid als een koe,' merkte de vrouw op.

'Dit is mijn zus Charlotte.'

'Hoe maakt u het?'

'Goed, denk ik,' zei ze. 'Bent u ook bankier?'

'Ik werk voor Atlantic Securities.'

'Nou, dan bent u in goede handen,' zei de heer Graves met een openhartige lach, kennelijk allerminst gehinderd door haar toenadering. 'Dit is me het gezelschap wel,' voegde hij eraan toe.

'Nou en of. Ik weet niet of ik er wel bij pas,' zei ze, kwaad op zichzelf zodra de woorden uit haar mond waren. Waarom moest ze zich nu zo blootgeven?

'Waarvoor u zich alleen maar gelukkig mag prijzen,' antwoordde Charlotte.

Na het bezoekje van Fanning had Brenda Hilliard van Compliance Evelyn teruggebeld met de vraag over welk probleem ze had willen praten. Evelyn had een slag om de arm gehouden en gezegd dat er een misverstand was geweest, dat de kwestie was opgelost.

'Ik wilde u beiden niet storen,' zei ze. 'Ik wilde alleen zeggen dat ik heb genoten van uw toespraak.'

Meneer Graves lachte weer. 'Erg aardig dat u dat zegt. Veel plezier op het feest.'

In de heisa van de voorbereidingen voor die dag hadden Nate en de anderen een toevlucht gezocht rond het zwembad van de Hollands aan de andere kant van het huis. Zoals altijd op die lome zomermiddagen waren ze high en vermaakten ze zich met kat-me-af, een spelletje waarin je beste vrienden je het laatste waaraan je wilde denken als je stoned was naar je hoofd slingerden om je van je roes af te helpen. Elke aanval vroeg om een revanche en nog meer halen aan de bong, waarbij het hele gestoorde gedoe Emily vele malen aan het huilen bracht – van de angst of de bedwelming door de drugs, dat wist je nooit echt – terwijl de jongens hun heil meer zochten in dingen smijten of elkaar in het zwembad gooien.

Zoals dat gaat bij surrogaatfamilies, vormden zij vieren een hechte groep, die al vroeg had geleerd dat spot een bruikbaar middel was om verlegenheid over de onderlinge genegenheid te verhullen.

Het spel die dag was begonnen met onbetekenend spul als vaginale infecties, slechte hygiëne en andere lichamelijke onzekerheden alvorens over te gaan op persoonlijke zaken – Emily's achterlijke neef, Hals onaantrekkelijkheid voor meisjes. En het had daarbij kunnen blijven als ze die dag andere stuf hadden gerookt. Omdat Jason was gezakt, had hij zich op Hals geslepen advies overgeleverd aan de genade van zijn ouders, beloofd om zich in het najaar weer aan de studie te wijden en geopperd dat het echt goed voor hem zou zijn als hij eens een tijdje anderen ging helpen. Zo kwam het dat hij net was teruggekeerd van zijn week Habitat for Humanity in Jamaica.

Het weinige dat hij nog wist van de ervaring herinnerde hij zich met veel plezier. Na een verwonding door een spijkerpistool op de tweede dag was hij terechtgekomen aan de zijlijn van het echte werk, maar hij had zo veel mogelijk geprofiteerd van het gezelschap. De vier jumbotubes Colgate die hij had leeg geknepen en gevuld met de beste plaatselijke pot, waren in zijn toilettas probleemloos door de douane van Logan gekomen en veilig thuis beland. Sindsdien had het leven een nieuwe structuur gekregen. Jason had jarenlang wat geramd op een elektrische gitaar, maar pas na deze reis, na urenlang oefenen in de geluiddichte kelder, begon hij zich te realiseren hoe buitensporig groot zijn talent misschien wel was. Anderen was het minder goed vergaan. Indringers in de bende van vier hadden gerookt, Xanax nodig gehad en waren gevlucht. Het eerste meisje voor wie Hal moeite had gedaan sinds zijn tweede jaar, had gehuild van angst bij de aanblik van de cyperse kat van de familie Holland en geëist dat ze naar huis werd gebracht. Als je er eenmaal goed mee aan de slag ging, was het nieuwe spul een soort alle-hens-aan-dek-ervaring.

En zo geschiedde het dat in de laatste stadia van deze specifieke sessie, op het punt waar meestal iemand de handdoek in de ring gooide en om eten begon te zeuren, de represailles juist verhevigden. Nate, die Emily te hulp schoot bij de sneer over haar zwakzinnige familielid, begon direct over mevrouw Hollands alcoholisme.

'O, die is goed,' zei Jason, die met ontblote, gekromde rug op het uiteinde van de duikplank zat. 'Die is echt goed. O ja, ik wilde je nog vragen hoe het met de weduwe is? Je moeder, bedoel ik. Die op dit moment thuis zit. Die vanavond in haar eentje naar het vuurwerk gaat kijken. Ooit bedacht dat je misschien eens wat meer tijd met haar moet doorbrengen? Nou, Nate?'

De vraag stak, maar die aanvalstactiek was al eerder gebruikt en had hem gehard tegen de scherpte van de steek.

'Zal wel,' zei hij, achteroverliggend in zijn ligstoel. 'Jij kunt niet meer klaarkomen sinds je bent begonnen met die antidepressiva.'

Jason sprong overeind en liep rond het zwembad om zich over Nate heen te buigen, zijn gezicht rood aangelopen en glimmend van de spacecake. 'Je liegt. Ik heb 's nachts tenminste niet op mijn knieën iemands pik afgezogen.'

'Jason!' gilde Emily, terwijl ze van haar stoel opsprong. 'Hou verdomme je bek!'

In dit spel was verrassing de enige troef en Jason had die uitgespeeld. Nate had gedacht dat zijn geheim veilig was bij Emily, maar hij had zich vergist.

'Interessant,' merkte Hal op, terwijl hij zijn benen over elkaar sloeg en een volgende sigaret opstak om van deze laatste ronde te genieten.

'Ik bedoel dat ik wel wist dat je een flikker was,' zei Jason, 'maar senioren? Is dat nou iets met fetisj? Hou je van pappie?'

'Jij bent zo'n verdomde klootzak,' zei Emily.

'Kom op, vertel eens. Hoe smaakt die ouwe?'

'Val dood,' zei Nate, terwijl hij zijn boek en handdoek oppakte en naar het huis liep. Op de drempel van het solarium bleef hij even staan luisteren naar het gebrom van de motoren die de jacuzzi, de sauna en de airconditioning aandreven, terwijl de THC in zijn bloed nog steeds zijn hersencellen verbrandde.

Hij kon naar huis gaan, als hij dat wilde. Maar daar waren de dingen te echt, te traag. En wat had het voor zin om naar Doug te gaan? Hij was nu al zesmaal achter elkaar om een uur of tien, halfelf naar de villa gegaan, en had, als hij ontdekte dat de lichten uit waren en de auto op de oprijlaan ontbrak, naast de garage gewacht tot halftwaalf. De meeste avonden was de hemel helder geweest, met de bomen op de top van de heuvel bij het huis van mevrouw Graves zichtbaar in zwart profiel tegen een firmament van speldenkopsterren. Zittend op het koele gras had hij zich afgevraagd wat zijn vader van hem gedacht zou hebben, zoals hij daar in het donker wachtte op die man. Of wat hij gedacht zou hebben van de dingen die Nate al met Doug had gedaan. Het was tegenwoordig een gewoonte van hem, dat gissen naar zijn vaders oordeel over de dingen die hij deed of zei. Maar hoe vaak hij het ook probeerde, het resultaat was altijd hetzelfde: het deed er niet toe. Nate wilde wel dat het ertoe deed, maar het was niet zo. Hij probeerde zich zijn vaders reacties alleen maar voor te stellen om er niet aan te hoeven denken dat hij dood was, dat hij er zelf voor had gekozen om dood te gaan. Alsof dit eindeloze veronderstellen hem in leven kon houden. Het feit was dat als Nate wilde slapen in Dougs bed, alleen Doug hem daarvan kon weerhouden. Zo vrij was hij al.

Zonder enig idee waar hij heen ging, stapte Nate de achterhal van het huis binnen. Uit de keuken kwam een optocht van obers in zwarte broeken en witte overhemden langs hem gezeild, bladen vol wijn op hun schouder balancerend. Een van hen, een roodharige met een smal gezicht en schildklierogen, liet in het voorbijsnellen zijn bolle blik langs Nates blote borst gaan, als een kat die een vogel besluipt, een geile grijns om zijn lippen, waardoor Nate zich eenzamer dan ooit voelde.

Zonder zich iets aan te trekken van de parkeerwachten die gebaarden dat hij het veld op moest, reed Doug in volle vaart langs de ingang naar het terrein en sloeg bij de kruising rechtsaf, en vervolgens weer rechtsaf, over de kronkelweg naar de andere kant van het landgoed. Hij had door de jaren heen al heel wat partijen bij de familie Holland meegemaakt en was er vanavond niet voor in de stemming, maar zijn kwestie met Jeffrey kon geen uitstel velen.

Het hele weekeinde had hij gebivakkeerd in een vergaderzaal met de deur op slot en McTeague op de speakerphone om alle uit de duim gezogen transacties een voor een door te nemen, totdat hij tegen zondagnacht alles op een rijtje had: Atlantic Securities, en niet de zogenaamde klanten, had duizenden futures die het bedrijf verplichtten tot de koop van *tracking shares* van Nikkei tegen een prijs die honderden punten hoger lag dan ze nu op de Japanse index stonden. Op dit moment vertegenwoordigden McTeagues posities een verlies van meer dan vijf miljard dollar. Met iedere verdere daling van de Nikkei nam het verlies exponentieel toe.

Voorlopig had Doug de enig mogelijke praktische maatregel genomen: hij had McTeague op zijn post gelaten en bleef voldoende contanten naar hem doorsluizen om de marge te dekken en de posities aan te houden, zodat de verliezen, althans voor het moment, niet werden gerealiseerd. Maar hij kon Holland er niet meer buiten houden. Ten eerste had Finden Holdings nauwelijks nog geld om te lenen aan Atlantic Securities en zou het morgenvroeg al geld van de Union Atlantic nodig hebben. Maar belangrijker nog, ze hadden nu een grens bereikt die Doug niet in zijn eentje wilde passeren. Het opzetten van een onderneming met als enig doel de regulerende beperkingen te omzeilen was tot daar aan toe: de regels werden ontdoken zonder ze direct te schenden. Maar wat Atlantic Securities en de moederbank nu moesten doen om te overleven was iets heel anders: misleiding van de beursautoriteit en een opzettelijk valse voorstelling van het bedrijfsrisico tegenover aandeelhouders en het publiek. Doug wist maar al te goed hoe de hoofdverantwoordelijken zich verdedigden in onderzoeken naar dergelijke zaken. Ze deden wat Lay had gedaan bij Enron: veinzen niets te weten van operationele details. Af en toe een formaliteit omzeilen mocht dan impliciet onderdeel zijn geweest van Dougs baan bij Speciale Projecten, maar hij was niet van plan Holland dommetje te laten spelen bij een actie van deze omvang.

Toen hij de lichten van het feest door de bomen heen zag, hield hij stil aan de kant van de weg. Nadat hij nog geen twintig meter langs het hek had gelopen, zag hij toen hij een blik naar links wierp een hoge jeneverbeshaag die hem merkwaardig bekend voorkwam, bijna alsof hij erover had gedroomd. Toen hij dichterbij kwam, herkende hij het gat in de struiken en de oprijlaan van wit grind. Het was het huis van de familie Gammond, waar zijn moeder altijd schoonmaakte en hij haar 's middags ophaalde. De bakstenen gevel was kleiner dan hij zich herinnerde en de luiken waren niet meer donkergroen maar wit geschilderd. Hij was nog nooit vanuit deze richting bij de Hollands aangekomen en had niet geweten dat dit huis er zo dichtbij lag.

Bij de aanblik hield hij abrupt de pas in. Terwijl hij zich de oude dame met haar jaden halssnoer voor de geest haalde, kwam er een moment bij hem boven waaraan hij in jaren niet had gedacht, een gesprek dat ze met elkaar hadden gevoerd tijdens de laatste keer dat hij hier was gekomen.

Zij had hem, zoals altijd, gevraagd hoe het ging op school, maar in plaats van zijn gebruikelijke korte antwoord had hij haar verteld wat hij nog niet aan zijn moeder had durven vertellen omdat hij niet wist hoe: dat hij wegging om bij de marine te gaan. Niemand anders had het geweten, behalve de rekruteringsman, zelfs zijn neef Michael niet. Hij had de oude dame willen overbluffen, haar willen laten zien dat hij meer was dan de zoon van haar werkster. Maar ze was allerminst verrast geweest. 'Goed zo,' had ze gezegd. 'Mijn vader was admiraal, commandant van de Tweede Vloot tijdens de oorlog. Hij had altijd enorm veel respect voor gewone matrozen.'

Een plantschopje in haar gehandschoende hand, de huid van haar gebruinde gezicht vol fijne, getaande rimpeltjes, die zware stenen met daartussen de zilveren ringetjes om haar hals.

Waarom had ze hem niet verraden, vroeg hij zich nu af. Toen zijn moeder zich bij hen voegde, had mevrouw Gammond niets gezegd, haar niet gefeliciteerd noch een terloopse opmerking gemaakt, alsof ze had geweten dat het nieuws een geheim was. Ze had alleen maar geglimlacht en gedag gewuifd.

Maar wat deed het ertoe? Mevrouw Gammond was toen al op leeftijd geweest en inmiddels moest ze dood en begraven zijn.

Hij liep de straat verder af, een gat in het hek zoekend. Hij stapte het terrein op en beende door het hoge gras in de richting van het huis.

Vanuit zijn ooghoek zag hij in het schemerduister een gedaante snel op zich afkomen.

'Staan blijven daar,' riep de man, 'u kunt er niet van deze kant in.' Hij ging pal voor Doug staan om hem de weg te versperren, met zijn hele één meter negentig in pak, compleet met oortelefoontje en vlaggenspeld op zijn revers.

'Uit de weg,' zei Doug.

'Dit is een privéfeest, meneer, wilt u...'

'Ik betaal je verdomme!' schreeuwde hij, terwijl hij zich langs de gorilla drong.


Hij trof Holland aan toen die met een kristallen whiskyglas in de hand de treden van het terras afkwam.

'We hebben een probleem,' zei Doug. 'We moeten praten.'

'Nou, jee, dat is me nog eens nieuws. Ik ben er de hele ochtend mee bezig geweest. Die verdómde Bernie Ebbers. Hoeveel hebben we die kerel geleend? En nu zit die uitslover Spitzer ons achter de vodden. Alsof we de eerste mensen op aarde zijn die hun klanten een dienst bewijzen? Hij is goddomme een politicus, hij bewijst diensten voor de kost. Maar nee hoor, het feest op de markt is voorbij, ja? En de mensen zoeken hun zondebokken. Het scenario is zo oud als Teddy Roosevelt, en met een beetje geluk even tandeloos. Maar zij zullen geld willen zien en dat is nou net wat wij op dit moment niet hebben, dankzij jou.' Hij leegde zijn glas. 'Dus inderdaad, je hebt gelijk, we hebben een probleem.'

'Laten we naar binnen gaan.'

Met hangende schouders liep Holland de treden weer op en ging Doug voor de hal door naar zijn studeerkamer. Doug sloot de deur achter hen en leunde er met zijn rug tegenaan.

'We zitten in de moeilijkheden,' zei hij. 'Dieper dan we denken.'

Toen Doug uitlegde wat McTeague had gedaan, ging Hollands hoofd naar voren en naar achteren, alsof hij op zijn neus werd getikt door een bokser. Toen het weer naar voren zonk, hing zijn mond half-open en leek hij versuft.

'Nee,' zei hij, met zijn hoofd schuddend. 'Nee.'

Op dat moment bewoog de deurkruk in Dougs lende, en hij deed een stap opzij en zag Glenda binnenkomen. Ze droeg een rode, zijden jurk met blauwe parelknoopjes en op haar borst een diamanten broche.

De Adderall die ze had ingenomen na haar korte slaap had haar in combinatie met de drank de geheel nieuwe gewaarwording verschaft dronken maar tegelijk uiterst efficiënt te zijn.

'Hallo, Doug,' zei ze, onvast op haar benen. 'Hoe is het met je? Wat vervelend voor je, die beslissing van rechter Cushman. Maar Charlotte en jij komen er toch wel uit? Kom Jeffrey, je moet mee. Is je opgevallen dat we driehonderd gasten in de tuin hebben? Kom mee, kom met me mee.'

Ze gebaarde met haar wijsvinger zoals een ouder tegen een kind.

'Waar is Lauren verdomme?' vroeg Holland aan niemand in het bijzonder, en zeker niet aan zijn vrouw.

'Ze doet haar werk, schat. Het is tijd dat jij jouw werk gaat doen. Kom mee.'

'Jezus, Glenda,' zei hij. 'Hou je even in, wil je? Ik kom over tien minuten. Ga jij nou en zie maar wat je doet. En hou in godsnaam op met drinken.'

Glenda keerde zich naar Doug en glimlachte. 'Heel leuk je te zien,' zei ze. 'Wat ben je toch knap. En mijn echtgenoot houdt je helemaal voor zichzelf.' Ze legde haar slappe, zwetende hand op zijn pols. 'Wees eens lief. Kom met hem naar het feest, wil je?'

Als een luxewagen met een te grote draaicirkel kostte het haar enige moeite om door de deur te laveren, die Doug achter haar dichtdeed.

Aan de andere kant van de kamer stond Holland met zijn rug naar de erker, zijn gezicht doodsbleek, al zijn poeha verdwenen. Hij kon kwaadheid voorwenden over WorldCom, Spitzer en alle andere moeilijkheden; hij kon er zelfs van genieten, zoals ze hem het aanzien van een belegerde aanvoerder gaven, in de geruststellende wetenschap dat de bank uiteindelijk een paar afschrijvingen zou nemen en verder gaan. Bedrijven met opgeblazen aandelenkoersen konden zo nu en dan omvallen, maar iedereen wist dat de grootste banken gewoon bleven doorgaan.

'We geven McTeague aan,' zei hij, terwijl hij overtuigend probeerde te klinken. 'Dat ga jij doen. We ontslaan hem, liquideren zijn posities en geven een verklaring af.'

'Ben je gek geworden? Dan verliezen we in één klap de helft van ons eigen vermogen. Onze klanten zouden maken dat ze wegkwamen. Om nog maar te zwijgen over de crisis die kan ontstaan. Je denkt niet helder. Het gaat om overleven. En niet alleen van dit bedrijf. Jij hebt daarin een verantwoordelijkheid.'

'Hoe durf jij het goddomme te hebben over verantwoordelijkheid?'

'Kom op, Jeffrey. Ga je het zo spelen? Je handen in de lucht gooien, een goedkoop ethisch shot scoren en de volgende drie jaar kwijt zijn aan juridische procedures.'

'Is dat een dreigement?'

'Doe niet zo belachelijk. Het punt is dat je je laat kleinkrijgen door de situatie. Dat hoeft niet.'

'O, nee? En wat stel jij dan voor?'

Doug had hem nog nooit zo bang gezien. Bijna alles wat Jeffrey had bereikt in het leven was opgeweld uit de bodemloze put van zijn zelfvertrouwen, een grote sociale vaardigheid die iedereen in zijn kring het gevoel gaf deel uit te maken van het succesvolle en winnende team. De gedachte aan een mislukking van deze omvang ontnam hem zijn basis.

'We blijven hem voorlopig geld fourneren,' zei Doug. 'We houden de posities uit onze boeken, op zijn nepklanten. En we wachten af. Verkopen wat en wanneer we maar kunnen en wachten tot de rest weer ten goede keert. We laten ons niet gek maken. Dat doen we niet.'

'Dat is je plan? De hele bank inzetten op dubbel of niets en verder het beste er maar van hopen? Ik had meer verwacht van een sluwe kop als jij.'

'Heb jij een beter idee?'

'Fraude. Dat is de oplossing? Jij stelt voor dat we fraude plegen? Je wilt dat ik bij de aandeelhoudersvergadering opsta en aan al het andere prachtige nieuws toevoeg dat bij de afdeling Buitenlandse Operaties alles koek en ei is?'

'Jij bent aan zet,' zei Doug, terwijl hij naar de boekenkast liep. 'We kunnen verkopen. Ik kan Hongkong nu bellen. Als je geluk hebt, kun je met pensioen met een fractie van wat je hebt en ga je de geschiedenis in als die kerel die een succesvol bedrijf opbouwde en dat kapot liet gaan. En als ze eenmaal beginnen met spitten en rapporteren en doorgronden wat er werkelijk is gebeurd – en dat gaan ze doen – zullen de aandeelhouders je toch wel voor de rechter slepen, en misschien de Fed ook wel. Dat is één optie: het eerlijk spelen. Maar dat is niet het soort advies waarvoor je mij hebt ingehuurd. Ik ben hier omdat je wilde winnen.'

Doug haalde een oud, in leer gebonden boek met de memoires van De Gaulle uit de kast en ontdekte dat de pagina's nog niet waren opengesneden.

'Weet je waar ik de laatste tijd aan denk?' zei hij.

'Ik huiver bij de gedachte alleen al,' zei Holland.

'Hoe de dingen veranderen. Het oude convenant. Tussen overheid, bedrijven, de pers. De gedragscode waarnaar iedereen handelt. De meeste mensen hebben er een vage notie van. Ze voelen een soort onderstroom en zijn er bang voor. Maar ze zien niet hoe fundamenteel deze verandering is. Ze zien het niet omdat ze het te druk hebben met overleven of met klagen over dat stukje oude zekerheden dat zij toevallig verliezen. Dus worden ze sentimenteel, wensen dat het tij niet opkomt. Althans dat doen de verliezers. Jij kunt dat ook doen. Of je kunt erkennen waar we altijd op uit zijn geweest. En dan kun je je richten op het grotere plaatje.'

'En dat is?'

'Invloed. Macht over de informatie. Controle. Iets dat uitstijgt boven regels of goede smaak. De meer permanente instincten. Je weet waar ik het over heb. Je geilt er zelfs op. Het zint jou alleen niet hoe het eruitziet.'

'Je bent een mooie, jij. Werkelijk waar.'

'Denk je dat je dit allemaal voor niks krijgt?' zei Doug, met een gebaar naar de schilderijen en het antieke meubilair.

'Wie denk je verdomme wel dat je bent? Voor niks? Ik verkocht al leningen voordat jij werd geboren.'

'Tuurlijk. En elk jaar steeg de rente, nietwaar? Er kwamen overheidslimieten en je kon vijfentwintig procent rekenen op de kredietkaart van Jan Modaal en hem aan jou laten betalen voor het privilege dat jij zijn geld mag beheren.'

'Wat krijgen we nou? Ben je ineens een socialist geworden?'

'Ik ben niets,' zei Doug. 'Ik zeg alleen maar dat je pakt wat je pakken kan. Zo ben je ook gekomen aan wat je hebt.'

'Ja, met één verschil. Het was legaal.'

Doug glimlachte, leunend tegen de boekenkast. 'Dat klopt,' zei hij. 'En de onderdanen hebben ingestemd en alles is oké in de harten van het volk.'

Holland zeeg neer op de bank in het venster, zijn kribbige onrust uitgeraasd. Terwijl hij staarde over het donker geworden veld waar Doug vandaan was gekomen, luisterden ze beiden naar het geluid van trompetten uit de tent buiten, hun hoge, stralende tonen stijgend op de nachtlucht.

Daarvoor, toen Charlotte en Henry bij het hek arriveerden, werden ze geconfronteerd met de uitdrukkingsloze gezichten van de bewakers.

*Laat je niets wijsmaken,* fluisterde Wilkie. *Ze zijn hier niet om je te beschermen. En ik weet wat je denkt: dat ik overal complotten zie. Maar vergeet niet, ze zeiden dat ik paranoïde was, dat ik die hele samenzwering tegen mijn leven had verzonnen, maar je weet dat de* FBI *me heeft afgeluisterd, dat ze alles wat er gebeurde in de Broederschap in de gaten hebben gehouden, en dan moet ik geloven dat jouw blanke regering niet wist dat gewapende mannen me bij de zaal opwachtten om me te vermoorden? Je was arrogant, Charlotte. Je hebt een van hun soort tegen je in het harnas gejaagd. Wacht maar af,* zei hij. *Ze zullen je je beschermers afpakken.*

En dat deden ze: ze eisten dat de honden aan een boom werden gebonden. Dieren niet toegestaan. Ze zouden genoeg water krijgen, zeiden ze, want de grootste kleerkast van de twee beweerde dat hij een dierenliefhebber was.

*Je gaat naar Sodom en laat je dominee aan het hek vastgebonden achter?* vroeg Sam wanhopig, zijn opgeblazen kop onder het zweet. *Gods genade mag dan oneindig zijn, vrouw, maar denken dat Hij ons helpt in onze strijd tegen de zonde zonder dat wij vragen en schreeuwen en huilen om Zijn hulp, denken dat God ons verlost zonder dat wij ooit tijd vrijmaken om te werken aan onze eigen verlossing. Wat voor reden hebben we om dat soort dingen te geloven? God staat op slechte voet met je. Hij bezoekt je niet met Zijn grote vertroostingen. Wat je ook denkt over je overwinning, alle dingen zijn tegen je; de dingen die je Welzijn lijken te dienen, Verstrikken alleen maar, Vergiftigen je alleen maar, brengen je alleen maar Verder van God.*

God is een personage, dacht Charlotte, terwijl ze de riemen aan de mannen overhandigde. Een doorwrocht personage in een doorwrocht boek.

En Henry en zij liepen verder heuvelopwaarts, terwijl de stemmen van de dominees achter hen wegstierven.

Nog maar drie dagen tevoren, nadat de rechtbank voor iedereen hoorbaar haar gelijk had verkondigd, had ze Henry meegenomen op een wandeling naar de boomkwekerij om jonge boompjes uit te zoeken die ze zou planten als de villa eenmaal was gesloopt. Maar hij kon slechts een nauwelijks verhulde teleurstelling over de uitkomst

193

opbrengen, alsof de twee hectaren die weer toevielen aan hun grondbezit en aan de natuur eerder een last dan een triomf waren. Maar de
grootste teleurstelling waren Sam en Wilkie. Het hele voorjaar had
ze zich getroost met de gedachte dat de honden tot bedaren zouden
komen als de spanning van de rechtszaak eenmaal voorbij was. Ze
had zich immers net zo goed voor hen als voor zichzelf zo fel tegen de
inbreuk verzet.

In plaats daarvan scholden ze haar nu voortdurend de huid vol,
sloegen verraderlijke taal uit en wezen haar erop dat de hoogte en dik-
te van je stadswallen er in een belegeringsoorlog niet toe deden als de
spionnen van de vijand erbinnen waren.

En dus moest Charlotte, op het moment dat ze dacht dat ze eindelijk haar oog op de toekomst kon richten, weer terugvallen op herinneringen om zich te verdedigen: hoe stil het in het bos was geweest,
bijvoorbeeld op een namiddag in augustus, als de donderkoppen sa-
menpakten in de lucht en je omhoog kon kijken langs de altijdgroene
bomen en de berken, waar tegen de stofgrijze lucht de zwart-met-
oranje vleugels van vlinders dansten in de laatste banen licht, fraaie
schepselen van een uur die ze misschien nooit meer zou zien.

*– dan op de kust*
*Van de wijde wereld sta ik alleen en denk,*
*Tot liefde en roem in het niets verzinken.*

'Ze waren even oud, weet je dat?' zei ze, terwijl Henry bij de dranktent
naar binnen keek.
'Wie?'
'Keats en Eric. Toen ze stierven. Zesentwintig. Keats had natuurlijk
veel meer en veel beter werk geschreven. Maar zo gaat dat. Analogieën
– ze houden je gezelschap.'
'Ik weet niet waarover je het hebt.'
'Nee, dat verwacht ik ook niet.'
'Hierheen,' zei hij, en voerde haar over het pad naar een tweede,
rustigere tent, die gekoeld was en vol rijk gedekte tafels stond. Hij trok
twee stoelen onder de tafel vandaan, zodat ze konden gaan zitten.

'Waarom zijn we in godsnaam hierheen gekomen?'

'Je bent uitgenodigd, weet je nog? Door Glenda Holland.'

'Ach, ja. De vrouw die de ladder achter zich omhoog probeert te trekken. Als ze partij kiest voor mij en het Historisch Genootschap, denkt ze dat haar wansmaak haar op de een of andere manier vergeven wordt.'

'Waarom staat die vrouw zo naar ons te staren?'

'Welke vrouw?'

'Die zwarte vrouw daar,' zei Henry. 'In die beige jurk.'

'Ik heb geen idee,' zei Charlotte.

Ten slotte kwam de vrouw naar hen toe. Kennelijk had ze Henry iets horen verkondigen daar in de moerassen van Florida.

Toen ze was weggegaan, inspecteerde Charlotte het tafelkaartje in haar hand. Het cijfer één was er in een sierlijk handschrift op geschreven. Daar moest een heel fijne pen voor zijn gebruikt, dacht ze, waarbij de inkt nagenoeg volmaakt door de punt vloeit, zonder in de oneffenheden van het linnenpapier te sijpelen. Een snelle, trefzekere haal. Dit soort tafelkaartjes trof je aan bij bruiloften. En dit soort tafels. Voor Erics familie, die katholiek was, zou de ceremonie belangrijk zijn geweest. Wie zou niet willen dat de bruiloft eruitzag als die van Henry, die dag dat hij met Betsy op het parket had gedanst?

In welke duistere holte van haar geest, vroeg ze zich af, was een dergelijke fantasie blijven leven?

Gasten begonnen binnen te druppelen voor het diner. Een bassdrum klonk van het podium, gevolgd door de heraldische trompettonen, toen de verzamelde muzikanten *Fanfare for the Common Man* aanhieven.

'Ik heb dit altijd wel een mooi stuk gevonden,' zei Henry. 'Weet je nog dat pappie van Copland hield?'

'Kan best.'

'Met de platenspeler in het venster. Buiten op de veranda. Je weet het nog wel.'

Late zondagochtenden met de krant en het ontbijtblad en Charlotte in een van haar blauwe katoenen jurken, en daarna zou haar vader zich weer terugtrekken in zijn studeerkamer en blijven werken. Het eeuwige werk uit naam van het Volk. Het werk van Justitia uitgevoerd met het betrouwbare medium van wet en aanklacht.

Het tweede trompetgeschal eindigde, gevolgd door een maat stilte en daarna weer de lage roffel van slagwerk.

'Het is precies het juiste soort optimisme,' zei Henry. 'Zelfverzekerd zonder de opschepperij.'

'Maar vind je het niet wonderbaarlijk,' zei zij, 'wat context hier vermag. De socialistische homoseksuele emigrant die de New Deal toejuicht. En wat maken ze hier van Copland? Pure bombast. Felicitaties voor piraten.'

'Ik zeg alleen dat het een goed stuk muziek is.'

'Nou, de wereld is beslist simpeler als je dat soort dingen los van elkaar kunt zien. De ene geïsoleerde ervaring na de andere.'

'In godsnaam, kun je niet eens ophouden? Ik had net zo goed niet mee hoeven gaan, weet je. Ik heb niet het gevoel dat je blij bent met mijn gezelschap.'

'Ach, schei uit, Henry, we hoeven niet terug naar vroeger. We spelen geen vadertje en moedertje. Ik zeg die dingen omdat ik denk dat je ze begrijpt en de meeste mensen doen dat niet. Het spijt me als het klinkt als kritiek. Het is gewoon conversatie, wat mij betreft. Ik weet dat je me wilt helpen. Dat waardeer ik ook.'

'Waarom zeg je me dan niet wat er aan de hand is?'

'Hoe bedoel je? We hebben gewonnen. Het recht heeft zijn werk gedaan. Ik zou zo denken dat dat jou enige voldoening geeft.'

'Ik bedoel niet het stuk land.' Hij zag een paar bekende gezichten – de baas van State Street, de baas van Credit Suisse – met hun vrouwen de tent in komen. 'Hoe moet ik het zeggen? Je bent mijn zus.'

'Aha. Ik begrijp het. Je denkt dat ik gek aan het worden ben.'

'Dat heb ik niet gezegd.'

'Dat hoefde ook niet. Je bedoelde het.'

'Je eet nauwelijks nog,' zei hij. 'En zoals je tegen die dieren van je praat.'

'Ik wist dat het daarop zou uitlopen: de oude dame en haar huisdieren. Maar de wereld is groter dan je denkt, Henry. Altijd geweest.'

'Waarmee je wilt zeggen?'

'Denk je dat Betsy helemaal dood is?'

'Charlotte, alsjeblieft. Toon wat respect voor die vrouw.'

'Dat is nu precies wat ik doe. Ik praat niet over geesten. Ik zeg dat ze niet helemaal is heengegaan. Niet in jou.'

'Natuurlijk niet. Ik heb herinneringen, net als ieder ander. Maar zoals ze altijd zeiden op het college: dat is in ontologische zin onbeduidend. Maar afgezien daarvan, ze heeft niets te maken met je honden.'

'Nou, zie je wel. Je vraagt me wat er aan de hand is, maar je wilt het eigenlijk niet weten. Alleen als je het al begrijpt. Dat komt tegenwoordig veel voor: jouw soort zekerheid.'

'Schei toch uit. Maak er nou geen politiek van.'

'Zoals ik zei: de wereld is veel simpeler als je dingen zo van elkaar gescheiden kunt houden. Geschiedenis is om die reden wat problematisch voor jou, maar anderzijds, wie ben ik om de wijsheid van onze tijd in twijfel te trekken? Je zult vast efficiënt zijn.'

Gasten, toegewezen aan de tafel waar zij tweeën waren neergestreken, begonnen hun plaatsen in te nemen, voorzichtig glimlachend naar Charlotte en Henry.

'Kom,' zei ze. 'Even doorbijten. Waar zitten we?'

'Tafel één, kennelijk. Ik neem aan dat ze me bij Holland hebben geplaatst.'

'Nou, dan. Tijd om te eten met degenen die je gevangen houden.'

Toen ze naar het midden van de tent liepen, wenkte Holland hen naderbij.

'Henry, ik wil je voorstellen aan Doug Fanning, hoofd Buitenlandse Operaties en Speciale Projecten. Hij heeft hier de leiding over alles. Doug, dit is Henry Graves, president van de New York Fed.'

Een moment lang keken de twee elkaar vol ongeloof aan. Henry zag zijn eigen schok weerspiegeld in het gezicht van Doug, die grote ogen opzette van verbazing.

'Kennen jullie elkaar?'

Voordat een van beiden kon antwoorden verscheen Glenda met Charlotte aan haar arm en gaf vervolgens Henry een por in zijn zij.

'Mijn man is zo'n enorme ezel. Natuurlijk kennen ze elkaar, schat.

Doug en Charlotte zijn buren. Luister je nou nooit als ik iets zeg? Goed,' zei ze, terwijl ze de stoel naast die van Doug naar achteren trok. 'Jij zit hier, Charlotte. Ik heb jullie twee naast elkaar gezet, zodat jullie eens lekker lang kunnen praten. Als je meneer Fanning beter leert kennen, zul je zien dat hij een absolute schat is. En het is een feit, Doug, dat jouw huis wel een beetje lelijk is. Maar daar valt best iets aan te doen met een goede heg.'

Voordat Henry tussenbeide kon komen, greep Glenda hem bij de arm en leidde hem rond naar de andere kant van de kring.

Tijdens het hele saladegerecht en het eerste glas wijn zaten Doug en Charlotte zwijgend naast elkaar, terwijl de gesprekken om hen heen steeds luider werden. Nadat Doug van Holland had gekregen wat hij wilde – mondelinge goedkeuring in elk geval – wilde hij vertrekken, maar Glenda was teruggekomen om hem en Jeffrey de tuin in te sleuren.

Fantastisch, dacht Doug, wat absoluut fantastisch dat de broer van Charlotte Graves de president van de New York Fed was, gekozen door een clubje collega's, voor de helft van zijn alma mater ongetwijfeld. Kon het gevestigder? Dat was de verklaring van haar hybris: ze zag zich als hoedster van orde en fatsoen.

Vóór die poppenkast in de rechtbank was ze irritant geweest. Nu was ze een probleem. De uitspraak van rechter Cushman moest worden aangevochten. Doug had al met Mikey gesproken over hun strategie. Afgaande op het archief was de Graves Stichting een financiële puinhoop. Ze zouden de liefdadigheidsinstelling aanpakken. Als ze daar de poten onder konden wegzagen, zou haar hele argument ineenstorten. Maar ze moesten sneller over documentatie beschikken dan zij die ooit kon verschaffen.

'Zo!' zei ze, zich richtend tot de zilvergekleurde rozen midden op de tafel, vlak nadat hun borden waren gearriveerd. 'Waar denkt u komende september naartoe te gaan? Een buurstaat misschien?'

Terwijl Doug zijn tweede glas wijn leegde, pakte hij zijn vork, zich afvragend hoe snel ze leeg zou bloeden na een steek in het hart.

'U was toch lerares op een school, niet?'

'Dat gaat u niet aan. Maar ja, dat klopt.'

'Is er verplichte pensionering tegenwoordig? Of moest u weg om een andere reden?'

'Ongelofelijk, meneer Fanning, dat iemand zo doorzichtig als u kan zijn. Je stelt je voor dat volwassenheid gepaard gaat met enige complexiteit. U heeft een van uw loopjongens de plaatselijke krant laten naslaan, nietwaar? Gehoord van mijn beproevingen. Hoe dapper van u. Misschien weet u dan ook dat mijn vak geschiedenis is. De meesten van mijn collega's en ook de leerboeken, trouwens, presenteerden het materiaal alsof het een eenvoudige kroniek was, een soort nieuwsuitzending die de jongeren in hapklare brokken werd voorgezet, waarom weet tegenwoordig eigenlijk niemand, behalve als panacee die zegt dat we ons niet moeten herhalen. Maar dat was niet mijn aanpak. Ik was een beetje eigenzinniger. Ik durfde te stellen dat bepaalde ontwikkelingen in de menselijke samenleving beter of gevaarlijker of slechter waren dan andere, en dan heb ik het niet over de gebruikelijke twintigste-eeuwse gruwelen, het soort dat je er gratis bij krijgt. Dan heb ik het over mensen als u. De zakkenvullers. De voorvechters van het kapitalisme die de leegverkoop van de menselijke vooruitgang toejuichen. Gegeven het feit dat uw soort op dit moment alomtegenwoordig is, verbaast het u dan dat ze me eruit hebben gegooid?'

Doug haalde adem om zich te beheersen en zei: 'Ik doe zomaar een gok en zeg dat u de familie Gammonds wel gekend zult hebben.'

'Herb en Ginger?' zei ze. 'Natuurlijk. Het waren aardige mensen. Hebt u hun land dan ook gekocht?'

'Nee. Ik heb ze gekend als kind. Mijn moeder maakte schoon bij ze.'

'Is dit een grap?'

'Nee. Ik ben opgegroeid in Alden.'

'Aha,' zei ze, terwijl ze zijn gezicht aandachtig opnam en dit nieuwe feit overdacht. 'Ik weet wat u ziet als u naar me kijkt. Een bejaarde hoe-heet-het die schreeuwt: "Niet in míjn achtertuin." Dat vindt u van wat ik doe. Een oud wijf dat d'r bomen terug wil. En dat wil ik ook. Maar ik moet me uitspreken waar ik kan. U zult me wel niet geloven als ik zeg dat het niet persoonlijk is, maar dat is het niet. Ik zal inderdaad de vrijheid hebben genomen u als een schurk te beschouwen, maar heus, u als persoon veracht ik niet. Misschien bent u wel een democraat, je weet maar nooit. Het enige wat ik haat, is waar u voor staat. En ik ben niet zo naïef te denken dat het achterliggende probleem is opgelost wanneer ik u van dat land heb gekregen, maar dát heb ik dan tenminste gedaan.

Ik vraag me af, meneer Fanning. Als u een soldaat in zijn eentje tegen een leger ziet vechten, wat vindt u dan van hem? Dat hij gek is? Of dat hij eenvoudigweg in zijn zaak gelooft?'

'Geen van beide. Ik zou zeggen dat hij ging verliezen.'

'Juist. Want dat vindt u belangrijker dan wat dan ook, nietwaar? Dominantie. Dat is het kinderlijke plezier waar jullie soort maar geen genoeg van kan krijgen. Jullie nemen je shot gekleed in een pak, maar het blijft een drug. Jullie zijn kwaad. En als mannen als jullie eenmaal hun oorlog beginnen, zullen mensen bij duizenden sterven om hen te genezen van dat gevoel vanbinnen.'

'Volgens mijn ervaring genees je niet echt door te doden.'

Ze hief haar hoofd, haar oor draaiend om een geluid op te vangen boven het feestgedruis uit. 'Hoort u dat?' vroeg ze. 'Hoort u blaffen?'

'U moet één ding begrijpen,' zei hij. 'U hebt niets gewonnen. U hebt alleen nog niet verloren.'

'Wat hebben ze met ze gedaan?' schreeuwde ze, terwijl ze van tafel opstond, uit alle macht proberend om een of ander denkbeeldig geluid te horen. 'Henry,' riep ze uit, waardoor de gesprekken aan tafel stilvielen en de bankiers en hun vrouwen beleefd geschrokken naar haar staarden. 'Henry, waar zijn ze?'

Verwezen naar de kindertafel leken Nate en de anderen een eeuwigheid te moeten wachten tot de in vet gesmoorde ham en spareribs eindelijk arriveerden. Ze vielen aan, en binnen de kortste keren waren hun borden leeg en kregen ze een pindakaasparfait met Amerikaanse vlaggetjes op tandenstokers voorgezet.

'Ik kan die muziek niet meer horen,' zei Jason. 'We moeten hier wegwezen.' Hij stond op zonder zijn stoel naar achteren te schuiven, waardoor zijn knieën tegen de onderkant van de tafel stootten en er diverse glazen water omsloegen voordat hij op zijn stoel terugviel.

Ten slotte kwamen ze in actie en gingen naar buiten door de kokendhete keukentent, langs een zwerm kleine, donkere mensen die half opgegeten maaltijden in overvolle vuilnisbakken schraapten, terwijl de grotere zwarte obers uitdrukkingsloos naar de punt van hun sigaret staarden en de ploegbaas de kurken van de champagne liet knallen. 'Op de bladen!' riep hij, terwijl het viertal door een opening langs vaten met smeltend ijs glipte.

'Het is hier buiten warmer dan in de jungle,' zei Hal.

Toen ze een bewaker in zijn hemdsmouwen bij het hek zagen slenteren, verlegden ze hun koers naar rechts in de richting van de bomen voor het huis. Op dat moment hoorden ze gegrom en gerammel van kettingen. Jason sprong opzij en viel in een rozenperk.

'Honden,' zei Hal.

Toen ze erop afliepen, herkende Nate Wilkie en Sam. 'Raar,' zei hij. 'Van m'n bijles.'

'Dat is heftig. Wat leer je van ze?'

Hun bakken waren leeg en ze keken met droeve staarogen op naar Nate.

Terwijl de anderen wegslenterden, maakte hij hun riem los en joeg het tweetal het terras op en het huis in. Naast de keuken bevond zich een soort kattenkamer met vloerbedekking op de wanden, rieten manden en in een hoek een woud van bungelende touwtjes. Veel te groot voor een kattenoord als dit struinden Wilkie en Sam er rond als vandalen in een kinderkamer en veegden met hun dikke koppen teakhouten borstels en gevoerde halsbanden van vensterbanken, terwijl Sam met een ongeduldige hengst van zijn kaak touwtjes van de mobile rukte.

'Even dimmen daar,' zei Nate, terwijl hij de kasten met blikjes zalm en medicijnen nazocht op iets stevigers. Toen hij niets vond, opende hij zoveel blikjes als hij maar kon boven de minikommetjes, voordat de honden hem opzij duwden om bij hun eten te komen. Hij pakte water voor ze en ging even op de stoel in de hoek zitten toekijken hoe hun glimmende tongen het staal schoonlikten.

En toen gingen hun koppen weer omhoog, hun ogen nog steeds vol hoop.

'Dat was het, jongens. Sorry.'

Ze snuffelden aan de kattenmandjes, op zoek naar de bewoners ervan.

'Hier blijven, oké? Gewoon blijven.'

Hij trok de deur half open en liep door de keuken terug naar de voorhal, zich afvragend waar mevrouw Graves was. Hier en daar hadden gasten op fraaie stoelen en banken hun toevlucht gezocht voor de hitte en de menigte: een ouder stel zat rechtop te doezelen op een chaise longue, een Japanse zakenman in een strak zittend, zwart pak tikte verwoed op zijn blackberry, terwijl een halve meter achter hem een broodmagere vrouw in een zijden jurk vol zweetplekken stond te mijmeren bij een schilderij boven de open haard.

Nate ging de trap op en bleef staan op de eerste overloop, vanwaar drie gangen naar verschillende vleugels van het huis voerden, alle drie in een andere kleur, één beige, één lichtblauw en één donkerrood. Waarschijnlijk hadden de anderen zich teruggetrokken op de tweede verdieping in Jasons kamer, wat alleen maar nog meer halen aan de bong en gekat kon betekenen, een weinig aantrekkelijk vooruitzicht nu zijn retina's zo heftig meeklopten met zijn hartslag.

Toen hij daar op de overloop even stilstond, voelde hij hoe hij langzaam naar het behang van de blauwe gang getrokken werd. Kleine indigo diamanten op een azuurblauwe achtergrond omgeven door piepkleine gouden sterretjes, elk op zijn beurt weer omringd door een zilveren stralenkrans, een patroon dat niet werd onderbroken door schilderijlijsten of lichtarmaturen, alsof de inrichting van deze specifieke vleugel nog niet was voltooid.

Van dichtbij zag hij nog een patroon eronder, contouren in reliëf op het papier zelf: zeshoeken binnen achthoeken binnen cirkels die zelf weer gevormd waren uit achtvormige figuren van elk niet meer dan tweeënhalve centimeter breed, en deze contour in een reliëf dat duizenden malen werd herhaald. Terwijl hij zich van de achtergrond naar de voorgrond en weer terug bewoog, dwaalden zijn ogen van boven naar beneden en van links naar rechts, tevergeefs op zoek naar een rustpunt, naar iets om te begrijpen of analyseren, maar hij vond niets, geen grotere centrale figuur of betekenis, waardoor hij het uiteindelijk moest opgeven en het patroon eenvoudigweg ongeconceptualiseerd tot zich moest laten komen, het geheel onbegrepen, wat na enkele ogenblikken een merkwaardig aangename gewaarwording gaf, een soort bevrijding van de plicht om te begrijpen, en op dat moment deed hij een stap naar voren waardoor hij alle zijwaartse overzicht verloor, zoals hij zich in zijn kindertijd had verloren in de eindeloze zigzag van het pied-de-pouleruitje van zijn vaders overjas, terwijl hij half slapend van de achterbank van de auto naar zijn slaapkamer werd gebracht, gedrukt tegen die eindeloze herhaling. Een plotselinge herinnering die hij nu als sentimenteel afdeed. Waarmee hij zelfmedelijden afdekte met zelfbestraffing, alle twee even vals, alle twee muren opgeworpen om het zicht te ontnemen op iets dat hopeloos veel kolossaler was.

Hij liep verder de gang in en kwam bij de openstaande deur van een slaapkamer in nautische stijl, met kobaltblauwe gordijnen, een marineblauwe sprei en in een glazen doos op een tafel tussen de vensters een replica van een oude oceaanstomer. Hij pakte de draadloze telefoon van het nachtkastje en draaide een nummer.

Zoals altijd ging hij drie keer over voordat zijn moeder opnam, waarbij haar stem enigszins steeg op de laatste lettergreep van het 'Hallo?'.

'Met mij,' zei hij. 'Ik ben bij Jason. Dat heb ik je toch gezegd, hè? Zijn moeder geeft dat feest.'

'O ja? Mooi. Heb je iets te eten gekregen?'

'Ja. Ze hebben tenten laten opzetten en zo. Ga je naar het vuurwerk kijken?'

'O, waarschijnlijk zet ik straks de televisie aan. Ze zullen wel gauw beginnen. Het is er een goede avond voor.'

'Sorry.'

'Waarvoor?'

'Dat ik er niet ben.'

'Doe niet zo gek. Ik moet de krant nog uitlezen. Er staat een prachtig stuk in over walrussen, met de wonderbaarlijkste foto's. Wat zien die dieren er raar uit, en ze zingen van die ongelooflijke liedjes voor elkaar. Ik knip het voor je uit.'

'Als je wilt kom ik naar huis.'

'Nate, doe niet zo gek. Het gaat prima met me. Blijf je vannacht logeren?'

'Misschien.'

'Nou, veel plezier dan.'

'Heb je de airconditioning aangezet?'

'Ach, nee, die maakt zoveel lawaai. Ik heb een hekel aan dat geluid. Ik heb de ramen openstaan en er is een briesje.'

'Mam, je moet hem aanzetten. Het is smoorheet.'

'Het koelt wel af.'

'Tja... Ik zie je morgen?'

'Goed. Welterusten, schat.'

Hij plaatste de telefoon weer in de houder, zich plotseling bewust van de stilte.

'Nate? Wat doe jij hier?'

Hij keerde zich verbaasd om en zag Doug, die al halverwege de kamer was.

'Jason Holland,' sputterde hij ten slotte. 'Dat is een vriend van mij.'

'Jezus. Wat een gekkenhuis dit feest. Waar heeft Glenda in godsnaam de toiletten gelaten? Ik heb overal gezocht.'

'Daar is er een,' zei Nate, terwijl hij naar de andere kant van de kamer wees.

Toen Doug naar binnen was gegaan, stond Nate instinctief op om de deur naar de gang te sluiten; zijn hart sloeg op hol en hij stelde zich voor wat er zou gebeuren als Jason of een van de anderen nu hier naar binnen zou struinen. Geleidelijk kreeg hij zijn adem weer onder controle. Hij stopte zijn overhemd in zijn korte broek en ging met zijn hand door zijn haar, wensend dat hij had kunnen douchen na het zwemmen en het gedol in de tuin met de honden. In de spiegel zag de verfrommelde stof bij zijn middel er raar uit, dus haalde hij zijn overhemd weer uit zijn broek en probeerde die omlaag te trekken langs zijn heupen.

Toen Doug weer de kamer in kwam, zag Nate dat hij bleek was, alsof hij niet had geslapen. Vreemd genoeg leek de uitputting een laag van zijn gebruikelijke onverschilligheid van zijn gezicht gehaald te hebben.

'Dus jij kent de Hollands?'

'Klopt,' antwoordde Doug. 'Ik ken ze.'

'Ik ben een paar maal bij je langs geweest. Was je weg?'

'Ik heb het druk gehad.'

De opwinding weer alleen met hem in een kamer te zijn leek al het andere te verdrijven. Wat gaf het als iemand kwam aankloppen? Dit – wat er tussen hen was –, dit ging om wat ze wilden. Niet om wie de begeerte van hen maakte.

In een poging zijn erectie te verbergen ging Nate op de rand van het bed zitten.

Ondertussen stond Doug de replica van de oceaanstomer te bekijken.

Het was de s s Normandie. Iets meer dan driehonderd meter lang, volgens de koperen plaquette. Zo lang als een vliegdekschip, met eenzelfde diepgang en waarschijnlijk even snel, dertig knopen of zo, compleet met balzalen en luxesuites. Wat een stijlvol en elegant silhouet had ze, iets voor op ansichtkaarten. In de haven in de Hudson gekapseisd, als Doug het zich goed herinnerde, en als schroot verkocht.

'Glenda is geschift,' merkte hij op. 'Ze denkt dat ze een soort hertogin is.'

'Mevrouw Holland? Klopt. Ze is ook een getikte kokkin.'

'Laat me eens raden. Je bent zo stoned als een garnaal.'

'Nee... ik bedoel, niet echt. We hebben wat gerookt, maar...'

'Je moet wat voor me doen,' zei hij, terwijl hij de fijne draad bestudeerde die tot een miniatuurstukje touw was gevlochten dat in een tros lag opgerold op het voordek van het schip. 'In het huis van de oude dame. Daar liggen papieren, documenten, massa's, denk ik. Ik wil alles hebben wat je maar kunt vinden over de zaak. Wil je dat voor me doen?'

'Ik dacht dat het voorbij was.'

'Nee. We zijn alleen maar in een nieuwe fase beland.'

Hij kwam voor Nate staan. Een paar weken tevoren had hij er zelfs in toegestemd om met het joch naar de film te gaan, ook al wist hij dat hij daarmee nog meer voeding zou geven aan diens verbeelding over hen tweeën als stel. Nate had zich opgedoft in een geperste zwartkatoenen broek en gestreken overhemd, en hij had zelfs zijn schoenen gepoetst.

Wat een onschuld, dacht hij.

Hij keek op naar Doug met zoveel prille hoop.

'Wat wil je van me?' vroeg Doug. 'Wil je dat ik je naai?'

Nate bloosde. 'Waarom doe je zo grof?'

'Dat wil je toch. Ja?'

Toen hij overeind probeerde te komen, zette Doug een hand op zijn schouder en duwde hem terug, en hij draaide zich om met zijn gezicht naar de muur. Bij het zien van het profiel van het joch bedacht Doug hoe gemakkelijk hij het hoofd in zijn handen kon nemen en hem met een snelle ruk aan de nek doden.

'Ik zweer bij God,' had Vrieger ooit tegen hem gezegd, 'dat ik wilde dat ik al die passagiers stuk voor stuk had doodgestoken. Dan wist ik tenminste wat we ze hadden aangedaan.'

'Je denkt dat ik stom ben,' zei Nate. 'Alleen omdat ik naar je huis blijf komen, denk je dat je alles maar van me kunt vragen. Ik ben niet zo zwak als je denkt. Ik heb al heel wat meegemaakt.'

'Mooi. Maar mijn vraag is: ben je sterk genoeg om me te zeggen wat je wilt? Dat is de test in de echte wereld. Ik heb je gezegd wat ik wilde. Ik wil die papieren.'

Hij legde zijn hand om het achterhoofd van Nate, drukte zijn duim en wijsvinger in de gespannen spieren van diens nek. Langzaam en onwillig leunde Nate voorover en liet zijn hoofd tegen Dougs buik rusten.

'Wat als ik je wil zeggen dat ik van je hou?'

'Jij houdt niet van mij. Ik geef je een stijve, meer niet. Wat prima is. De rest is gedagdroom. Maar maak je geen zorgen,' zei Doug terwijl hij een hand door Nates haar haalde. 'Ik mag je wel.'

'Echt waar?'

'Tuurlijk. Waarom niet?'


Madeliefjes en zijdeplanten en hoog zomergras krasten langs Charlottes enkels en schenen en bleven hangen aan de zoom van haar jurk terwijl overal om haar heen in het veld de krekels en kikkers in eindeloze trillers zongen.

Ze kunnen niet ver weg zijn, dacht ze, hoe ver weg konden de honden zijn gegaan? De lichten van het feest vervaagden aan de rand van het bos.

'Samuel!' riep ze in de duisternis met hier en daar een vuurvliegje. 'Wilkie!'

Muskieten zwermden rond haar hoofd en langs haar blote armen voelde ze de muggen steken. Zelfs de lucht leek te zweten, de poriën van ieder levend wezen stonden wijd open, sap bloedde uit de pijnbomen, de borstelige toppen van de grasstengels barstensvol zaad, de hele warme aarde ademend in de duisternis.

Haar slapen klopten nog steeds van de wegstervende kakofonie van stemmen en muziek. Toen ze met Fanning praatte, had ze zich zo goed mogelijk geconcentreerd, zoals ze altijd probeerde in het bijzijn van anderen, zich vasthoudend aan het teleologische denken, die ooit brede stroom die vloeide voorbij de lacune van de twijfel en willekeurige vervoering. Maar die structurerende argumenten vielen hier weer weg.

Ze ging het bos in en ze strekte haar hand uit naar de gladde bast van een berk.

'Kom hier,' gilde ze naar ze. 'Kom hier.'

Ze kon nauwelijks een hand voor ogen zien, de duisternis nu versmolten als de trage werveling achter een gesloten ooglid.

Waarom zoeken? Zo pedant en moralistisch als Sam en Wilkie waren geworden. Maar zodra ze zich een leven zonder hen voorstelde, werd ze gegrepen door het visioen van eenzaamheid. Voor hun komst was ze bijna genezen van die ziekte. Ze was tevreden in haar afzondering. Haar ziel bleef leven door opflikkeringen van luciditeit, wat af en toe leidde tot gewijde ogenblikken die anders onbetekenend zouden zijn geweest: het ritme van woorden die van een bladzijde zongen, een sonate die maat in gevoel omzette, een landschap op een doek zo vastgelegd dat het een kort respijt bood van de angst voor totale neutraliteit. Dat waren het lichaam en bloed van haar geloof in de wereld. Wat de utilitaristen en de materialisten en de aanhangers van alle vormen van vulgair sciëntisme nooit zouden begrijpen: dat het privilege om in gezelschap van de natuur langs de rivier te wandelen evenveel te danken had aan een geest geoefend door poëzie en schilderkunst – van protestantse kerkliederen of romantische ruimhartigheid – als aan welke finesse van de natuur zelf ook. Je wandelde door het schilderij. Je zag door het gedicht. Verbeelding schiep ervaring, niet alleen materie.

'Wilkie!'

Als ze te ver gingen, kwamen ze misschien bij de weg, waar ze overreden konden worden door een auto of hun poten aan glas konden snijden.

Ergens in de verte hoorde ze een jonge vrouw schreeuwen. Ze keerde om en zag achter zich niets dan duisternis. Plotseling was er een wild gefladder van vleugels en voelde ze de stijve punten van veren langs haar arm strijken, toen een vogel pal naast haar opvloog, een kraai te oordelen naar het gekras terwijl hij omhoogkwam en wegschoot. Ze ging sneller lopen, haar ademhaling weer zwaarder en de rug van haar jurk doorweekt van het zweet. Wortels die uit de grond staken en de lage takken van de dennen maakten het lopen moeilijk. Net toen ze dacht voor zich lichten te zien, voelde ze een scherpe kras in haar been en ging ze naar rechts om die te ontwijken, maar voelde toen een stoot tegen haar pols. Angstig strekte ze haar armen voor zich uit en begon nog sneller te lopen.

De gasten, volgepropt en dronken, waren uiteindelijk naar het grasveld gedirigeerd om het vuurwerk te zien, de rood aangelopen studenten die hun zomerstages hadden onderbroken pakten hun derde of vierde glas champagne, terwijl de buitenlandse investeerders achter hen aan strompelden en tegen zichzelf zeiden dat hoe zwak de dollar ook was of hoe slecht de publieke financiën ook werden beheerd, de States alles overtroffen als het op bezienswaardigheden aankwam. En daar, wankelend op een podiumpje uitkijkend over de vijver, stond een stomdronken Glenda Holland die probeerde de musici te stoppen, die al het openingslargo van de *Ouverture 1812* hadden ingezet.

Hal was, om redenen die hij zich later niet kon herinneren, op zoek naar touw en een schop toen hij ongeveer op dat moment de schakelaar van de garagedeuropener indrukte. De schapen vluchtten in paniek, als uit het abattoir, en waggelden in volle vaart en al blatend de oprijlaan over, alleen om weer ingesloten te raken door de tenten, waar ze stuitten op de achterhoede van de verzamelde menigte, die zich verbijsterd omdraaide naar deze plotselinge uitbraak van landelijkheid. Toen een employé van American International Security een halfautomatisch vuurwapen onder zijn jasje vandaan haalde en dat richtte op de harige, verwaarloosde dieren, schreeuwde een veganistische tweedejaars van Vassar die er dichtbij stond zo hard ze kon 'Terrorist!'. Ze had het woord nog niet geroepen of de champagnefluiten werden weggegooid en vertrapt terwijl de gasten vooraan, onbekend met de aard van de dreiging, plotseling vol afschuw beseften dat hun beslissing om de massa's in de stad te mijden hen niet had gevrijwaard van gevaar, en omdat ze geen andere kant op konden, renden ze de helling af naar het gras en verspreidden zich in de richting van het bos, de vijver en de rijweg. Anderen, dichter bij het incident, gingen gewoon terug naar hun tafel, in het ongewisse over de oorzaak of betekenis van het voorval. Een poosje heerste er lichte chaos. Glenda probeerde wanhopig de bewakers in te lijven als herders, terwijl een paar van de jongere en meer aangeschoten gasten, geamuseerd door de absurditeit ervan, de schapen resten van de pindakaasparfait gingen voeren. De schapen, over hun toeren, begonnen overvloedig te schijten, op het gras, op de dansvloer, op de voeten van uitgeputte feestgangers, die het opnieuw op een gillen zetten, terwijl de stank afgegeven door de walmende hopen zich vermengde met de muffe geur van de machinaal gekoelde tenten, waardoor wat overbleef van het feest wel een boerenerf in het najaar of vroege voorjaar leek.

Toen Nate op het terras verscheen, trof hij een ooi aan die een afvoerpijp loswrikte met het geschuur van haar bolle witte flank.

'Hé jij!' riep een man in een grijs flodderpak uit. 'Heb je mijn zuster gezien?'

'Shit,' zei Nate, die de broer van mevrouw Graves herkende van een van zijn bezoeken aan haar huis. 'Ik ga haar zoeken.'

Het leek een eeuwigheid te kosten om zich door de krioelende menigte te worstelen. Ten slotte wist hij met een omweg bij het parkeerterrein te komen, waar hij haar eindelijk aantrof bij het hek. Ze liep voorovergebogen en met grote moeite. Toen hij haar had bereikt, zag hij vuurrode schrammen over haar armen en benen en langs de zijkant van haar hals.

'Mevrouw Graves, de honden, die zijn binnen. Er is niets mee aan de hand. Het is mijn fout. Ik wilde ze wat te eten geven.'

Tranen welden op in haar ogen, maar haar vriendelijke, gepijnigde lach verdween niet van haar gezicht.

'Deze mensen halen hun ondergroei niet weg,' zei ze. 'Er is daar een akelig stuk met doornstruiken. Een paar uur met de snoeischaar, meer zou ik niet nodig hebben.'

Hij bood haar zijn arm ter ondersteuning en liep langzaam met haar het pad op.

'Wat doe jíj hier in 's hemelsnaam?' vroeg ze. 'Vertel me niet dat je met deze mensen bevriend bent.'

Zodra hij op het gazon een stoel voor Charlotte had gevonden, besteeg mevrouw Holland opnieuw het kleine podium, wuifde met haar armen en riep tegen iedereen die was overgebleven om alstublieft, alstublieft, op te schieten en te kijken. De benevelde gezichten van een paar verstokte feestgangers draaiden net op tijd om de sloep in de vijver te zien exploderen met één donderende knal, waarbij de vlammen van de explosie vijf tot acht meter de lucht in schoten, om vervolgens als brandende benzine terug te druipen in het water en ook op het droge gras, dat meteen vlam vatte.

# Hoofdstuk 14

Het bleef de hele maand juli warm. Op de sportvelden van Finden High oefenden de kinderen van het voetbalkamp van de smoorhete ochtend tot de heiige middag en de naar de zomercursus teruggestuurde ongelukkigen werkten zich in het zweet in dezelfde onbarmhartige klaslokalen die ze het hele jaar door al probeerden te vermijden. De schimmel tierde welig in onvoltooide kelders en in kofferbakken van oude auto's van de ouders, bezaaid met doorweekte badpakken, vochtige handdoeken vol zonnebrandolievlekken en gemorst bier. De vochtigheid dempte zelfs het verkeerslawaai, dat normaal gesproken zou zijn verminderd na het semester, maar in de nasleep van 11 september waren schooluitwisselingen afgezegd en familievakanties naar Europa geannuleerd. Ouders zeiden hun kinderen een vakantiebaantje te zoeken en kwamen terug op hun belofte ze een auto voor college te geven. Je hoorde verhalen over vaders en moeders die ontslagen waren uit kantoorbanen, verhalen die als je er even over nadacht oersaai waren. De stad stak de gebruikelijke vlaggen uit en de bloemen eronder bloeiden. En ondanks alle angst die door de kabeltelevisie werd gespuid, ondanks alle grappen over duct tape en de stadspolitie die het honkbalveld afzette om het kwijtgeraakte rugzakje van een basisschoolleerling tot ontploffing te brengen, ondanks alle uren nieuwsherhalingen over de Dirty Bomber, Saddams enorme wapenarsenaal en de lange, glimlachende Satan die wist te ontkomen aan onze macht in de bergen van een hopeloos ver land, hield de toneelvereniging nog steeds een bazaar met huisbakken waren, verkocht de bibliotheek in het weekeinde van twaalf tot drie nog steeds boeken op het trottoir en verlangde je aan het einde van iedere verstikkend hete dag nog steeds naar verfrissende regen.

Die regen kwam op de vrijdagmiddag twee weken na het feest, net toen Nate bij het huis van mevrouw Graves arriveerde. Ze liep voor hem uit naar de woonkamer en ging op haar gewone plaats op de bank zitten. De wanorde van de kamer was in de smoorhitte vreselijk benauwend, de bergen rommel als rottende planten in een oerwoud. Niets hiervan zou ooit worden opgeruimd, dacht hij, zolang zij hier geworteld bleef.

Haar stem was minder krachtig dan gewoonlijk en ze viel vaak stil in haar meanderende betoog, zonder de gebruikelijke opgewonden jeremiaden. Ze sprak een poosje over Dewey en de verspreiding van het basisonderwijs, maar het ontging hem niet dat ze met haar gedachten elders was.

'Maak je maar geen zorgen,' zei ze na een bijzonder lange stilte. 'Ik weet dat je niet meer voor je examen leert. Het is lief dat je me zo mijn gang hebt laten gaan. Ik weet dat ik je verveeld heb.'

'Dat is niet waar,' zei hij, knagend aan het stompe eind van zijn pen.

Ze staarde langs hem heen door het venster.

'Ik overweeg berkenbomen langs de rivieroever. Wat vind jij? Misschien is een mix beter.'

Op weg naar haar had Nate zichzelf ervan proberen te overtuigen dat de documenten er niet toe deden, dat ze haar rechtszaak al had gewonnen. Maar dat leek nu een mager excuus: Doug zou de stukken niet willen als hij er niets bij te winnen had.

'Ik ga in ieder geval wat thee voor ons zetten.'

Zodra ze de kamer uit was, vloog hij van de ene stapel papieren naar de andere, onderwijl de deur scherp in de gaten houdend. Hij verzamelde bankafschriften, belastingbescheiden, notariële stukken en alles wat relevant leek in die berg paperassen. Op een stapel bij de haard zag hij een bruine map met het opschrift 'Notulen Stichting' en propte die samen met de rest in zijn rugzak. Zijn enige gedachte bij deze bezigheid was er een van ontkenning: het verlies van zijn vader rechtvaardigde deze morele misstap. Alsof zijn verlies hem in een of ander grootboek een vrijbrief of twee had opgeleverd.

Mevrouw Graves kwam terug met een blad thee en koekjes.

'Ik ben weer terug bij Whitman,' zei ze, terwijl ze voor hen beiden een kop thee inschonk. 'In de meeste dingen heeft hij gelijk. Maar als je hem serieus neemt, kun je de gedichten niet altijd in je voordeel uitleggen. Hij heeft er een handje van om op je terug te blikken. Dit ben ik vanmorgen tegengekomen. "Aan een historicus".'

Ze zette haar leesbril op en reciteerde de regels met een langzame, bedachtzame stem.

'"Jij die het verleden viert,/ Die de buitenkant hebt verkend,/ oppervlakten van de volken, het leven dat zich heeft getoond,/ Die de mens heeft behandeld als de schepping van politiek, massa's, heersers en priesters,/ Ik, bewoner van de Alleghenies, die hem behandel zoals hij in zichzelf is in zijn eigen recht,/ die druk op de pols van het leven dat zich zelden heeft getoond, (de grote trots van de mens in zichzelf,) Bezinger van de persoonlijkheid, die schets wat nog komen moet,/ Ik verbeeld de geschiedenis van de toekomst."

Inspirerende taal, niet? De vraag is: kun je persoonlijkheid bezingen zonder in solipsisme te vervallen? Kun je afgaan op de pols van het leven zonder meneer Fanning te worden? Want hij is de toekomst. Hoe je het ook wendt of keert. Zijn soort hebzucht, die is oneindig. Die wacht gewoon zijn tijd af.'

Later die avond stond Nate midden in Dougs keuken te kijken hoe hij de documenten op het keukenblad uitspreidde. Hij was eerst naar huis gegaan om te douchen en schone kleren aan te trekken, maar op de wandeling terug waren er weer zweetvlekken in zijn t-shirt gekomen.

'Betekent dit dat ze gaat verliezen?'

Doug pakte een envelop en wierp een blik op de afzender.

'Het stond altijd al vast dat ze zou verliezen,' zei hij. 'De vraag is alleen wanneer.'

'Ze is niet slecht, weet je.'

'Voel je je soms schuldig?'

'Zou jij je dan niet schuldig voelen?'

Doug bladerde een andere map door, zonder in te gaan op Nates vraag. 'Mooi,' zei hij. 'Goed gedaan. Er is bier in de koelkast, als je wilt.'

Nate nam er een en slenterde de gang af, door de eerste lege kamer en daarna de ruimte in waar de tv in de hoek stond. Hier was nu een groot deel van de vloer bedekt met ringbanden en dossiers. Twee laptops, met meterslange snoeren naar de wandcontactdozen, stonden op de keukentafel, die hierheen was gebracht en naast de bank gezet.

Doug volgde hem de kamer in en zette de wedstrijd tussen de Sox en de Yankees op.

'Het is namelijk zo dat ze ons al weken geleden kopieën van die documenten had moeten geven. Dat is de wet. Dus wees gerust. Jij staat erbuiten.'

Ze zagen de aangewezen slagman Ramirez de bal diep in het middenveld slaan, zodat de loper op het derde honk binnen kon lopen en de mensenmenigte op Fenway overeind kwam.

Het was nog niet te laat om terug te lopen naar de keuken, dacht Nate, die papieren te verzamelen en weg te wezen.

'Je had ongelijk met dat honkbal,' zei hij. 'Ik keek er wél naar voor ik jou kende.'

'Je bent een rare vogel.'

'Ja. Net als jij.'

'Waarom ga je niet naar boven. Ga maar vast. Trek je kleren uit. Ik kom zo.'

Nates hart bonkte tegen zijn borstkas. 'En als ik nou eens niet wil?'

'Zie maar.'

Het bed was niet opgemaakt. Nate trok de lakens strak en stopte ze in, schikte de katoenen deken aan de voet van het matras en legde de kussens op hun plaats. Hij vroeg zich af of hij de lamp aan zou laten, maar besloot van niet en liet alleen het licht van de badkamer branden. Hij vouwde zijn broek op en legde die bij zijn schoenen en riem op de vloer in de hoek. In de nachten dat hij was blijven slapen, hadden ze altijd samen onder de lakens gelegen en had Nate Doug klaar laten komen, nooit andersom. Doug had hem nog nooit naakt voor zich gezien.

Hij lag daar te wachten in zijn ondergoed, ontsteld bij de gedachte wat voor iemand hij was dat hij zoiets wilde. Hij wachtte tien minuten, toen nog tien. Hij hoorde dat de televisie beneden nog aan stond, overgeschakeld naar een ander kanaal.

Met zijn ogen gesloten, in een poging alles te vergeten – zijn leven en de wereld buiten dit huis –, besefte hij dat, hoe vaak hij ook high was geweest, stoned op de achterbank in Jasons auto of trippend bij het meer, hoe vaak hij ook zijn zorgen had verdreven met dergelijke brein-manipulaties, niets hem zo goed van zichzelf kon bevrijden als dit.

Door Dougs volle gewicht te worden neergedrukt in het bed, het laatste restje waakzame zelf de vergetelheid ingeduwd. Te worden overgenomen, opgebruikt en gedwongen te vertrekken. Een lichaam zo sterk als Dougs lichaam kon dat doen.

Ten slotte hield het geluid van de tv op en enige ogenblikken later kwam Doug de slaapkamer in. Hij liep naar het raam en leunde tegen de vensterbank.

'Trek je je shirt niet uit?' vroeg hij.

'Ik zie er niet zo uit als jij. Ik ben niet gespierd.'

'Dat is prima. Zo lijk je meer op een meisje.'

'Zie je me zo?'

'Ik zeg gewoon: je bent prima. Toe nou. Trek je shirt uit. En de on-derbroek.'

Nate trok zijn t-shirt over zijn hoofd, legde het op het bed naast zich en deed zijn onderbroek uit, terwijl zijn keel samentrok en alleen nog een sliertje lucht zijn longen bereikte.

Doug liep op het bed af, zijn schoenen uitschoppend en zijn over-hemd losknopend.

'Mijn god, je bent jong,' zei hij, terwijl hij zijn hand om Nates kin legde. 'Heel jong.'

Nate trok zijn gezicht terug en ging achterover op het bed liggen, zich met één hand bedekkend.

'Ik heb dit nog nooit gedaan,' fluisterde hij.

Zonder antwoord te geven pakte Doug Nate op bij zijn ribbenkast en draaide hem op zijn buik.

'Doe gewoon je ogen dicht,' zei hij, terwijl hij op het bed schoof. En toen voelde Nate Dougs knieën tegen de binnenkant van de zijne duwen om zijn benen te spreiden. Hij was zich nu al zoveel jaar be-wust van zijn lichaam, en toch had hij nooit geweten dat het gevoel zo sterk kon zijn, alsof het zelf door de fantasie van het zich verliezen paradoxaal genoeg alleen maar sterker en onontkoombaarder werd dan ooit. Hij hoorde de la van het nachtkastje open en dicht gaan.

'Hier. Op je knieën.'

Dougs handen grepen hem bij het middel en trokken hem naar achteren. Nate draaide zijn hoofd om naar hem omhoog te kijken, maar opnieuw beval Doug hem zijn ogen te sluiten. Een dikke warmte drukte tegen zijn kont en toen voelde hij, na een moment van inspanning, een plotselinge ring van snijdende pijn door zijn lichaam omhoogkronkelen naar zijn hoofd, zodat zijn bloed ging bonken bij zijn slapen en hij naar adem moest happen.

'Geen zorg. Ik ga je niet verkrachten.'

Dat hij de controle over zijn darmen zou verliezen leek zeker, maar toen dat gevoel voorbij was, merkte hij dat hij weer kon ademen, ademen en zweten, nog steeds met veel pijn, maar een pijn die zo snel over de toppen van zijn zenuwen bewoog dat die voor hem niet hoefde op te houden.

Hij voelde Dougs buik plat tegen zich aan, de spieren van zijn rug en hals ontspanden zich en hij gaf zich over, en het waakzame zelf verdween eindelijk toen het stoten begon, een schok die keer op keer in hem werd gedreven.

Van onder uit zijn ruggengraat barstte een vocht los dat diep tegen het bot zat, schoot omhoog zijn schedel in en verhitte zijn hersenen zozeer dat hij bijna flauwviel. Op zijn onderarmen geleund, zijn voorhoofd op het matras, hield hij het nog een paar seconden en kwam toen klaar zonder zichzelf aan te raken, waarbij zijn hoofd met een ruk achteroversloeg en zijn schouders naar beneden samentrokken over zijn rug.

Een paar stoten later trok Doug zich uit hem terug en liet zich plat op het bed rollen.

Nate stond op, ging snel naar de badkamer en deed de deur achter zich dicht.

'Gaat het?' riep Doug een paar minuten later.

'Ja, hoor,' zei Nate, leunend tegen de betegelde wand van de douche, waar met het gloeiend hete water de oude angst voor ontdekking en het diepgewortelde zondebesef hem weer overspoelden.

# Deel 3

# Hoofdstuk 15

Vanuit zijn kantoorraam op de tiende verdieping van de New York Fed keek Henry Graves omlaag over de massa's die zich westwaarts spoedden, door de Liberty Street en dan de Nassau in naar het Fulton Street-station. Degenen die niet al vroeg naar huis hadden gemogen vanwege het Columbus Day-weekeinde haastten zich sneller dan anders naar de bussen en de metro's die hen bij tienduizenden tegelijk zouden afvoeren de stad uit, om ze te lozen in Jersey, Westchester en Long Island, waar de supermarktvoorraden al een paar procenten waren gedaald en de plaatselijke banken hun balans van de week al hadden opgemaakt en hun personeel naar huis hadden gestuurd.

Beneden zou de Open Market Desk nog een halfuur schatkistpromessen verhandelen, maar het volume zou gering zijn. Al snel zou de Fedwire sluiten en alles clearen, van verkopen van bedrijfsobligaties tot de creditcardaankopen van de secretaresses en handelaars van beleggingsmaatschappijen die zich nu in de straat beneden voorthaastten. In het weekeinde, als deze mensen naar de film of het winkelcentrum gingen, zouden ze hun creditcards door magneetstrips trekken en daarmee verrichten wat eeuwenlang het privilege van koningen en parlementen was geweest: ze zouden geld scheppen. Kort geld, natuurlijk, maar wel geld, dat tot dan toe nooit op een balans was voorgekomen of bij een bank was gedeponeerd, dat niets anders was dan een toestemming schulden te maken, de slotimprovisatie in een lange keten van beheerde toezeggingen. En als ze sliepen, zouden de computers van de kooplui hun aankopen uploaden en in de rivier van commercie zou een nieuwe druppel liquiditeit vloeien, de reis omkeren, weer terug naar de stad om samen te komen in de grote *money centre banks*, die in de stilte van de nacht het nieuws over de uiteindelijke stand zouden verspreiden: een miljard per dag verzonden naar Azië en de oliestaten.

Achter zich hoorde hij zijn secretaresse Helen binnenkomen, en toen hij zich omdraaide zag hij dat ze een kristallen vaas met een boeket lelies bij zich had. Een straal van de ondergaande zon schoot door de bol met water in haar handen, sproeide licht over de donkere portretten boven de bank en danste kortstondig op de lambrisering.

'Van wie zijn die in godsnaam?'

'Van mij,' zei ze, terwijl ze een plek vrijmaakte op de salontafel. Ze was een lange vrouw en ze moest bijna in een rechte hoek bukken om de stelen te schikken, waarbij haar hand omhoogging om haar grijzende haar achter haar oor te duwen. De meeste vrouwen van haar leeftijd op de bank hadden kortgeknipt haar en droegen een rok met een jasje van een uniforme kleur blauw of zwart. Helen, die Engelse was, zag er meer uit als een professor in de letteren, gekleed in een vormeloze katoenen broek, een coltrui en een rood gebreid vest.

'Waarom?'

'Het is je verjaardag.'

'O, dat is waar ook. Dat is aardig van je. Onnodig, dat wel. Maar aardig.'

'Ze hadden er al uren geleden moeten zijn, maar ze zullen wel een tijdje goed blijven,' zei ze, terwijl ze een stap achteruit deed om haar schikking te bekijken. De telefoon op haar bureau ging over en ze keerde terug naar de andere kamer om hem op te nemen.

Beneden scheerden de laatste zonnestralen over de hoofden van de voetgangers en vielen horizontaal tegen de muur van een gebouw op de hoek van de Liberty en de William, waar tot kortgeleden een muurschildering van Seurats *La Grande Jatte* prijkte – een decorschildering voor, hoe onwaarschijnlijk ook, een Hollywoodfilm geschoten in het financiële district. Ze hadden die daar achtergelaten na de productie en Henry vond het wel prettig dat die muurschildering daar was, want ze herinnerde hem aan het origineel, een schilderij dat hij iedere keer als hij voor zaken in Chicago moest zijn probeerde te gaan zien. Ten minste één gewoonte van hem die zijn zuster zou waarderen.

Twee maanden geleden, in augustus, had Charlotte een nieuwe reden voor haar paranoia gevonden: de diefstal, zoals zij beweerde, van documenten uit het huis, alsof ze niet gewoonweg waren opgeslokt door de algehele chaos. Ze had zelfs de politie gebeld en gevraagd om een onderzoek, dat alleszins redelijk werd afgewezen, wat haar achtervolgingswaan alleen maar verergerde. Bezorgd omdat ze almaar sneller achteruitging, had Henry contact opgenomen met een buurvrouw om haar te vragen of ze wilde bellen als ze iets niet vertrouwde. De vrouw had sindsdien viermaal gebeld. De eerste keer ging het om een tiental jonge boompjes die waren afgeleverd in een jutezak en in de zon lagen te verdorren, toen was het een berg takken aan het uiteinde van de oprijlaan om auto's te verhinderen bij het huis te komen, daarna de instorting van een deel van het dak van de stal waardoor het nu inregende en ten slotte voor de honden die voortdurend jankten. De week tevoren had hij een hulp ingehuurd. Terwijl hij op een conferentie in Basel was, had die hem gebeld op zijn mobiel met de boodschap dat Charlotte haar niet had binnengelaten en haar gesommeerd had nooit meer terug te komen.

'Je hebt niet veel opties,' had zijn advocaat hem verteld. 'Als ze gewelddadig wordt, hebben we een punt.'

'Verwacht je iemand?' riep Helen uit de andere kamer. 'Er is beneden een vrouw. Ze zegt dat ze een afspraak heeft.'

Hij wist dat hij niet zonder reden daar op vrijdagmiddag zat te talmen, maar hij wist niet meer wat die reden was.

'Ja,' zei hij. 'Het is mijn fout. Ik was het vergeten.'

Een paar minuten later liet Helen Evelyn Jones zijn kamer in.

Met enige aarzeling zette ze haar handtas op de salontafel en terwijl ze de voorkant van haar rok gladstreek over haar dijen, ging ze op de rand van de bank zitten.

'Wilt u iets gebruiken? Koffie, water? Of iets sterkers misschien?'

'O, nee, dank u wel.' Ze keek de kamer rond met wat Henry voorkwam als oprechte verwondering. 'Het is niet wat ik verwachtte,' zei ze. 'Dit gebouw.'

'Ja, het is een beetje ongewoon voor de buurt. Het is gebouwd naar het voorbeeld van een Medici-paleis. Hebt u het smeedijzer gezien?

Nogal apart, niet? Maar het idee van een centrale bank was in de jaren twintig nog nieuw. Ik denk dat ze er iets mee wilden uitdrukken. Weet u zeker dat u niet iets wilt drinken?'

'Nee, dank u. Ik weet dat u het druk hebt. Waarschijnlijk stoor ik.'

'Nee, alleen de afwikkeling van de week. Dit keer ga ik eens niet reizen, wat een zegen is.'

Bij de eerste boodschap die ze had achtergelaten, herinnerde hij zich nu, had hij gedacht dat het ging om informatie over werken bij de Fed, wat wel een heel directe benadering was, maar niet uniek, en pleitte voor haar lef. Maar nu hij haar stijve houding en op elkaar geperste lippen zag, vroeg hij zich af of haar bezoek geen andere reden had.

'We krijgen ze van het Metropolitan,' zei hij, toen hij haar ogen langs de schilderijen zag gaan. 'We hebben ze in de jaren zeventig een goudstaaf geleend voor een of andere tentoonstelling en sindsdien zijn ze zo vriendelijk ons bruiklenen uit hun depot te geven. Het enige probleem is dat mijn voorganger het aangewezen vond om alleen werk van kunstenaars uit het Second District van de Federal Reserve op te hangen, een enigszins beperkende voorwaarde als het gaat om de kunstgeschiedenis. Maar het is niet anders.'

'Ik had hier niet moeten zijn,' zei ze. 'Ik had niet moeten komen.'

'Integendeel,' zei hij hartelijk, toen hij begon door te krijgen hoe de vork in de steel zat. 'Hebt u hierna nog een andere afspraak?'

'Nee,' antwoordde ze, verrast door de vraag.

'Dus u hebt geen haast?'

Ze schudde haar hoofd.

'Weet u wat. Aangezien dit de eerste keer is dat u hier bent, mag ik u misschien wat laten zien.'

Hij stond op voordat zij kon weigeren en stak zijn arm uit om haar zijn kantoor uit te leiden.

'Helen, ik neem mevrouw Jones even mee naar beneden. We zijn zo weer terug.' Hij voerde haar door de gang met het gewelfde plafond, hun voetstappen geluidloos op het dikke vloerkleed. 'Bent u komen vliegen?' vroeg hij, terwijl ze in de staflift stapten.

'Nee, ik ben met de trein gekomen.'

'Ja, dat is tegenwoordig veel comfortabeler dan een vliegtuig.' Hij liet een paar verdiepingen voorbijgaan en merkte toen op: 'Bij de bouw van dit kantoor hebben ze zich met dynamiet een paar verdiepingen het gesteente van dit eiland in gewerkt. Het was een van hun belangrijke voorzorgsmaatregelen. Het bleek de enige fundering die sterk genoeg was om het gewicht te houden.'

De liftdeuren schoven open en ze liepen door de vensterloze corridor naar het bureau van de veiligheidsfunctionaris.

'Charles,' zei hij, 'zijn de rondleidingen vandaag voorbij? Ik wilde deze jongedame het een en ander laten zien.'

'Ga uw gang, meneer,' zei hij en voerde hen door de drie meter lange, cilindervormige luchtsluis naar het voorvertrek. 'Hebt u hulp nodig met het slot, meneer?'

'Nee, het gaat wel,' zei Henry. Hij maakte met zijn eigen sleutel het binnenhek open, leidde Evelyn de kluis in en klikte het hek achter hen in het slot. In het midden van de ruimte stond de metalen weegschaal die nog steeds werd gebruikt om de zuiverheid van het goud te testen. Naast de weegschaal lagen twee paar magnesium schoenkappen om de voeten van de staf te beschermen voor het geval ze een staaf tijdens het vervoer op hun tenen zouden laten vallen.

'We zijn hier 250 meter onder de stoep en 90 meter onder de zeespiegel. Ga maar,' zei hij, gebarend naar de rijen met metalen kooien van de vloer tot het plafond langs de wanden, genummerd maar verder zonder opschrift. 'Kijk maar.'

Zijn gaste keek eerst naar hem, met een onderzoekende blik, alsof ze er op grootse manier werd ingeluisd, maar gaf toen toe aan haar nieuwsgierigheid en liep naar een van de kooien van drie meter hoog en zes meter diep met daarin donkergele staven. Even later draaide ze zich om, keek door het middenpad en liet de hoeveelheid afzonderlijke compartimenten tot zich doordringen.

'Het is de grootste verzameling monetair goud ter wereld,' zei hij. 'In feite is het een aardig deel van alle goud dat ooit werd gedolven.'

'En dit is allemaal van de overheid?'

'Nee. De Schatkist beheert onze reserves in Fort Knox en in West Point. Het grootste deel van wat u hier ziet is eigendom van buitenlandse centrale banken. De meeste landen in de wereld hebben het bij ons in bewaring gegeven. Wij zijn alleen de beheerders. Als regeringen zaken willen doen, bellen ze ons en verplaatsen wij goud van de ene kooi naar de andere.'

'Hebben ze zoveel vertrouwen in ons?'

'In dit geval wel.'

Ze liep naar een ander compartiment en staarde naar de wand van blinkend goud.

'De rondleidingen iedere dag komen tot aan het buitenste hek. Vorig jaar hadden we dacht ik vijfentwintigduizend bezoekers. De mensen mogen er graag naar komen kijken. Het herinnert me aan iets wat Galbraith zei: "Het proces waarmee banken geld scheppen is zo eenvoudig dat je geest zich ertegen verzet. Meer mysterie lijkt gewoon gepast." Dit is denk ik wat ons rest van het mysterie. En toch,' zei hij, met een zwaai van zijn hand naar de hele inhoud van de kluis gebarend, 'is dit nauwelijks van enige betekenis. Tel het op en je komt op niet meer dan tachtig of negentig miljard. In het elektronische betalingsverkeer gaat per uur al meer dan dat om. Alles alleen maar op basis van vertrouwen. Samenwerking. Je zou zelfs kunnen zeggen geloof, wat ik soms ook doe, al is dat geloof beslist van een aardse soort. Zonder dit systeem zouden we nog geen brood kunnen kopen.

Natuurlijk is de belangrijkste ethische vraag, en mijn zuster wordt nooit moe me daaraan te herinneren, wat mensen... wat regeringen met hun geld doen. Of ze medicijnen kopen of voedsel of wapens. Maar er zijn voorwaarden die al dit soort dingen mogelijk maken. Welke keuzen we ook maken. Het systeem moet werken. De mensen moeten het papier in hun portemonnee vertrouwen. En dat begint ergens. Het begint bij de banken.'

Haar vingers krulden zich rond de spijlen van de kooi waarvoor ze stond.

'Ik denk dat u wel weet waarom ik hier ben,' zei ze.

'Ja, ik denk van wel.'

Eind augustus had Evelyn 390 000 dollar betaald voor een spaanse villaatje aan een bomenlaan in Alden. De keuken achter was 's ochtends een beetje donker, maar keek uit op een kornoelje en een rododendron in de tuin. Boven waren een badkamer en twee slaapkamers met dakkapellen, waardoor de kamers kleiner leken dan ze in werkelijkheid waren, maar wel gezellig. Ze had zich altijd voorgesteld dat ze in zo'n huis zou trekken met een echtgenoot, maar op aansporing van tante Verna had ze zich niet door dit beeld laten weerhouden.

Op de nieuwe route naar huis kwam ze langs een videowinkel en stopte ze vaak om een dvd te halen, een lachfilm of romantische film, waar ze dan onder het eten naar keek.

Jaren tevoren, op het college in Suffolk, had ze een cursus literatuur gevolgd en ze hadden heel wat van onder anderen James Baldwin gelezen. Hoewel ze zich niet kon herinneren uit welk boek het kwam, was haar één zin in het bijzonder bijgebleven. Mensen betalen een prijs voor wat ze hebben gedaan, had Baldwin geschreven, en vooral voor wat ze van zichzelf hebben gemaakt. En daarvoor betalen ze eenvoudigweg met het leven dat ze leiden.

Aan de ene kant klonk dit hard, alsof mensen zich altijd lieten gaan, zoals tante Verna het zou noemen, en daarvoor werden gestraft met hun eigen ellende. Dat was één manier om het op te vatten. Maar het had ook iets democratisch, een besef dat het leven bestond uit de afgelegde afstand, hoe het ook zou aflopen. En in dat geval diende haar schuldgevoel over alles wat zij had, terwijl haar broer niets had gehad, geen enkel doel. Ervaring verschafte haar eigen gerechtigheid. Waar die vandaan zou komen, kon niemand voorspellen.

Twee weken geleden was ze na de kerkdienst achtergebleven om koffie te drinken. Ze had daar een jongen gezien van negen of tien, mager met een hoog voorhoofd, die haar ook was opgevallen in juni op de begrafenis van Carson, waar hij programma's uitdeelde. Ze had hem toen opgemerkt omdat ze hem niet kende en zich afvroeg wie hem daar bij de deur had geposteerd zonder dat hij familie was. Hij leek bang toen zij naar hem toe was gegaan en zei dat het niet de dominee was die hem had gevraagd te helpen die dag.

'Ik ben zelf gekomen,' zei hij. 'Heb ik iets verkeerds gedaan?'

Ze verzekerde hem van niet. Ze was alleen maar nieuwsgierig, zei ze. Had hij Carson gekend?

'Ik mocht wel met hem mee. Als hij moest bellen in het park. Soms reed hij wel eens op mijn step. Het is namelijk zo... weet je... het is namelijk zo dat ik heb gezien hoe hij werd neergeschoten. Ik was aan de overkant van de straat toen ze 't deden. Ze waren met z'n tweeën. En toen, snel zeg maar, waren d'r mensen die de ambulance belden en alles. Maar ik heb 'm daar zien liggen voor ze kwamen, z'n gezicht helemaal kapotgeschoten en al die biljetten op de grond. Ik weet niet waarom ze het geld of niks niet hebben gepakt, maar daar lagen al die briefjes, zijn geld, denk ik. Maar toen ik een paar minuten later terugkwam, was het verdwenen, dus ik denk dat iemand het heeft gepakt.'

Weggerukt uit de onmetelijke efficiency waarin ze sinds de dag van haar broers dood had verkeerd, zag Evelyn voor de eerste keer het beeld van haar broers lijk scherp voor zich, van zijn kapotgeschoten hersenen verspreid over de tegels.

De volgende dag ging ze niet naar haar werk. Uiteindelijk bleef ze zelfs een halve week weg, in dat nieuwe huis van haar, waarin ze zich plotseling een vreemde voelde.

Ze was naar Henry Graves gegaan in de wetenschap dat hij haar ten slotte zou vragen naar het waarom. Waarom vertelde ze hem wat ze wist?

Hij stelde haar die vraag toen ze de lift hadden genomen en weer in zijn kantoor waren.

'Ik moet u wel vertellen,' zei hij, 'dat ik in al mijn jaren hier nog nooit iemand heb binnengekregen die zijn eigen instelling aangeeft. Ik moet bekennen dat ik benieuwd ben.'

Evelyn ging recht zitten om haar verhaal te doen. Wat er echter bij haar opkwam waren niet de woorden die ze had voorbereid, maar de uitdrukking op het gezicht van haar tante Verna toen ze die vertelde over haar laatste promotie, hoe de wenkbrauwen van haar tante omhoog waren gegaan, haar ogen volschoten, haar hele gezicht opklaarde, terwijl haar schouders zich ontspanden, alsof ze eindelijk te horen had gekregen, als in een droom, dat ze was bevrijd van een last die ze gedacht had nooit kwijt te zullen raken. Het was een blik die Evelyn eerder had gezien, bij elke stap in haar carrière, en iedere keer brak hij bijna haar hart. Ze kon haar tante nooit vertellen dat haar baan routinewerk was, bureaucratisch en weinig spiritueel. Dat zou wreed zijn. Maar dat was het ook om hier uit de school te gaan klappen. Als de advocaten er eenmaal bij betrokken waren, wie wist wat dan voor de waarheid zou doorgaan. Ze had bewijsstukken voor wat McTeague en Fanning hadden gedaan, maar tenslotte was zij niet degene die de leiding had. Voor zover zij wist, waren de beschermende regels voor iemand in haar positie nog niet het papier waard waarop ze geschreven stonden. Het was niet alleen haar hoop die ze op het spel zette met haar komst hier.

Henry Graves' welwillende uitdrukking had plaatsgemaakt voor een soberder, zakelijker interesse.

'Ik weet het niet zeker,' zei ze. 'U vraagt zich misschien af of ik iets heb tegen Fanning. Ik mag hem niet, maar daarom ben ik niet hier. Misschien ben ik het gewoon moe me zorgen te maken.'

'Mijn staf zal u moeten ondervragen,' zei hij. 'Als u het goedvindt, wil ik dat meteen maar doen.'

Ze knikte, en hij pakte de telefoon van de zijtafel. Terwijl hij sprak met zijn tweede man, keek Evelyn het kantoor weer rond. Het was kleiner dan veel kantoren van de directeuren bij Atlantic Securities en zonder het uitzicht. Misschien verbeeldde ze het zich alleen maar, die sfeer van onverstoorbare kalmte, maar ze kon er zich niet aan onttrekken, omgeven door die zware natuurstenen muren, met de goudomlijste schilderijen die neerkeken vanaf de wand, toen de grootvaderlijke grijze man in zijn jasje met stropdas de situatie in handen nam.

Ze vroeg zich af of dit het gevoel was waar zoveel mensen in het land naar hunkerden: een gevoel van continuïteit, in zoveel levens verdwenen of nooit aanwezig geweest.

Noem me één ding dat niet verandert. Eén maar.

Pappa zorgt wel voor het geld.

De dealers die Carson hadden laten doodschieten door hun handlangers kenden de behoefte aan dat gevoel net zo goed als ieder ander, en ze maakten er dagelijks gebruik van. Maar hier in het eeuwige rijk van de centrale bank was geen geweld nodig. Hier bewaakten de aristocraten van de bureaucratie de permanente belangen van het geld. Eigenlijk wilde ze dit vertrek met zijn belofte van het einde van alle strijd nooit meer verlaten. Maar erkenning van dit verlangen betekende dat ze zich als verrader moest zien. Van wat, wist ze niet echt. Van het leven misschien. Of van het geloof daarin.

'We zijn er klaar voor,' zei Henry, terwijl hij de telefoon neerlegde. 'Bent u zover?'

# Hoofdstuk 16

'Waar zit je?' vroeg Sabrina.

'Ik weet het niet. Achtentwintig, misschien. Negenentwintig.'

'Wow,' zei ze. 'Als je niet oppast, word je misschien nog eens interessant.'

Vanuit het kantoor waar Doug terechtgekomen was, zag hij uit over het Four Point Channel en voorbij de hoek van de haven naar het nieuwe federale gerechtsgebouw met zijn schuine glazen façade en een rij vlaggen ervoor die wapperden in de wind.

'Dus het zit zo,' zei Sabrina. 'Holland wil je in het Ritz voor het sluiten van de overeenkomst met Taconic, McTeague heeft driemaal gebeld, je hebt een bericht van Mikey om zo snel mogelijk contact met hem op te nemen, de kerel die je hebt ingehuurd om onze e-mails te wissen zegt dat iemand zit te knoeien met zijn programma, een of andere officieel klinkende Chinese kerel van de Beurs van Singapore wilde vanmorgen om acht uur je postadres bevestigd krijgen, Evelyn Jones heeft vrij en een joch dat Nate heet belde om te zeggen dat hij op je zat te wachten "in de kamer". Waar je mij verder niet over zult horen. Denk je dat je heel misschien je telefoon kunt aanzetten?'

De laatste paar weken was Doug aan het zwerven geslagen. Via de trappen was hij omlaaggegaan naar verdiepingen van de toren waar hij nooit eerder was geweest, met recepties die alleen van elkaar te onderscheiden waren door de bleekheid van de varens en de kleuren van de abstracte schilderijen boven de leren stoelen. Afdelingen waarvan hij de employés ooit met naam en toenaam had kunnen opsommen, waren twee of drie keer zo groot geworden en namen hele verdiepingen in beslag. Knikkend naar de glimlachende secretaresses, met af en toe een woordje voor het verraste middenmanagement in de gangen, allemaal nog volkomen onwetend van de kritieke toestand waarin de bank verkeerde, belandde hij in het kantoor van iemand in de lagere regionen zoals Consumentenkrediet of Overheidsbetrekkingen die er die dag niet was, en daar zat hij dan in de stilte met de deur dicht en zijn telefoon uit en probeerde steeds opnieuw zijn gedachten te ordenen.

In juli en augustus was de Nikkei-index nog eens twaalfhonderd punten gedaald. Het Japanse ministerie van Financiën, dat onder vuur lag vanwege zijn eerdere interventie, had niets gedaan om de terugval te verhinderen. De verliezen van McTeague waren snel gestegen. Ze overtroffen nu de waarde van Atlantic Securities zelf.

Maar dan nog, amper iemand die het wist. Als de een of andere adjunct van een afdeling af en toe de moeite nam om Doug te e-mailen met vragen over de ene na de andere divisie die leningen verstrekte aan een obscure dochtermaatschappij genaamd Finden Holding, nam hij niet de moeite om te antwoorden. Zelfs Holland leek het probleem uit zijn hoofd te hebben gezet: hij fêteerde cliënten op wedstrijden van de Red Sox en uitvoeringen van de Boston Pops en was bezig met de afronding van de *stock-only*-aankoop van Taconic, de bank die van het voorjaar in zwaar weer terecht was gekomen.

De klanten van Union Atlantic maakten nog steeds gebruik van kredietlijnen en betaalden nog steeds af op bestaande leningen. De verzekeringstak verkocht nog steeds polissen en na aanvankelijk grote, aan 11 september gerelateerde verliezen voorzien te hebben, leek hij warempel een bescheiden winst te maken. In het hele land openden mensen nog steeds bankrekeningen, betaalden facturen en namen tientallen miljoenen aan contanten op. Op de Aziatische beurzen gingen geruchten over een gigantische gok op de Nikkei, maar mensen dachten dat het een hedgefonds in Connecticut of Londen was, want banken zouden zo'n groot deel van hun eigen kapitaal immers niet aan risico willen blootstellen.

Sterker nog, hoe groter het probleem werd, hoe routineuzer de aanpak ervan. Wat was begonnen als een crisis, was veranderd in een toestand. En toen, op het moment dat de ernst van de toestand ieder voorheen voorstelbaar niveau oversteeg, leek het probleem helemaal te verdwijnen, alsof het te groot was om nog gezien te kunnen worden.

'Ben je daar?' vroeg Sabrina.

'Zeg Holland dat ik eraan kom.'

'En de rest?'

'Zeg die computerlul zijn kolerewerk te doen. Ik wil dat die e-mails verdwijnen.'

'Zo dramatisch. Kan ik iets versnipperen?'

'Rot op.'

'Misschien word ik zo'n kroongetuige. Ik zou een ooggetuigenverslag kunnen schrijven. Ik ben Franco hartstikke beu. Het was mijn idee om een subtiele, bijna perverse sympathie voor Franco te wekken, maar het lijkt me nu allemaal absurd. Ik heb onlangs met zo'n sukkel in Watertown geslapen. Ik heb geprobeerd zijn grootmoeder serieus te nemen, maar uiteindelijk bleek ze gewoon een oude fascist. Wie weet? Mijn therapeut zegt...'

Doug klapte zijn telefoon dicht. Zijn ogen hadden de façade van de rechtbank niet losgelaten. Hij was maar één keer in het gebouw geweest, met het hoofd van de juridische afdeling voor een hoorzitting in een aandeelhoudersproces. Washington had kosten noch moeite gespaard voor de rechters. Niemand kon het je kwalijk nemen dat je bij die marmeren vloeren en met pastelroze-en-blauwe arabesken afgezette rechtszalen eerder een tentoonstelling van moderne kunst verwachtte dan jury's en vonnissen.

Om de beursberichten te bekijken zette hij de televisie in de hoek aan en zocht naar de zakenzender. Maar voordat hij die vond, stuitte hij op de beelden die nu voortdurend op CNN te zien waren: satellietfoto's van de Iraakse woestijn, beeld na beeld van pakhuizen en bijgebouwen omgeven door niets dan zand. Net als alle andere reportages werd deze van commentaar voorzien door een generaal b.d. die werd betaald om zijn mening te geven over de aard van de wapens die verborgen waren onder al die daken en zeilen. Algauw verschenen er archiefbeelden van vliegdekschepen en torpedobootjagers, terwijl de oude militair de langzame maar gestage opbouw van materieel in de oorlogszone beschreef. Het onderdeel eindigde met een opname van een tanker die diep in het water lag, terwijl de nieuwslezer met een stem waarin hij op de een of andere manier opwinding en berusting tegelijk wist te laten doorklinken, de kijkers herinnerde aan Amerika's vitale belangen in de regio.

De laatste tijd kon Doug niet meer slapen omdat hij voortdurend naar dit gedoe keek. En hij wist dat Vrieger ook keek. Naar de eindeloze herhaling van feiten, speculatie en vermoedelijke leugens, wat in ieder geval een deel verzachtte van de machteloosheid het op die afstand en zo onverbiddelijk te zien gebeuren. Ze hadden elkaar de week daarvoor gesproken, waarbij Vrieger vertelde dat hij alles had geregeld en binnenkort op oefening naar Virginia zou vertrekken, want de invasie was kennelijk gepland voor maart, maar er waren heel wat bedrijven voor de logistiek en beveiliging nodig en iedere week stroomden ze bij honderden Koeweit binnen.

In de kleine uurtjes van de ochtend lag Doug dan wakker en staarde naar de kaarten met de ingewikkelde schema's van pijlen die van het noorden, zuiden en westen naar Bagdad schoven, terwijl de commentatoren maar doorbazelden: neoconservatieven die minzaam minder knappe koppen duldden, terwijl hun tegenstanders er hun ongeloof over uitspraken dat het Amerikaanse volk zo onnozel was achter een dergelijke oorlog te gaan staan. En dan had je nog Dougs favorieten, de jonge progressieven met hun frisse gezichten die de oorlog steunden, erop gebrand te bewijzen dat ze geen doetjes of homo's waren. Maar welke commentator ook, de reportages leken altijd terug te keren naar de onuitputtelijke voorraad archiefbeelden van tanks die stofwolken opwierpen en raketten die gloeiend heet van het dek van kruisers werden gelanceerd. Wat Doug telkens weer terugbracht naar de tijd dat hij op het dek van de Vincennes stond, met die ovenhete wind die van de stinkende wateren van de Golf blies en iedere porie van het schip verstopte met zand, naar het gevloek dat de Iraanse moordenaars in de speedboten over de radiogolven spuwden en naar de hoogtecoördinaten van het verkeersvliegtuig die hij op zijn monitor zag stijgen.

In de uren voor zonsopgang, als hij eindelijk in staat was het nieuws af te zetten, raakte hij vaak in een licht delirium, een halfbewuste maar nog onrustige staat waarin onherinnerde momenten in zijn geest kwamen bovendrijven, in sfeer en textuur merkwaardig compleet, haast als een droom zo precies. Momenten van zitten op het vinyl van de achterbank van de stationcar van zijn oom John tussen zijn neven Michael en P.J. met de raampjes omlaag, opgetogen omdat hij weg was uit zijn moeders appartement en onderweg naar de Cape, terwijl de stem op de radio de wedstrijd versloeg en de kilometers dwergdennen in een groen waas langs zijn ogen trokken; en later het diepe, onuitsprekelijke geluk terug te keren naar het huis van zijn neven, een mooi schaduwrijk huis vol gegil en beweging, de rommel van sportspullen en speelgoed, de gebrulde en genegeerde bevelen van zijn oom en tante, Michael die de tuinslang niet dichtdraaide maar het water helemaal tot onder aan de oprit liet lopen waar ze hun haastige dammen bouwden om het plezier ze te zien overstromen, waarbij hij in de onverschilligheid van zijn neven voor de uitbranders van hun vader een glimp zag van de vrijheid die gepaard ging met autoritaire ouders: om je te verzetten, om weerstand te bieden aan een kracht en robuustheid waar jouw kleine daden nooit tegenop konden.

Hoe hij wachtte buiten voor het appartement, buiten in de koude lucht, op zijn moeder, als het had gesneeuwd, terwijl hij niet weer te laat wilde zijn voor de mis omdat dan iedereen zich zou omdraaien en naar hen kijken; met zijn blote handen een sneeuwbal maken terwijl hij wachtte op het geluid van haar voetstappen op de trap; haar in haar zwarte wollen mantel en blauwe jurk naar de auto zien lopen, haar eens-per-weekgezicht opgemaakt met rouge en lippenstift; zijn hand branden rondom de bevroren bal in zijn vuist, kijken naar haar en zijn adem, wensen dat zijn sneeuwbal hard genoeg was om de voorruit in te gooien maar weten dat dit niet zo was; en dan weer de auto instappen, terug in die stilte die niet eens straf of verwijt inhield, maar eenvoudigweg haar manier om te overleven, de lucht van de gierende ontdooier eerst koud op zijn gezicht, de muffe plastic geur algauw verdreven door de sterkere geur van zijn moeders sigaret.

Als spotternij waren die herinneringen, het verleden dat hem opeiste op zijn zwakste momenten.

Kon hij maar slapen, dacht hij steeds, dan zou zijn concentratie wel terugkomen. Hij kon het nieuws uitzetten en dan zouden zijn hersenen ophouden die nutteloze herinneringen op te rakelen en kon hij zich weer richten op het actuele probleem.

Hij liep de lobby in en naar de auto die buiten stond te wachten om hem naar het Ritz te brengen. Onderweg belde hij Mikey.

'Ik weet niet hoe je aan die papieren bent gekomen,' zei Mikey, 'maar die hebben gewerkt. Je hebt gewonnen. De Graves Stichting is een farce. Ze is drie jaar geleden gestopt met doneren. En hun belastingen... hoe dan ook, het hof heeft Cushmans vonnis van tafel geveegd. Charlotte Graves heeft nergens aanspraak op.'

'Kan ze nog in beroep?'

'Bij God misschien.'

'Mooi. Ik wil dat je de makelaar belt en het huis te koop aanbiedt.'

'Heb je niet gehoord wat ik heb gezegd? Je hebt van haar gewonnen.'

'Ja, ik heb je gehoord. Maar ik wil het verkopen. Ik wil het geld hebben.'

'Ik heb godverdomme net je beroep voor je gewonnen! Ik ben een jaar bezig geweest met de bouw van dat huis van je, verdorie. Jij hebt de investering uitgekozen, wij hebben het land bouwrijp gemaakt, jij hebt je villa gekregen. Woon er gewoon een paar jaar in, wil je? Maak er echte winst op.'

'Ik waardeer alles wat je gedaan hebt. Ik laat Sabrina de makelaar doen als je wilt.'

'Wie bén jij verdomme?'

'Ik ben je vriend, Mikey. Maar de situatie, die is veranderd.'


Vanuit het hotelraam zag Nate een jong stel bij het parkhek in de Arlington Street in korte broek en met een zonnehoed op. Ze stonden stil om een plattegrond te bestuderen, terwijl hun kinderen vooruitrenden om te kijken naar het standbeeld van generaal Washington te paard, diens bronzen ogen permanent gericht op de Commonwealth Avenue. Achter het hek, in de Boston Public Gardens, wiegden de takken van de treurwilgen boven de vijverrand.

Terwijl Nate toekeek hoe de man knielde om zijn vrouw en kinderen aan de voet van het standbeeld te fotograferen, belde hij weer naar Emily's mobieltje, ongeduldig wachtend tot ze antwoordde. Twee maanden eerder was ze naar het college vertrokken en sindsdien hadden ze elkaar bijna iedere week telefonisch gesproken. Maar voor de derde keer die dag werd hij meteen verbonden met haar voicemail. Net toen hij wilde afbreken, piepte zijn telefoon, en hij zag dat zij hem belde.

'Jij ook al?' zei ze. 'De andere twee bellen me al de hele dag om me te vertellen hoe vreselijk belangrijk al onze vriendschappen zijn geweest en Jason blijft me maar aan m'n kop zeuren hoeveel hij plotseling van me houdt. Het is zo van midden jaren negentig. Ze zijn hun hele leven nog nooit naar een houseparty geweest. Jullie kerels zullen allemaal depressief van de pijn in de kaken wakker worden'.

'Ik ben niet aan de ecstasy. Ik hoor niet bij ze.'

'En hoe zit het dan met al je telefoontjes? Is er iets aan de hand?'

'Niets,' zei hij. 'Ik wilde alleen iets van me laten horen, om te zien hoe het daar gaat. Is je kamergenote nog steeds zo'n lastpost?'

'Ik geloof dat je wel degelijk in een crisis zit, maar laat maar. Daar kunnen we het zo over hebben. Om te antwoorden op je vraag: ja, ze is beslist een probleem. Dat gedoe over veganisme, biseksualiteit, anti-NAFTA en stemmen op Nader zou ik nog min of meer aankunnen, als ze het maar voor zich hield. Je zou denken dat ze in ieder geval d'r mond houdt wanneer ze mediteert, maar nee, dan gaat ze chánten. En zij durft míj te waarschuwen voor het valse bewustzijn van cynisme. Ze is een kruising tussen een hare krisjna en een stalinist. Het is ongetwijfeld niet meer dan een agressieve reactie op het een of andere trauma van haar babyboomeropvoeding, maar ik zie niet waarom ik eronder zou moeten lijden.'

'Je moet me dekken,' zei Nate.

'Waarvoor?'

'Ik heb mijn moeder gezegd dat ik naar jou ging. De laatste tijd ben ik veel weg en ik denk dat ze argwaan begint te krijgen. Ik wil gewoon niet dat ze zich zorgen maakt, snap je?'

'Waar ben je?'

'In het Ritz.'

'O god. Je bent bij hem! Wat vet! Ik bedoel, ik zou me eigenlijk zorgen over je moeten maken als vriend of zo, maar die man is retevet. Voor jullie kerels is het veel gemakkelijker. De jongens van mijn college kunstgeschiedenis kijken niet eens naar me, zo druk hebben ze het met elkaar. Gisteren waren ze onderbroekmerken aan het vergelijken. Maar hoe zit dat met het hotel?'

'Hij is bezig met de een of andere onderhandeling. Ze blijven hier de hele nacht.'

'En hij heeft je gevraagd mee te gaan?'

Nate aarzelde, want hij wilde Emily niet teleurstellen door het beeld achter haar speelse jaloezie te verstoren. Bovendien, wat moest hij aan met zijn toestand als die niet minstens voor een deel vergelijkbaar was met de meer normale afspraken tussen andere mensen? Hoe kon hij haar uitleggen dat Doug en hij elkaar, ondanks alles wat ze samen hadden gedaan, nog nooit echt hadden gezoend?

'Mis je Jason?'

'Die slome potroker? Misschien. Tijdens de introductie van psychologie heb ik die ene jongen leren kennen. Het is een Duitser, dus hij weet in ieder geval hoe hij een gesprek moet voeren. Ik weet het niet. De professor Engels vorige week, die deelde de syllabus uit en zei dat we negentiende-eeuwse romans gingen lezen met hoofdpersonen van onze leeftijd of niet veel ouder, en hij vroeg of we dachten dat onze gevoelens belangrijk genoeg waren om er boeken over te schrijven. Dus toen zei één jongen: hoe kunnen je gevoelens er nou toe doen als ze geen enkel gevolg hebben, zoals huwelijk of kinderen of je reputatie? Natuurlijk zag hij eruit alsof hij aan de drugs was, maar mijn kamergenote voelde zich geroepen om te beweren dat onze gevoelens over politiek er wel degelijk toe deden. Waar ik het wel zo'n beetje mee eens ben. Maar wie wil er nu een roman lezen over een vegetariër die pacifist wordt?'

'Hangt het er niet van af hoe intens ze zijn?' vroeg Nate, een beetje jaloers dat Emily zich met dat soort dingen kon bezighouden.

'Hoe bedoel je?'

'Je gevoelens. Ik bedoel, als ze intens genoeg zijn, hebben ze toch gevolgen?'

'Je bent echt smoor op die vent, hè?'

Precies op dat moment hoorde hij op de deur kloppen. 'Ik moet gaan,' zei hij. 'Hij is terug.'

'Oké, loverboy. Hou je taai.'

Toen Nate de deur opende, zag hij tot zijn stomme verbazing meneer Holland. Een paar tellen namen de twee elkaar op in stille verbijstering.

'Nate. Hallo. Dit is de kamer van Doug Fanning, niet?'

'Ja,' zei hij, niet in staat ook maar één reden te bedenken waarom hij op eigen kosten in het Ritz-Carlton zou logeren.

Meneer Holland liep langs Nate de kamer in en keek rond met een verwarde uitdrukking op zijn gezicht, die verdween toen het onopgemaakte bed, de kleren op de stoelen en Nates rugzak op de vloer tot hem doordrongen.

In tegenstelling tot mevrouw Holland, die haar agressie jegens Jasons vrienden maar zelden kon verbergen, had meneer Holland hen altijd warm verwelkomd. Het idee dat zijn zoon vrienden had leek hem gerust te stellen, zoals de meeste onverschillige ouders tevreden met een vage notie dat hun kinderen sociaal succes hadden. Hij was altijd vriendelijk tegen iedereen. Maar op dit moment was hij er helemaal bij.

'Is Jason bij je? Is hij in het hotel?'

Nate besefte dat hem een vluchtroute werd aangeboden. Als hij Jason op de een of andere manier in het verhaal kon betrekken en hem vervolgens vóór zijn vader kon bereiken, zou hij zich er misschien uit kunnen redden. Maar hij kreeg het niet op tijd aan elkaar gebreid.

'Feitelijk... ken ik meneer Fanning. Uit Finden.'

'Uit Finden? O.' Hij wierp een blik op zijn horloge, alsof hij de kansen van een bijzonder ingewikkelde belegging opnieuw berekende. Nate begreep dat hem niet zou worden gevraagd zich nader te verklaren, en dat dit waarschijnlijk niet zo best was. 'Tja,' zei meneer Holland, 'ik moet Doug spreken. Dus als hij langskomt, kun je hem misschien zeggen dat ik beneden ben.'

Hij was de deur alweer uit, toen hij zich omdraaide, alsof hem nu pas inviel dat hij, omdat ze elkaar kenden, niet kon gaan zonder een vriendelijk afscheidswoordje. 'Trouwens,' zei hij, 'doe de groeten aan je ouders van mij.'

Toen de auto tot stilstand kwam voor het hotel, ging Dougs telefoon.

'Ben jij al in het gebouw?' vroeg Holland.

'Ja, ik ben er. Sluiten we de overeenkomst met Taconic?'

Er viel een stilte, en het klonk alsof Jeffrey zijn hand over de microfoon hield. 'Eh, ja,' zei hij. 'Goed dat je er bent. Blijf nog even waar je bent, nog zo'n drie kwartier, een uur misschien. Ik moet nog een paar dingen bespreken met de advocaten en dan zien we elkaar allemaal in de balzaal.'

'Wat is er aan de hand?'

'Niets. Het zit goed met de deal. Ik wil gewoon dat je op het eind bij de hand bent, meer niet.'

Een piccolo in livrei opende het portier en Doug ging door de draaideur de lobby in. Naast de liftdeuren, rechts van de balie, stonden twee forsgebouwde blanke kerels in marineblauwe windjacks zachtjes met de hotelmanager te praten. Ze hadden een telefoontje in hun oor en een walkietalkie aan hun riem. Ze waren niet van de geheime dienst en zagen er ook niet uit als particuliere beveiligers. De FBI misschien. Beslist federaal.

Doug overwoog om terug te lopen naar het trottoir en een taxi aan te houden. Maar als ze hier voor hem waren, hoe ver zou hij dan komen? Niet vandaag of morgen, maar volgende week of volgende maand? Hij zou tijd nodig hebben om dingen te regelen, op zijn voorwaarden.

Zodra hij de kamer boven binnenging, kwam Nate van het bed, een en al verlangen en angst.

'Ik heb je de hele tijd proberen te bellen,' zei hij. 'Ik wist niet waar je was.'

Doug gooide zijn aktetas op de bank en liep naar het raam. Niets ongewoons beneden op straat. Geen patrouillewagens of agenten. Hij had er nu spijt van dat hij Nate hier had laten komen, maar toen hij hem had verteld dat hij een tijdje in de stad zou blijven, had Nate er praktisch om gesmeekt. Hij was gekomen met een koffer en een tas met boeken, alsof ze samen op vakantie waren.

In praktische zin was Nate niet meer bruikbaar nadat hij de papieren in juli had teruggebracht. En toch hadden ze in de maanden daarna meer tijd met elkaar doorgebracht dan ooit. Doug bleef zichzelf voorhouden dat klaarkomen hielp tegen zijn slapeloosheid. Dat Nate alleen maar experimenteerde en dat hij alleen maar de tijd doodde. Maar hoe meer hij het lichaam van de jongen gebruikte, hoe gefrusteerder hij was geworden.

'Je zou hier niet moeten zijn,' zei hij.

'Hoezo? Is er iets aan de hand?'

De kraag van zijn vaalblauwe polo zat aan de ene kant naar binnen en zijn haar was zoals gewoonlijk een ragebol.

'Wat heb je gedaan?' vroeg Doug, terwijl hij met zijn duim langs Nates gladde wang ging. 'Geschoren?'

'Klopt. Je vindt me te slordig. Het is mijn Ritz-Carlton-look.'

Hij pakte Dougs hand en bracht die naar zijn heup. 'Je ziet er goed uit in dat pak,' zei hij, naderbij komend, waardoor hun gezichten nog maar een paar centimeter van elkaar af waren.

Met stijgende ergernis draaide Doug Nate om en duwde hem naar voren het bed op.

'Hierna,' zei hij, 'ga je weg. Begrepen?'

Toen Nate zijn overhemd en spijkerbroek had uitgetrokken, rolde hij op zijn rug.

'Wat doe je?'

'Ik krijg je nooit eens te zien.'

Doug greep Nate bij de knieholten, drukte zijn dijen tegen zijn borst en trok hem open. Terwijl hij hem zo neerdrukte, friemelde hij aan zijn eigen riem en broek, vol verbazing en weerzin over de onuitputtelijke behoefte van de jongen. Hij spuugde in zijn hand en penetreerde hem met één stoot. Nate kromp ineen met tranen in de ogen, maar Doug ging door. Hier ging het om – waarom hij hem bij zich had gehouden. Om een mannelijk lijf te grijpen, een jongensachtig lijf als dat van hemzelf, het stevig aan te pakken, zijn pik en dit geneuk alleen maar een middel tot een doel. Om de zwakte te neuken, die te ranselen.

Hoewel Nate op het punt leek te gaan huilen, hield hij zijn ogen open en keek Doug recht aan. Doug bedekte de ogen met zijn hand, maar met verrassende kracht trok Nate de hand weg en bleef kijken. Het was onverdraaglijk. Hij stootte harder, drukte de lucht uit Nates longen, zodat die ernaar moest happen. En nog steeds keek hij niet weg. Een golf van misselijkheid kwam in Dougs lijf naar boven terwijl hij boven Nate hing, die al zijn energie dreigde op te slorpen, zodat hij een moment wilde dat die ogen de lopen van geweren waren die hem ter plekke zouden afmaken. Maar de tijd ging door en hij zweette, en Nate kwam klaar op zijn borst en buik en Doug ontlaadde zich in hem en trok zich terug. En toen zag Nate, uitgestrekt op het bed, armen en benen wijd uiteen, er weer uit als eerder, een kreupel veulen wachtend op het genadeschot van zijn eigenaar.

Doug veegde zich schoon en trok zijn broek omhoog, toekijkend hoe Nate opstond van het bed en in de badkamer verdween. Het rinkelen van het douchewater vermengde zich met het rinkelen van de telefoon, dat hij negeerde. Nate zei niets toen hij terugkeerde, kleedde zich aan met zijn rug naar Doug, die de televisie aanklikte op zoek naar het nieuws.

Een paar minuten later hoorde Doug over zijn schouder Nate zeggen: 'Ik heb iets voor je.'

'Hoe bedoel je?'

'Een cadeau.'

'Waarom?'

'Weet ik niet. Ik had er zin in.' Hij liep om naar Dougs kant en overhandigde hem een doosje in geschenkpapier. Doug verwijderde het gouden lint en scheurde het papier eraf. In de cassette lag een paar zwart-met-zilveren manchetknopen.

'Je hebt allemaal van die manchetoverhemden. Maar je draagt altijd dezelfde manchetknopen.'

Doug deed het doosje weer dicht en legde het opzij.

'Dit spel,' zei hij, 'is voorbij.'

'Voor mij is het geen spel.'

'Je weet niet waar je het over hebt. Je bent nog een kind. Je denkt dat het ertoe doet wat jij voelt.'

'Dat is ook zo.'

'Ik bewijs je een dienst. Dat zie je nu niet, maar het is wel zo. Wil je je hele leven weerloos blijven? Wil je de lul zijn? Als je graag met kerels slaapt, oké. Maar draag goddomme je hart niet zo op je tong.'

Doug stond op, greep zijn jasje en aktetas van de bank en liep de kamer uit, de deur achter zich dichtslaand.

Bij de ingang van de balzaal vroeg een veiligheidsman hem naar zijn identiteitskaart.

'U bent toch niet van de pers? De pers mag er niet in.'

Advocatenteams hadden zich rond een immense ovale tafel geschaard en achter hen zaten hun secondanten, als waren het assistenten van Congresleden. De jonge medewerkers fluisterden in het oor van hun bazen, terwijl aan het hoofd van de tafel een vent in bretels hardop voorlas uit een alinea van het contract dat op een scherm achter hem geprojecteerd was.

Los van een sporadisch dutje op hun kamer waren de juristen al drie dagen achtereen in deze zaal tot en met de laatste clausule aan het bekvechten over de details van de aankoop.

Aan een tafel achter in de zaal zat Hollands secretaresse Martha verwoed op haar laptop te typen.

'Waar is Jeffrey?' vroeg hij aan haar.

'Doug,' zei ze, duidelijk geschrokken door zijn verschijning. Ze wees rechts van haar. 'Het is de tweede deur daar. Het beste.'

Een andere veiligheidsman – ditmaal herkende Doug hem van kantoor – opende de deur voor hem en hij ging het vensterloze voorvertrek in. De twee mannen uit de lobby, nog steeds in hun blauwe jacks, zaten op metalen klapstoelen. Ze stonden op toen hij binnenkwam en hij hoorde de deur achter zich dichtgaan.

'Douglas Fanning?' vroeg de oudste van de twee, terwijl zijn partner een stel handboeien van zijn riem haalde.

'Klopt,' zei Doug. 'Dat ben ik.'

# Hoofdstuk 17

Holland plantte tegenover Henry zijn ellebogen op tafel en leunde voorover, waarbij hij zijn vlezige vingers verstrengelde en het overtollige vlees van zijn nek bij zijn witte boord naar buiten werd geperst.

'De eerste kerel waar ik ooit voor heb gewerkt,' zei Holland, 'kon elke lening in zijn portefeuille opratelen, je de rente geven en vertellen wie betalingsachterstand had, dat alles zonder ook maar één blik in een balans te werpen. Sean A. Hickey. Manager van Hartford Savings. Hij vertelde me alles te vergeten wat ze me ooit hadden bijgebracht en te leren iemands gezicht te lezen. Dat was de opleiding. Naast hem zitten bij afspraken met de plaatselijke ondernemers en hem een positief of negatief advies geven. Ik koos voor de lui in de strakke pakken, de grote monden. Hij wees ze stuk voor stuk af. Je denkt niet ver genoeg door, zei hij altijd. Wat je zoekt is degelijkheid. Het lijkt wel honderd jaar geleden. Nu is het handel, alleen maar handel.'

Het schilderij van Bierstadt aan de wand achter de voorzitter en CEO van de Union Atlantic verbeeldde een ongerept Yosemitepark in de vroege herfst of late lente, het groene gras en het bergmeer aan de voet van de bergtoppen badend in bundels zonlicht die uit een gat in de wolken vielen. De top van Half Dome was overdekt met sneeuw, smeltend tot watervallen die neerstroomden van de lagere rotsen, waarbij het fijne waas dat van de cascades sloeg de schilder verraadde als de romanticus die hij was: dat mystieke Duitse idealisme was hier in overtreffende trap toegepast op een landschap in het Amerikaanse Westen.

Achtendertig miljoen, dacht Henry. Dat had Holland het laatste jaar verdiend. En als het bestuur hem eruit zou werken, inde hij tweemaal dat bedrag.

Door de deur naar de privé-eetzaal kwam een ober in zwart pak met stropdas, in iedere hand een bord.

'Gekraakte inheemse kreeftstaarten, heren, geserveerd met gepocheerde bio-eieren, papajasalsa en Old Bay sauce hollandaise. Vers gemalen peper bij uw ontbijt, meneer?'

'Nee, dank u,' antwoordde Henry, terwijl hij zijn servet openvouwde.

'Ik stel het op prijs dat je hier bent vanochtend,' zei Holland. 'Ik weet niet of ik het je ooit heb verteld, maar ik heb op jou gestemd destijds, toen ik bij Chase zat en in het bestuur van de New York Fed. We waren blij dat we je konden krijgen voor de baan.'

Henry wist het nog heel goed. Holland had liever gezien dat er een collega van de particuliere sector werd benoemd, iemand die de bedrijfstak beter gezind was. Maar toen anderen zich eenmaal achter Henry hadden geschaard, had hij gekozen voor een vriendelijke benadering.

'Jij maakt je op de juiste manier druk,' zei hij. 'Wat belangrijk is.'

Als de FBI en het OM hun zin hadden gekregen, waren ze de Union Atlantic maandenlang in de gaten gaan houden om hun zaak rond te krijgen, tot en met Holland. Maar gegeven de omvang van het probleem had Henry niet kunnen wachten. Hij was nog geen achtenveertig uur geleden door de voordeur binnengekomen, bij wijze van spreken, en Holland had het hoofd van Fanning en diens handelaar prompt op een presenteerblaadje aangeboden. De bank had een eigen intern onderzoek verricht, beweerde hij, waaruit bleek dat Fanning had gepoogd de zaak op te lichten en zijn sporen uit te wissen. Aangezien de advocaten van Holland zelf voormalige federale aanklagers, voormalige banktoezichthouders en voormalige belastingambtenaren waren, kende hij de procedure maar al te goed: niets verbergen, of althans niet de schijn wekken iets te verbergen.

In de komende maanden en jaren zou Hollands eigen schuldigheid, tegen de prijs van ettelijke miljoenen, het onderwerp zijn van diverse rechtszaken, civiele en strafrechtelijke, waarbij teams van zijn advocaten ieder verzoek tot inzage van stukken van iedere partij doorlichtten en de levens van de medewerkers in een of andere firma aan niets anders waren gewijd, waarvoor intussen duizenden uren in rekening werden gebracht, terwijl de doodsimpele vraag wat hij had geweten en wanneer, werd ingevoerd in de verlammende machinerie van de moderne rechtspleging, alwaar ze in een slakkengang werd verwerkt. Jonge advocaten zouden met hun bonussen appartementen of stadshuizen kopen, architecten, aannemers en inrichters inhuren die op hun beurt weer een beetje meer uitgaven aan auto's, vakanties of flatscreentelevisies, al viel die specifieke druppel van de crisiseconomie in het niet bij het banenverlies waar de herstructurering van de Union Atlantic Group onvermijdelijk toe zou leiden.

Maar dat zou allemaal nog komen. Persoonlijk verdacht Henry Holland ervan dat hij zijn fiat had gegeven aan de constructie met Finden Holdings en aan de handel in effecten voor eigen rekening die Finden Holdings had gefaciliteerd om de prijs van Hollands aandelen hoog te houden. Maar het had geen enkel praktisch nut om zijn mening ten beste te geven. Wat Henry nodig had was een functionerende instelling die haar rol kon spelen al naar gelang de situatie zich ontwikkelde. Als Holland de man was die dat kon bieden, dan moest dat maar. Anderen zouden over zijn lot beslissen.

'Het is een trieste zaak,' merkte Holland op. 'Doug was een slimme kerel. Ik heb hem misschien te snel gepromoveerd. Dat neem ik mezelf kwalijk. Kennelijk is de druk hem te veel geworden. Hij is het spoor bijster geraakt. Ik weet niet of je hebt gehoord van dat andere... Ik zeg het eigenlijk liever niet... Maar het schijnt dat hij iets heeft geflikt met een kind, een jongen nog, misschien wel minderjarig. Dat weet ik niet zeker. Ik wist niet wat ik hoorde. Ik heb nooit iets aan hem gemerkt. Maar ik denk dat het past in het patroon. Als je in het ene deel van je leven de mensen belazert en ermee wegkomt, dan krijgt het gewoon de overhand.'

Hier zweeg hij even, om te zien of hij succes had bij Henry. Kennelijk daaraan twijfelend, zette hij door.

'Onder ons gezegd,' zei hij, 'je hebt best kans dat dit het leven van je zus gemakkelijker maakt. Ik denk niet dat Doug nog veel langer daar in Finden zal zijn. Hij zal zijn advocaten toch ergens mee moeten betalen.'

Dit was ook bij Henry opgekomen, al had hij hierover niets tegen Charlotte gezegd. Nog maar een paar dagen geleden had zij gehoord dat haar juridische overwinning was herroepen. Het nieuws was hard bij haar aangekomen. Haar overwinning in die zaak was eindelijk een rechtvaardiging van haar kruistocht, niet alleen tegen Fanning en de stad, maar ook tegen haar grotere vijand: het algemene oprukken van geld, verspilling en vertoon. Nu haar dit was ontnomen, was er iets in haar geknapt. Haar dominante stem was zachter geworden. Toen hij opnieuw het idee had geopperd om te gaan verhuizen, had ze geen van haar gebruikelijke protesten laten horen. Omdat hij toch naar Boston moest, had hij Helen een afspraak laten maken bij het verzorgdwonencomplex dat Cott jr. had aanbevolen, en Charlotte en hij hadden er die middag een afspraak.

Wat had het nog voor zin om het nieuws over Fannings deconfiture te vertellen? Het zou haar alleen maar valse hoop geven. Ook al werd de man gedwongen te verkopen, dan nog bleef het huis er staan.

Hij nam een hap kreeft en liet zijn zwijgen tegen Holland voor zichzelf spreken.

'Fanning interesseert me niet,' zei hij ten slotte. 'Misschien kunnen we aan het werk gaan?'

'Natuurlijk.'

'Ik wil beginnen met te zeggen dat je je vergist als jij – of je bestuur – de indruk hebt dat de Union Atlantic te groot is om failliet te gaan. Een reddingsoperatie is hier niet aan de orde. Als jullie omvallen, is dat een fikse dreun voor de markten, maar met voldoende liquiditeit in het systeem kunnen we jullie lossnijden. Ik hoop dat je dat begrijpt.'

Dit was natuurlijk bluf. Henry begon al telefoontjes te krijgen van het ministerie van Financiën. De minister vertrouwde erop, zeiden zijn medewerkers met hun doorzichtige eufemisme, dat de Federal Reserve zijn zorg over de stabiliteit van de markt deelde. Vertaling: het Witte Huis houdt deze zaak in de gaten. De regering, hoewel op grond van de vrijemarkttheorie tegen redding door de overheid van een omvallend bedrijf, zag de Union Atlantic niet graag instorten. Daarvoor bestonden uiterst verstandige redenen en met de meeste daarvan was Henry het wel eens, maar uit het geruchtencircuit rond regeringskringen kwam een andere zorg naar voren: er begon zich een meerderheid vóór de invasie van Irak af te tekenen, en een gebeurtenis van deze omvang kon het evenwicht in het land en in het Congres verstoren. Ze wilden niet nog meer aan hun hoofd hebben. Daar kwam het op neer. Uit alle macht de schijn vermijden dat speculanten werden beloond – geen moreel risico nemen –, maar het was nu niet de tijd voor een strikte toepassing van de regels.

Zou hij de voldoening voelen dat er recht was gedaan, wanneer een ondernemer als Holland werd aangepakt? Natuurlijk. Wie niet? Maar hoeveel gal de progressieven ook over de topmannen in het bedrijfsleven wilden spuien, er waren bepaalde harde feiten die weinig van doen hadden met individuele spelers. De Dow vijfhonderd punten in de min was één ding. Maar ontwrichting van de kredietmarkten was iets heel anders. De drooglegging van het leningstelsel en de verliezen zouden niet langer alleen de klasse van investeerders treffen. De man die werkte bij het themaparkbedrijf in Texas, dat was overgenomen met geleend geld waarvan het bedrijf de rente niet langer kon betalen, zou al snel zijn salaris kwijt zijn. In het algemeen had Henry een hekel aan het gebruik van persoonlijke verhalen om de werking van de economie te illustreren, vooral als politici dat deden. Ze gaven haast altijd een vertekend beeld, een bedrieglijk eenvoudige voorstelling van oorzaak en gevolg. De waarheid lag in de macrocijfers, niet in beelden van burgers die een minuut of twee aandacht kregen in de media en dan weer snel uit het nieuws verdwenen. Valutadepreciaties veroorzaakten meer ellende dan een witteboordencrimineel ooit zou kunnen aanrichten. De populistische critici bekommerden zich zelden om de toestand na een echte instorting van het systeem. In Argentinië schuimde de middenklasse nu de vuilnisbelten af. Zover zou het niet komen na een faillissement van Union Atlantic, maar het waren niettemin onzekere tijden. En wie ging dat risico nemen?

'Volgens mij heeft niemand het over een reddingsoperatie,' zei Holland. 'We hebben het over kapitaalinjecties. Volgens mij ben je het er wel mee eens dat de naam waarde heeft, om nog maar te zwijgen over de activa. We zoeken alleen naar een manier om potentiële investeerders gerust te stellen.'

'Praten jullie met de Emiraten?'

'Onder andere, ja. We hebben ook wat belangstelling voor Singapore. Het gaat om de timing. Ik heb tweeënzeventig uur om een margin call te doen. Dat is niet erg lang om een verkooppraatje te houden. Als Citi of Morgan of een zaak van die omvang aan boord zou komen, al was het maar symbolisch, dan zou dat een groot verschil maken.'

Holland liet zijn hoofd naar één kant zakken en rolde even met zijn ogen, als wilde hij zeggen dat hij toegaf omdat het nu eenmaal moest. Hij was een heel goede acteur. Zijn collega-CEO's die het moesten hebben van hun relatieve aantrekkingskracht in de ogen van de verschillende raden van bestuur cirkelden rond als aasgieren, ongeacht wat rationeel gezien in het belang van hun eigen bedrijven zou zijn, namelijk het voorkomen van een algemene crisis. Intussen roken de grote buitenlandse investeerders een kans, maar wilden niet in het ootje worden genomen. Wat Holland nodig had, was Henry's bemiddeling via de achterdeur en zo niet de centen van de Fed, dan toch in ieder geval zijn fiat voor de deal om de bank te redden. Wat hij wilde lenen was ernst en prestige.

'En als we nee zeggen?' zei Henry, terwijl hij zijn zilveren bestek op zijn bord legde. 'Als ik nu eens aan het telefoneren sla en de "gemeenschap" afraad de rijen te sluiten om iemand uit eigen kring te beschermen, als ik nu eens zeg dat je een vreselijk belabberde investering bent en dat de markt uiteindelijk zijn werk zal doen en zal bepalen wat je echt waard bent? En als dat een dollar per aandeel is, het zij zo. Wat dan?'

Voor de eerste keer sinds ze aan tafel waren gegaan, viel Hollands masker van de belangrijke politicus weg en richtte hij een kille blik op Henry, zonder zijn gespeelde openhartigheid en berouw.

Henry's intuïtie was juist geweest: Fanning had zo dicht bij deze man gestaan dat Holland wel betrokken moest zijn. Hij was het instrument van Holland geweest.

'Wat dan?' herhaalde Holland, met een tragere en bedachtzamere stem. 'Tja, ik zou me dan afvragen of onze regering die uitkomst wel wilde.'

'Ja? Suggereer je dat de Fed niet helemaal onafhankelijk is? Suggereer je dat we onze marsorders uit politieke kringen krijgen?'

Holland leunde achterover. 'Hou toch op, Henry. Ik heb met de mensen van senator Grassley gesproken. Ik weet wat je van Financiën hoort. Waar blijf je nou met je maatschappijleer?'

Uit zijn mond klonk het bijna als een vies woord. Ongelofelijk, dacht Henry. Hier zat hij, Henry Graves, de grijze pragmaticus, beschuldigd van naïviteit. Het zette hem aan het denken. Was het misschien zo dat hij, ondanks al de gelegaliseerde corruptie waarvan hij in de loop der jaren getuige was geweest, zelfs ondanks datgene wat hij nog geen tien minuten geleden van zichzelf zou hebben gezegd, echt naïef was? Dat er nog een kern van protest in hem was blijven leven? Wat zou dat dan nog betekenen? Dat hij zich na veertig jaar zou uitspreken en tegen het systeem dat hij zijn leven lang had beschermd zou zeggen: ik ben het er niet mee eens? Stabiliteit redt niemand. Regulering is gewoon een truc om georganiseerde diefstal te verdoezelen en overtuigt niemand behalve het publiek. Zoiets geloofde hij niet. En toch, als de onnozele eerstejaars met als hoofdvak filosofie die hij ooit was geweest, voelde hij een drang. Een verlangen zelfs. Een verlangen dat hij nauwelijks herkende.

Er verscheen een secretaresse die Holland een briefje overhandigde. Hij wierp er een blik op en verfrommelde het papier toen in zijn vuist.

'Maak er maar achtenveertig uur van,' zei hij, terwijl hij zijn bord opzijschoof. 'Singapore wil zijn margin op dinsdagmorgen.'

Holland stond op en gaf de ober een seintje dat hij de tafel kon afruimen.

'Wil je dit echt, Henry? Wil je dat we failliet gaan?'

In de auto op weg naar Finden belde Helen om Henry te informeren over de telefoontjes die hij tijdens zijn afspraak had gemist: twee van de Federal Deposit Insurance Company, een instantie die doodsbang was dat een bank van de grootte van de Union Atlantic in haar boeken zou belanden, een van het kantoor van de thesaurier-generaal, wiens controleurs het niet hadden zien aankomen, en nog twee van Financiën.

'En de voorzitter heeft gebeld,' zei Helen. 'Hij heeft ongeveer een uur geleden met de chef-staf in het Witte Huis gesproken.'

'Daar hoor ik niet van op.'

'Wat moet ik hem zeggen? Dat je onbereikbaar bent? Een beetje ongeloofwaardig, onder de omstandigheden.'

'Houd hem nog een paar uur aan het lijntje. Tegen vieren zit ik in een vliegtuig.'

Hij liet zijn chauffeur door het centrum van Finden naar het huis aan de Winthrop Street rijden. Toen ze de oprijlaan in reden, zag hij zijn zus met een snoeischaar bezig aan een gevallen tak van de oude appelboom. Ze merkte de auto aanvankelijk niet op en draaide zich pas om toen ze zijn portier hoorde dichtslaan. De voorkant van haar fleecetrui was overdekt met stukjes blad, die ook in haar haarslierten hingen.

'Wat doe jij hier, in godsnaam?'

'Ik heb je erover gebeld... onze afspraak. In Larch Brook. Ik heb je gezegd dat ik zou komen.'

De honden kwamen aangetrippeld en snuffelden aan Henry's middel.

'Het was vannacht noodweer,' zei ze. 'Dit hier is allemaal afgewaaid. Klonk als een geweerschot. Ik was op slag wakker. Jij klom altijd in deze boom, weet je nog?'

'Charlotte. We worden daar over twintig minuten verwacht. Wil je je niet eerst verkleden?'

Ze legde haar schaar neer. Om haar heen in het gras lagen geplette en rotte appels.

'Dit was de boom waar je je fort in wilde bouwen, maar mammie dacht dat het geen gezicht zou zijn. Daarom heb je het bij de rivier gebouwd. Heb ik je verteld dat er nog steeds planken van over waren toen ze het bos omhakten? De honden en ik liepen er iedere morgen langs.'

'Nee, dat heb je niet gezegd,' zei hij. 'Hoe dan ook, we moeten nu echt gaan. De auto staat op me te wachten.'

'Ik heb een idee. Waarom maken we niet een wandelingetje? Ik wil je iets laten zien.'

'Daar hebben we de tijd niet voor.'

'Het duurt maar even.'

Hij sloot even zijn ogen en probeerde zijn geduld niet te verliezen. Ieder uur telde in dit stadium van de crisis. De beurzen waren meedogenloos, het systeem was zwakker dan de meeste mensen dachten. De plicht riep nu meer dan ooit. Maar Charlotte... ze wilde hem iets laten zien.

En dus volgde hij haar de hoek aan de andere kant van het huis om, langs het houtschuurtje de tuin in. Jarenlang had ze de struiken, bloembedden en kleine boompjes onderhouden die hun grootouders nog hadden geplant. Maar de laatste tijd had ze haar aandacht er niet meer bij. Aan de voet van de haag hadden distels wortel geschoten en de bedden zaten onder de hondsdraf. Een bank waarop zijn vader op augustusavonden altijd de krant had zitten lezen, stond weg te rotten aan de rand van het pad waarover ze nu naar het uiteinde van de tuin liepen.

Henry wilde hier weg, voor eens en altijd. Eindelijk af zijn van het verval van dit huis. Hoe Charlotte hier al die jaren had kunnen leven had hij nooit begrepen.

Toen ze bij het veld achterin kwamen, leidde Charlotte hem langs de andere kant van de heg door het dorre gras en bleef staan voor een skeletachtige struik die ongeveer twee meter hoog en heel breed was, een verzameling rechtopstaande, kromme takken, waarvan de bladeren en bloemen allang verdwenen waren.

'Wat is dit?'

'Het is een sering,' zei ze. 'Het gekke is dat ik hem pas een paar jaar geleden heb ontdekt. Hij stond hier verscholen achter de heg. Hij heeft dezelfde vorm als het exemplaar dat we thuis in de tuin hadden. Weet je nog, in het voorjaar? Je speelde graag in de struik. Om me achterna te zitten. En naar me te luisteren als ik zong.'

Wat ondraaglijk, dacht hij, om je de dingen te herinneren zoals zij. Het heden maakte geen enkele kans tegen zo'n volmaakt herinnerde wereld.

Op dat moment stapte Charlotte tot zijn ontzetting op hem af, nam zijn gezicht in haar ruwe handen en raakte met haar lippen de zijne aan. Met een glimlach, haar waterige grijze ogen onmogelijk dichtbij, zei ze: 'Ik ga niet mee naar dat huis, Henry.'

Hij probeerde iets te zeggen, maar ze legde een vinger op zijn lippen. 'Luister. Mijn leven hier, dat is niet jouw schuld. En ik wil dat je weet dat ik er geen spijt van heb. Van niets. Ik wil dat je dat begrijpt. Ik weet dat ik het je niet gemakkelijk heb gemaakt. Dat ik je wel eens tot last was. Maar het gaat goed met me. En luister... pappie, die zou trots op je zijn geweest. Raar om dat na al die tijd te zeggen, maar het is waar. Hij zou trots zijn geweest.'

'Je hoeft niet melodramatisch te worden,' zei hij, een trilling in zijn keel onderdrukkend.

'Je klinkt net als ik... We hebben het goed gedaan, allebei,' zei ze, hem in zijn arm knijpend. 'Allebei.'

De telefoon rinkelde in zijn jaszak.

'Het is oké,' zei ze. 'Die lui... ze hebben je nodig. Ga maar.'

'We zijn hier nog niet over uitgesproken. Je kunt hier niet blijven.'

'Dat weet ik,' zei ze, hem voorgaand naar de tuin. 'Dat weet ik.'


Iets na zessen die avond stapte Henry uit zijn taxi in de Liberty Street en passeerde het zwarte hek van de New York Fed. Boven, in een vergaderzaal, had zijn staf zich verzameld en zat daar al lang en breed te overleggen met de beursautoriteiten in Hongkong en Osaka. In opdracht van Henry waren de Bank van Japan en het Japanse ministerie van Financiën ingelicht dat de aanzienlijke positie van Atlantic Securities in Nikkei-futures waarschijnlijk in de uitverkoop ging. Intussen wierp het hoofd van de openmarktoperaties in New York nog eens een kritische blik op de plannen voor een gecoördineerde verschaffing van nationale en internationale liquiditeit, voor het geval dat de komende dagen nodig was.

'Weet je al wat je gaat adviseren?' vroeg Sid Brenner, toen Henry achterin op een stoel ging zitten en de aantekeningen tevoorschijn haalde die hij op de vlucht naar LaGuardia had gemaakt. Op zijn dringende verzoek had de hulpofficier van justitie die op de zaak was gezet ervoor gezorgd dat Fanning en McTeague zo onopvallend mogelijk in hechtenis waren genomen, maar het nieuws van de arrestaties begon naar buiten te sijpelen, waardoor hij minder tijd had om te manoeuvreren.

'De mening van Financiën is duidelijk,' zei Henry. 'Ze willen dat de Union Atlantic wordt gered.'

'Denk jij daar dan anders over?'

'Ze hebben zich meester gemaakt van de verplichte reserves van de op twee na grootste instelling van het land en die feitelijk naar het casino gedragen.'

'Mij hoef je niet te overtuigen. Je kunt die lui opsluiten in de iso-leercel en dan nog weten ze de regels te omzeilen.'

'En wat als we ze laten omvallen?' zei Henry.

'Een bloedbad. Ze doen zaken in honderd landen. Ze hebben han-delspartners in de hele voedselketen. Ze hebben tien procent van de nationale obligatiemarkt. Ze hebben meer creditcards dan Chase. En ze zitten veel te dik in de aandelen op hypotheekbasis. Ze zijn het vleesgeworden systeemrisico. En dat terwijl we nog maar net een re-cessie achter de rug hebben. Het zou wanbeleid zijn om ze failliet te laten gaan. Dat weet jij net zo goed als ik.'

'Gewoonlijk ben jij de scepticus.'

'Omdat een lichaam longkanker heeft, kun je nog niet zomaar de longen verwijderen.'

Henry belde Helen en zei dat ze contact moest opnemen met de CEO's van de grote commerciële banken en investeringsbanken om ze te informeren dat de volgende ochtend hun aanwezigheid vereist was bij een vergadering in de bestuurskamer.

De laatste keer dat Henry een reddingsoperatie in de privésector had georganiseerd, was toen Long-Term Capital Investment, een hedgefonds in Greenwich was ontploft tijdens de valutacrisis aan het eind van de jaren negentig. Destijds had de voorzitter van de Fed zich publiekelijk gedistantieerd van Henry's acties, met de suggestie dat de markt de zaak had moeten regelen.

Vanavond echter, toen Henry naar Washington belde, hoorde hij geen van die bezwaren. Nog voordat Henry zijn verzoek deed, ver-leende de voorzitter hem de toestemming van het bestuur tot leenga-ranties, mochten die nodig zijn om een transactie rond te krijgen.

'Uit alles wat ik zie blijkt dat het een geïsoleerd geval is,' opperde de voorzitter. 'Een beursfraudezaak. De ergste die ik heb meegemaakt, dat wel. Maar het is belangrijk om de details in het oog te houden. In het Capitool zullen ze wel moord en brand schreeuwen. Ze zullen punten willen scoren bij de pers, maar uiteindelijk zal de storm wel gaan liggen. We moeten ervoor zorgen dat niemand de zaak kan opblazen.' Hij zweeg, licht hijgend. 'Denk je dat Holland het wist?'

'Ja.'

'Tja,' zei hij, zonder op het antwoord in te gaan, 'je krijgt alle steun die je nodig hebt.'

Tegen de tijd dat Henry zijn telefoontjes had afgewikkeld en met zijn tegenhangers in Londen en Tokyo had gesproken, was het na middernacht. Helen had een kamer gereserveerd voor het geval hij geen zin meer had in de reis naar Rye en terug, en hij besloot er gebruik van te maken. Hij liep de korte afstand over Lower Broadway naar het Millennium Hotel door lege straten, langs de met rolluiken afgesloten schoenwinkels en cafetaria's. De lucht was ongewoon zwoel voor oktober en zat vol stof opgeworpen door een wind vanaf de Hudson. Plastic supermarkttassen en pagina's van tabloids rolden over de stoep en de kruising, waar een dwarrelwind ze de lucht in tilde als aan flarden gescheurde vliegers, met rukken binnengehaald door onzichtbare handen.

Zich realiserend dat hij nog niet had gegeten bestelde hij een broodje bij de roomservice en at dat gezeten aan een tafel met uitzicht op het gat waar de Twin Towers hadden gestaan. De hellingen, steunmuren en trailers van het bouwbedrijf baadden de hele nacht in schijnwerperlicht.

De laatste renaissancestad. Zo had Charlotte New York genoemd op die avond van de elfde september, toen hij haar uit Basel belde dat hij veilig was, dat hij geen gevaar liep. 'Het bankbedrijf en de kunst. Ze hebben zich vijfhonderd jaar samen in steden ontwikkeld. En nu wordt het koppel gebombardeerd.'

Hij vond het genereus dat ze op die manier hun werelden verbond, alsof ze in ieder geval bij gevaar zij aan zij zouden staan.

Toen hij het een paar weken tevoren met Helen over zijn zuster had gehad, had die geopperd Charlotte bij hem in Rye te laten wonen. In plaats van een instelling te betalen kon hij iemand in dienst nemen voor de extra zorg. Het was tenslotte de stad waar ze samen waren opgegroeid. Ze zou nee zeggen, dacht hij, maar niettemin zou hij het aanbieden. Morgen, na zijn vergadering, zou hij haar bellen en het haar voorstellen.

De volgende ochtend ging hij vroeg terug naar het kantoor. Hoewel de secretaresses hadden geprotesteerd dat de jets van hun bazen onmogelijk op zo'n korte termijn konden opstijgen, waren halverwege de ochtend de hoofden van de acht grootste banken van het land verzameld in de bestuurskamer op de negende verdieping van de Fed, precies zoals Henry hen had verzocht. Daar liet hij hen wachten, die mannen die voor niets en voor niemand wachtten.

'Het is niet direct een geduldig stelletje,' zei Helen, toen ze terugkwam op Henry's kamer van haar wandeling door de gang om de toplui van de financiële wereld te zeggen dat het nog even zou duren voor de vergadering begon.

'Laten we ze nog maar even in spanning houden. Is Holland beneden?'

Ze knikte.

'En onze vriend, is die er al?'

'Die zit hier voor de deur.'

'Goed. Laat hem maar binnen.'

Henry stond op om zijn gast te verwelkomen. Prins Abdul-Aziz Hafar droeg een tweedjasje met dubbele split van chique Engelse snit, met een donkerrode zijden das en een rood pochetje met een paisley-motief, waardoor hij eruitzag als een modieuze landjonker, eerder een gegadigde voor een jonge volbloed dan voor een bank. Hij begroette Henry met een handdruk en een lichte buiging.

'U kiest wel het juiste moment voor uw problemen,' zei hij met zijn zangerig Brits accent. 'Ik ben hier om mijn zoon te zien in zijn herfstvakantie. Zo heet dat bij jullie, niet?'

'Inderdaad,' zei Henry, terwijl hij hem liet plaatsnemen op de bank. 'Volgens mijn neef moet je aandelen kopen van de Citibank, maar ja, hij zegt dat natuurlijk omdat hij al zoveel van dat verdomde spul in handen heeft. We strooien niet meer met geld zoals vroeger, moet u weten. Nu we onze staatsfondsen hebben opgezet. We hebben allerlei adviseurs. Dus ik hoop wel dat u me niet heeft uitgenodigd voor het goede doel.'

'Nee,' zei Henry. 'U zult hier nog steeds dingen van waarde vinden.'

Hij had de prins net een plan overhandigd van de regeling die hem voor ogen stond en die hij weldra de verzamelde mannen aan het andere einde van de gang zou voorleggen, toen de telefoon op Helens bureau rinkelde. Even later klopte ze op de deur.

Alle kleur was uit haar gezicht weggetrokken. 'Je moet dit aannemen,' zei ze. 'Het gaat over Charlotte.'

# Hoofdstuk 18

*Je bent misleid,* verklaarde Wilkies stentorstem. *Je bent genomen. Je bent gepakt. En nu zit je in de val. Je zit dubbel in de val. Je zit driedubbel in de val. En wat ga je doen? Ga je een sit-in houden? Ga je posten? Ga je op Washington marcheren? Of ga je je verzetten en zorgen dat er enige gerechtigheid komt?*

Onder het rolgordijn door scheen licht op zijn vaalzwarte vacht. Het was ochtend en hij had honger.

Jarenlang hadden ze met z'n tweeën in de woonkamer geslapen. Maar nu niet meer. Ze deden nu wat ze wilden, klommen op het meubilair, zelfs op het bed, maakten haar ieder uur wakker, waren er altijd als ze maar even haar ogen opende.

*Kijk het is alsof je naar de tandarts gaat en die man gaat je kies trekken. Je gaat je tegen hem verzetten als hij begint te trekken. Dus spuiten ze wat spul in je kaak dat Novocain heet, om je wijs te maken dat ze niets met je doen. Dus dan zit je daar, en door al die Novocain in je kaak onderga je het lijdelijk. Je hele kaak zit onder het bloed en je weet niet wat er gebeurt. Want iemand heeft je geleerd alles lijdelijk te ondergaan, gezagsgetrouw – hun regels, hun spel – en dan verbaast het je dat ze iedere keer weer winnen? Ben je zo dom, zo slap? Wat jij nodig hebt is een doe-het-zelffilosofie, een doe-het-nufilosofie, een het-is-al-te-laatfilosofie.*

Hij liep naar het bed en spreidde zijn bek open zodat Charlotte kon kijken in de roze strot van de dominee.

*Ik heb het al een keer gezegd en ik zeg het weer: extremisme bij de verdediging van de vrijheid is geen zonde. Gematigdheid bij het streven naar gerechtigheid is geen deugd.*

'Stil toch,' smeekte ze. 'Je hoeft mij niet te overtuigen.'

Dagenlang was ze van plan geweest naar de winkel te gaan om eten voor zichzelf en de honden te kopen, maar omdat ze zelf geen trek had, was ze het vergeten, haar hoofd nu vervuld van slechts één gedachte.

Ze stapte uit bed en liep met de honden achter zich aan de kamer door naar de kast. Een jurk leek niet geschikt voor deze dag. Iets praktischers was geboden. Ze koos voor een oude ribbroek en een trui met elleboogstukken.

Sam begon waar hij de vorige nacht was gestopt, zijn kop schuddend met die zelfvoldane teleurstelling van hem. *Ik zie dat de duivels vanochtend om je heen zwermen als de kikvorsen van Egypte, hier in de meest afgelegen kamer. En toch verwelkom je ze, zondaar als je bent.*

*Slavenhouder!* schreeuwde Wilkie. *Blanke duivel! Blijf met je smerige poten van het geweten van de vrouw af. Ze begrijpt eindelijk dat het tijd is voor actie. Tijd voor enige gerechtigheid.*

*Het bloed van de Ziel van deze arme Neger hier kome over jou,* zei Sam, die zich niet verwaardigde zijn donkere metgezel direct aan te spreken, *en de schuld van zijn Barbaarse Zonden en bijgeloof en zijn veronachtzaming van God, als je aanvaardt dat je niets hebt gedaan voor de redding van zijn ziel. In weerwil van wat je denkt, is de bekering van één Ziel tot God meer waard dan Tienduizend Talenten strooien in de Manden van de Armen.*

*Nou moet jij eens goed naar me luisteren, jij blanke armoezaaier,* zei Wilkie, *ik laat me niet belazeren door jouw eert-uw-dienaaronzin. Als iemand de taal van de brute kracht spreekt, kun je hem niet benaderen met vrede. Goeienacht nogantoe, hij breekt je aan stukken, zoals hij de hele tijd al doet. Je zult zijn taal moeten leren en dan snapt hij het. Dan zal er enige dialoog zijn. Enige communicatie. Enig begrip.*

*Ach, wie weet,* riep Sam met stijgende verontwaardiging uit, *of dit Arme Schepsel niet tot de Uitverkorenen Gods behoort! Wie weet of God dit Arme Schepsel niet in jouw handen heeft gelegd, Charlotte, zodat Eén van de Uitverkorenen door jouw toedoen Geroepen wordt en door jouw Onderricht Wijsheid krijgt die tot Verlossing leidt! De Zwartste Voorbeelden van Blindheid en Laagheid zijn voortreffelijke Kandidaten voor Eeuwig Geluk. Al zullen sommige scherpslijpers betwijfelen of de Negers wel Redelijke Geesten hebben, of niet, laat die Grove insinuatie nooit*

*meer Gefluisterd worden. Het zijn mensen, geen beesten. Onthoud hun*
*de kennis van de Almachtige en ze zullen vernietigd worden.*

Tierend volgden ze haar op de hielen en sjouwden met haar de gang door, de achtertrap af en de keuken in, naar het raam boven de gootsteen vol afwas.

Boven het gras hing een ochtendmist. Zijn tentakels strekten zich uit tot onder de esdoorns en langs de heuvel naar beneden. Tien minuten of langer stond ze daar te wachten, totdat ze ten slotte Fanning uit zijn voordeur zag komen, vandaag niet gekleed in een pak, zoals gewoonlijk, maar in een spijkerbroek met trui. Opgelucht zag ze dat hij in zijn auto stapte en naar de weg reed. Moord was tenslotte haar werk niet.

Nadat ze gisteren afscheid had genomen van Henry, had ze voor haar geestesoog de villa zien branden, en alvast de hitte op haar huid gevoeld, de hitte die ze zich herinnerde van de vreugdevuren die ze op het achterveld ontstaken wanneer ze er waren voor Thanksgiving, de gevallen takken uit het bos sleepten en alle bijeengeharkte bladeren verbrandden. Maar hoeveel heter zou het zijn als een heel huis in vlammen opging, hout, spijkers, glas en duizend andere dingen. Opnieuw zag ze nu het vuur voor zich en daarna het verkoolde skelet, en daarna zag ze dat ook in elkaar zakken en uit de zwarte aarde jonge boompjes spruiten die de zon en de regen indronken, zich in de door de natuur toegemeten tijd verdikten tot de blijken van duurzaamheid die bomen werden, weer een schaduw boden aan de rivier, de forellen, de vinken en de blauwe gaaien en de oranjevleugelige vlinders fladderend door een zomerschemer, als Henry en zij hadden gespeeld bij de oever van de rivier voordat ze de auto in moesten voor de terugtocht naar Rye. Pas jaren later, 's nachts in haar studentenkamer, ontdekte ze Miltons vijfvoetige vers dat beschreef wat zij tweeën waren verloren:

*... maar toen nam*
*De Engel ons talmend ouderpaar*
*Snel bij de hand, en vergezelde 't naar*
*De oosterpoort, vandaar de rotswand af*
*Tot in het dal beneden; toen verdween hij.*

Ze liet de kraan lopen tot haar vingerbotten koud waren en toen vulde ze een glas voor zichzelf en de bakken van de honden. Ze likten die snel leeg en stonden binnen de kortste keren weer naast haar.

*Ze zeggen overwin je vijanden met liefde. Wat is dat nou voor idee?* vroeg Wilkie. *Hij laat zich niet overwinnen door jouw liefde. Ik heb nog nooit iemand zonder reden aangezet tot geweld.*

*Ergens is er een rechtbank waar je trots zal worden geoordeeld,* waarschuwde Sam. *En dat is niet hier in de Valse Kerk van deze aarde.*

'Ik heb nog geen dag geloofd in jouw God.'

*Nee, dat zal wel. En aldus in grote dwaasheid zult gij op een dag afdalen naar het Rijk der Schimmen.*

Ze pakte een doosje lucifers van de rand van het fornuis en vond onder de gootsteen een canvas tas.

Sam en Wilkie volgden haar de overdekte passage in.

Je nog één keer goed concentreren, dacht ze. Meer was niet nodig. En inderdaad, toen ze van de helling op de vloer van de schuur stapte, begon ze zich te voelen zoals ze zich had voorgesteld bij het lezen, al die jaren, van die verhalen over de milieuactivisten en antiglobalisten die de wet overtraden in naam van een hogere gerechtigheid, de verwachting van de daad die de ervaring zuivert, die verlost uit de kerker van de taal, het intrinsieke doel dat het anderszins onsamenhangende met betekenis begiftigt. En toch had ze juist om die reden dergelijk extremisme altijd puberaal gevonden. Te simpel. Halsstarrig in zijn onbekendheid met de complexiteit van de wereld. En zo dodelijk serieus. Maar wat had ze snel klaargestaan met haar oordeel. Want wat was er tenslotte mis met serieusheid? Waren Fanning en zijn soort soms niet serieus? Waren niet alle vervuilers serieus, de materiële en de culturele? En was er iemand die hén daarom bestreed of bespotte? Daar dacht niemand ooit aan. De hebzucht werd nooit aan banden gelegd door zorg om authenticiteit. Die gaf niets om imago of interpretatie.

De zitmaaier met zijn afgebladderde verf en roestende assen stond waar ooit de familiejeep had gestaan. Daarachter was de ladder naar de vliering waar de houten theekisten vol met Erics boeken nog stonden opgestapeld. Ze waren daar blijven staan sinds ze met Charlotte waren meeverhuisd uit New York. Ze kwam hier niet vaak meer, en met een goede reden.

Naast de potten grondverf onder de achterste plank vond ze de blikken terpentine die ze een paar jaar geleden had gekocht, met de bedoeling iemand de luiken en het lijstwerk te laten doen. Ze stopte ze in haar tas met de lucifers.

*Mijn tweede vrouw, mijn lieve vriendin Elizabeth, stierf aan de mazelen in de middag van 9 november,* begon Sam weer.

'Hou in godsnaam je bek!'

*Tien dagen nadat ze me de tweeling Eleazer en Martha had geschonken. O, afscheid te moeten nemen van een Kameraad zo bekoorlijk, zo aangenaam, een Duif bovendien van zo'n Nest jongen! O, de trieste Beker, waartoe mijn Vader mij heeft voorbestemd! En toen vijf dagen later mijn dienstmeisje bezweek, stelde ik het geduld van de Heer op de proef door aan te nemen dat het kwaad boven ons was opgegaan. Toen ging de tweeling dood. Het zesde en zevende kind van mij waarover de Almachtige zich ontfermde. En toen een week later ook Jerusha ziek werd, smeekte ik de Heer om het leven van mijn dierbare mooie dochter te sparen. Ik smeekte dat zulk een bittere Beker, als de Dood van dat lieftallige kind, aan mij voorbij zou gaan. Maar ook zij ging naar onze Verlosser. En ik stierf in leven op deze wereld zoals alle zondaars zich moeten voorbereiden op de komende wereld, in de wetenschap dat de Heer in uw Tegenspoed is! Vijftien kinderen heb ik verwekt. Dertien heb ik er begraven. Een lijst van rampspoed die geen mens zou moeten dragen, mijn kruis slechts een dor soort boom. Maar nooit heb ik getwijfeld aan de oneindige wijsheid des Heren, of ben ik opgehouden Hem te Vereren. En jij staat hier gekweld door het bittere fruit van één zondige begeerte. Eén verlies van een man die niet eens je echtgenoot was?*

'Loop naar de hel!' schreeuwde ze, terwijl ze hem wegduwde met haar knie.

*Het is toch zinloos om te ontkennen dat je in de schaduw van zijn heengaan tot deze dwaasheid bent gekomen en hebt toegelaten dat je geest zich zo heeft gevormd. Wat is jouw grote Politiek per slot van rekening anders dan een Ramp zonder einde? Wat is je pessimistische progressieve geblaat anders dan de waarschuwing in de Bijbel zelf voor de*

*Apocalyps ontdaan van de gerechte Vertroosting van de hemel? Je hebt afgegeven op deze wereld zoals een willekeurige prediker van de Heer zou kunnen doen en geleefd als was het de Eindtijd, maar je bent iedere dag gezwicht voor de hoogmoed van de aardse wijsheid, de hoogmoed jezelf te zien als verheven boven de kudde van de Verlosser. En in je aanmatiging doe je je eigen tolerantiefilosofie geweld aan. Jawel, jouw hoogmoed is een metafysische hoogmoed. De hoogmoed van de menselijke kennis.*

'Je kinderen zijn gestorven van verveling,' snauwde ze, terwijl ze begon te trillen.

Wat stom om geen eten in huis te hebben! Die slapheid in haar ledematen kwam beslist door de honger. Sam wreef kwijlend zijn natte neus langs haar middel.

Tussen de roestende gereedschappen en oude bloempotten zocht ze naar een voorwerp om zo nodig een raam open te breken. Ze vond een plantenschopje en stopte dat bij haar spullen.

*Er zijn nog maar een paar korrels over in je zandloper.*

*Luister maar niet naar die oude kwezelaar,* zei Wilkie. *Nu is het jouw tijd om te handelen.*

Toen ze de schuurdeur openduwde, probeerde ze de honden achter zich tegen te houden, maar ze waren te sterk, drongen zich langs haar heen en liepen voor haar uit de oprijlaan af. De mist was opgetrokken, maar boven haar vormde de hemel nog steeds een laag wolkendek, het aureool van de zon slechts zichtbaar als een opklarend plekje grijs aan de horizon.

Ga niet, zei hij.

Traag draaide ze zich om, het membraan poreus, de tijdsorde overhoop gehaald.

Eric zat op de verweerde eiken bank bij de ladder, voorovergeleund, zijn ellebogen op zijn knieën, even jong en mooi als de avond dat ze hem leerde kennen.

Ga niet, zei hij. Blijf nog een poosje hier.

'Maar als de man terugkomt... dan verlies ik de moed.'

Dat is je nooit overkomen. In dat opzicht heb ik je altijd prachtig gevonden. Nooit ben je je overtuiging kwijtgeraakt.

'Ik ben aan je blijven denken.'

Dat weet ik. Ik heb je gehoord. Je bent gehoord. En Nate, je was aardig voor hem. Je moet bedenken: onze liefde is niet de enige soort liefde. Jij hebt liefgehad, mijn liefste. Jij hebt zoveel liefgehad. Ik zie het. Ik zie het nu in je. Je bent prachtig.

'Nee,' zei ze. 'Zie mij nou eens. Zie wat ik op het punt sta te doen.'

Maar je doet het niet. Ik weet dat je het niet doet. Het is oké. Doe de deur dicht. Sam en Wilkie, die kun je nu laten gaan. Daar komt het wel goed mee.

'Maar er is niemand die ze te eten geeft.'

Iemand zal ze wel te eten geven.

Ze was bang dat hij zou verdwijnen als ze dichterbij kwam. En dus bleef ze stil staan, gezegend nu, begreep ze. De dierbaarste draad in dat oude weefsel van het zijn was losgeraakt, liet hem naar haar terugkomen. En zo kon ze eindelijk tegen iemand zeggen: 'Het is niet de fout van de honden... de dingen die ze roepen. Ze zitten in mij, de dominees. De puriteinen en de slaven. God sta me bij,' zei ze, terwijl de tranen uit haar ogen dropen. 'Ik heb geprobeerd mijn land lief te hebben.'

Zoals het verdient.

'Maar waren we geen dwazen?'

Ja. Liefhebbende dwazen.

Ze bette haar druipende ogen. En toen ze weer keek, was hij verdwenen.

Ze stond roerloos naar de bank te staren, naar het gebleekte hout, als versteend. Een stom object. Eeuwig in de volmaakte onverschilligheid ervan. Voor het eerst die ochtend zag ze haar adem als wolken in de tintelende lucht.

Ze liep terug de helling op, vervolgens door de passage en weer de keuken in. De deur van de koelkast hing open, op de schappen stond niets dan een pot augurken en een paar flessen spuitwater. In de lade lagen groenten te rotten in een plastic zak. Een net met uitgelopen aardappels lag op de vloer tussen de koelkast en het aanrecht. Het aanrecht zelf was nauwelijks zichtbaar onder de rommel.

Doorlopend naar de woonkamer vroeg ze zich af waarom haar die troep nooit was opgevallen. Hoe lang leefde ze al in deze puinhoop?

Wanneer precies had de storm toegeslagen?

Ze zat op het enige vrije plekje op haar bank. Ze hoorde de honden blaffen bij de deur, met hun poten ertegen klauwen om weer binnen te komen, om weer bij haar te zijn. Zelfs op deze afstand bereikten haar hun stemmen. Ze waren niet meer te onderscheiden en toch luider dan ooit. Een gebrul dat de litanie in haar hoofd bijna overstemde, de litanie waar ze naar en mee had geleefd, haar litanie: Hendrik ii en de Magna Carta en Gutenberg en Calvijn en Kant en Paine en Jefferson en Jackson en Corot en Lincoln en Zola en Dickens en Whitman en Bryan aan zijn gouden kruis en de dessins in de schilderijen van Matisse en Walker Evans en Copland en Baldwin en King in Memphis, het koor dat in haar tot uitbarsting kwam, de ideeën alles wat was overgebleven, een zuivere verhaaldrift die haar totaal uitputte.

Het moest ophouden, dacht ze, terwijl ze haar hand in de canvas tas stak. Ze kon het laten ophouden. Ze kon eindelijk haar wil opleggen aan het onbezonnen beeld dat de geschiedenis van haar had.

De open boeken op de salontafel zogen de terpentine op als verdroogde aarde.

Ze dacht eraan haar ogen te sluiten toen ze de lucifer aanstak en liet vallen, maar dat zou niet juist zijn. Ze zou kijken.

# Hoofdstuk 19

De persconferentie waarop de ontdekking van beursfraude bij Atlantic Securities werd bekendgemaakt vond plaats op een ochtend aan het einde van oktober in 2002 in het kantoor van de openbare aanklager in Lower Manhattan, kort voor de openingsbel op Wall Street. Enkele minuten later stond Jeffrey Holland ernstig maar zelfverzekerd voor een andere lessenaar in het hoofdkantoor van Union Atlantic om het publiek te informeren dat de autoriteiten alle medewerking van het bedrijf kregen om de zaak te onderzoeken. Het risicomanagement had duidelijk gefaald en zou worden herzien met behulp van een onafhankelijk adviescomité onder voorzitterschap van een voormalig hoofd van de beurscommissie, wiens adviezen naar de letter zouden worden opgevolgd. Na overleg met het bestuur was besloten dat de functie van voorzitter en CEO voortaan niet meer door dezelfde persoon zou worden bekleed. In de komende maanden zou Holland zijn plaats als CEO afstaan, om zich te richten op de grote strategische kwesties waarvoor de Union Atlantic Group zou komen te staan.

Een consortium onder leiding van JPMorgan Chase en het staatsbeleggingsfonds van Abu Dhabi zou een belang van twintig miljard dollar in de noodlijdende bank aankopen om het eigen vermogen veilig te stellen, terwijl de Nederlandse ING-bank de Atlantic Securitiesdivisie zou overnemen voor een nominale som en in ruil daarvoor een deel van de schulden op zich zou nemen.

Toen de beurs opende, duikelde het aandeel dertig procent, maar het herstel zette in zodra de Federal Reserve Bank van New York verklaarde volledig achter het plan te staan en in geval van ernstige ontwrichting van de markt bereid te zijn zoveel liquide middelen te verschaffen als nodig was. Het ministerie van Financiën volgde met een eigen verklaring.

Gevraagd om commentaar op het mismanagement en de bijna-ondergang van de op twee na grootste financiële instelling van het land was de perschef van het Witte Huis het oneens met de kwalificatie 'bijna-ondergang', met het argument dat het eerder een kwestie was van een paar rotte appels. De president, zei hij, was blij te zien dat de particuliere markt goed reageerde om de eigen stabiliteit te handhaven en had er alle vertrouwen in dat de toezichthoudende autoriteiten de situatie in de gaten bleven houden.

Doug zag deze verklaringen op een televisie boven de bar van een wegrestaurantje in Saugus, waar hij was om zijn nieuwe paspoort te kopen. Om op borgtocht te worden vrijgelaten had hij bij de voorgeleiding zijn eigen paspoort moeten inleveren, samen met de koopakte van zijn huis. Na de hoorzitting had het OM duidelijk gemaakt dat McTeague en Sabrina al meewerkten. Wat betekende dat al Dougs pogingen tot geheimhouding nu als bewijs tegen hem golden. Als hij in de buurt bleef gedurende de twee of drie jaar die ze voor de rechtszaak nodig hadden en als hij door een klein wondertje Holland in zijn ondergang kon meesleuren, kreeg hij misschien acht tot tien jaar, afhankelijk van de bui van de rechter. Maar hij was niet van plan de gevangenis in te gaan. Niet omwille van bureaucratische scherpslijperij over de precieze grens tussen agressief investeren en fraude. Als andere idioten wilden opdraaien voor die onzin, moesten ze het zelf weten. Doug had de geest van de wet al jaren geleden overtreden, als je het zo wilde zien, door fusies te beginnen die nog niet waren toegestaan. Maar toen was de wet veranderd, stroomden de winsten binnen en was Holland een zakenheld geworden. En nu zou Doug achter de tralies moeten voor een gok op de Nikkei die verkeerd had uitgepakt? Je moest wel een ware gelovige zijn of vrouw en kinderen hebben om dat te slikken.

Tegenover hem aan zijn tafeltje in het restaurant zat een vriend van een vriend van Vrieger, met wie hij in contact was gebracht om nieuwe identiteitspapieren te krijgen. De kerel was halverwege de vijftig en droeg een kaki bodywarmer, met een dubbelfocusbril aan een ketting bungelend om zijn nek. Nadat hij zijn milkshake en roereieren had verorberd en veel te lang had doorgezaagd over de Patriots, overhandigde hij Doug een dikke, witte envelop. 'Hopelijk heb je een goed geheugen,' zei hij, terwijl hij een seintje gaf dat hij wilde betalen. 'Als je niet kunt onthouden wie je geacht wordt te zijn, is het gedaan met je.'

Terug in Finden die ochtend werd Doug, toen hij de Winthrop op draaide, gepasseerd door een colonne brandweerauto's. Bij het oversteken van de rivier zag hij de vlammen uit de benedenramen van Charlottes huis op de heuvel slaan. Ze waren overgeslagen op de hoog opgeschoten struiken en op de droge spanen, waardoor de hele zijkant van het huis vlam had gevat. Hij zette de auto op zijn oprijlaan en rende de helling op, vanwaar hij rook uit haar voordeur zag walmen. Terwijl de brandweer de slangen uitrolde, ontplofte er in de keuken een brandstoftank of gasleiding en schoot er een oranje vuurbal door de achteringang naar de schuur. De ruiten van de bovenramen begonnen uit hun sponningen te knallen. Het vuur verslond het oude houten bouwwerk alsof het aanmaakhout was en het hele gebouw begon te knetteren en te verzakken. Tegen de tijd dat de slangen waren aangesloten op de brandkraan, was het te laat om veel meer te doen dan de vlammenzee onder controle te houden.

'Was ze binnen?' vroeg Doug aan de brandweercommandant, die in volledig beschermende kleding naast een van de wagens stond en zo nu en dan een bevel doorgaf via zijn walkietalkie.

'Haar honden denken kennelijk van wel,' zei hij, waarop Doug besefte dat het geluid dat hij de hele tijd hoorde hun gejank was. 'Curtis,' riep de commandant naar een politieman, 'zet die honden in een patrouillewagen, wil je? Ik word hoorndol van ze.'

'Weet u wat de oorzaak is?'

De man haalde zijn schouders op. 'Deze oude gebouwen branden snel, maar niet zo snel. Ik denk dat we wel ergens een brandversneller vinden.'

Op de straat was een opstopping ontstaan van kijkende voorbijgangers.

'Kende u de vrouw?'

'Ja,' zei Doug. 'Een beetje.'

'Iets ongewoons de laatste tijd? Iets wat we zouden moeten weten?'

Voor Doug kon antwoorden, krijste een stem van de centrale een onverstaanbaar bericht door de radio van de commandant en hij liep weg naar een groep brandbestrijders dichter bij de vuurzee.

Doug bleef een tijdlang daar naast de truck staan kijken hoe de vlammen het hoogste punt bereikten en toen langzaam afnamen, terwijl het huis in as veranderde en de droge lucht in dwarrelde.

Dit was dus haar moment. Minder toeschouwers dan de monnik die zich in Saigon op straat opofferde, maar niettemin een protest. Hij voelde geen medelijden. Zijn buurvrouw had dat nooit gewild. Een eenzame soldaat tegen een leger. Zo had ze zichzelf beschreven tegenover hem. En een echte soldaat, zo bleek, die een graf op het slagveld verkoos boven de schande van de aftocht.

Hij bleef tot de meeste brandweerwagens waren vertrokken, met achterlating van niet meer dan een paar verkoolde stijlen en de scheve, zwartgeblakerde toren van de schoorsteen.

Tussen al het nieuws dat hij de dagen daarop zag, de vn-wapeninspecteurs, de sluipschutters die de buitenwijken van de hoofdstad onveilig maakten, de stijging van de huizenprijzen en de criminelen die in de straten van Bagdad werden losgelaten, was er één verhaal dat hij niet uit zijn hoofd kon zetten, het verhaal over de onbemande vliegtuigjes die boven het Lege Kwartier vlogen, een reusachtige strook in het westen van Jemen, waar ooit de Vincennes voor de kust had gevaren. De inlichtingendiensten wilden weten of de leden van allerlei radicale netwerken zich schuilhielden onder de nomadenstammen, de enige mensen die door dat deel van de Arabische woestijn trokken. CNN zei er nauwelijks iets over, maar op internet vond hij meer, en op bed of op de bank beneden liggend bekeek hij steeds opnieuw al de clips met luchtopnamen die mensen hadden ingestuurd.

In dat onherbergzame oord, zo aantrekkelijk op zijn eigen manier, omsloten zandbergen met scherpe kammen van de wind kale dalbodems bedekt met honderden identieke heuveltjes, allemaal tot een punt gewaaid. Opnamen vanaf grotere hoogten gaven een weidser patroon te zien: maanwitte kraters verspreid over de vlakten tussen de zandkammen, die zich over het landschap uitstrekten als de gerimpelde huid van een dier zo groot dat het menselijk oog het niet kon omvatten, met een huid die langzaam in de zon verzwoor.

Ten slotte kwam het moment dat hij de stad moest verlaten. De avond voor hij vertrok maakte hij een autoritje, beginnend bij de golfbaan, vervolgens een stukje omlaag voorbij de villa van de Hollands en daarna langs het oude huis van de Gammonds, waarna hij de tocht vervolgde door het dorp, langs het park, de congregationalistische kerk en de winkels met hun beschilderde uithangborden, en bij het kruispunt de Elm op draaide en koers zette naar de grote weg.

Aan weerszijden van die weg lag de eerste vijf of zes kilometer ononderbroken bos, totdat hij bij de slijterij kwam die nog steeds voorbij het verkeerslicht stond, tegenover het uitlaatcentrum. Het was gaan regenen en het rood van het stoplicht gleed in riviertjes van zijn voorruit, snel schoongeveegd door de wissers, om weer wazig te worden toen het licht op groen sprong en hij Alden weer binnenreed.

Hij passeerde het ene licht na het andere, langs de kleurige borden met aanbiedingen op de parkeerterreinen van de fastfoodketens, meubelzaken gebouwd van betonblokken en winkelcomplexen waar ze de oude winkelpromenades voor hadden afgebroken, totdat hij ten slotte de Foley Avenue bereikte en de winkelstraat verliet. Een kleine kilometer verder, bij de kruising met de Main, strekten zich blok na blok verduisterde winkelpuien uit: een verzekeringskantoor, een lege toonzaal met een bordje te huur bij de ingang, een schoonheidssalon met op verbleekte affiches kapsels uit de jaren tachtig. De luifel van een buurtwinkel aan de overkant van de straat werd heldergeel verlicht door een bord boven een naastgelegen kantoor van de bijstand, waarvan het ijzeren hekwerk met een slot aan de stoep was bevestigd.

De voortuinen van de bungalows langs de Howard waren al bezaaid met kerstversieringen, waarbij de verlichte kerstmannen en plastic rendieren als opgeblazen speelgoed op de vloer van buitenmaatse speelkamers waren gerangschikt. Toen hij bij de Eames Street kwam, veranderde de regen in motregen en hield vervolgens helemaal op. Voor zich zag hij laaghangende wolken, hun gele onderkant verlicht door het winkelcentrum dat precies aan de overkant van de beek en de hekken lag. Aan het einde van het blok werden de eengezinshuizen schaarser, en daar zag hij dat Renato's Pizza had plaatsgemaakt voor een Braziliaans restaurant, dat op dit late uur nog open was.

De flats met drie woonlagen begonnen aan de andere kant van de Miller, grote gepotdekselde rechthoeken met drie op elkaar gestapelde voorveranda's, de meeste hoeken niet meer recht, de stijlen verzakt in de versleten randen van de planken vloeren. Voor de meeste percelen stonden naast de afgesloten parkeerplaatsen hekken van harmonicagaas met rijen vuilnisbakken. Ook hier waren kerstversieringen, lichtslangen die langzaam aan en uit floepten in vensters met dichtgetrokken rolgordijnen, en verderop de oude houten kerststal van mevrouw Cronin met beelden van een halve meter hoog en van voren verlicht door een rij peertjes onder een verweerd triplex afdakje.

Hij parkeerde naast de stoeprand en zette de motor uit. Boven, op de tweede etage van nummer 38, brandden de lichten nog in de flat van zijn moeder. Hij stelde zich haar voor zoals hij dat duizendmaal had gedaan: ze zou inmiddels bezig zijn aan haar tweede fles, kijkend naar de dramaseries van die avond, met voor zich op tafel de half opgegeten maaltijd die ze in elkaar had weten te flansen.

Die trap opklimmen, dacht hij. In de stoel tegenover haar gaan zitten en haar een glas laten inschenken voor hem.

Dat had ze soms gedaan, het jaar voor hij was weggegaan, omdat ze hem bij zich in de kamer wilde houden, omdat hij het enige publiek voor haar stilte was, de enige die haar kon vragen die te verbreken. Wat hij nooit had gedaan, want hij had van haar de kracht van het zwijgen geleerd.

Wanneer hij in de loop van de jaren in de verleiding was gekomen contact met haar te zoeken, herinnerde hij zich hoe het was op die zomeravonden in het appartement, als hij zonder t-shirt tegenover haar zat, zijn borst vochtig van het zweet, in staat om bijna op de minuut af te voorspellen hoe lang het zou duren voordat ze half mompelend zou zeggen dat hij zo'n gespierd lichaam had gekregen, dat zijn babyvet helemaal was verdwenen. Haar zoon, haar enige liefdesaffaire ooit, helemaal volwassen. En dan hield hij zich voor dat ze een telefoon had als ze wilde bellen.

Maar toch stond hij hier, teruggetrokken door iets, misschien het overblijfsel van al zijn dromen over haar.

Hij dronk een paar van de biertjes die hij in de auto had meegenomen, starend naar de straat waar hij in de schemering hockey had gespeeld met zijn neef Michael, de jongens van Fischer en Dave Cutty van verderop in de straat, tot zijn moeder de voorveranda op kwam om hem binnen te roepen.

De voordeur van het gebouw was nooit op slot geweest en was dat nu ook niet. Er lag een nieuwe loper op de trap, maar de treden kraakten nog steeds onder zijn gewicht toen hij ze op liep. Op de overloop van de tweede verdieping lag voor zijn moeders deur dezelfde versleten tretfordmat met daarnaast dezelfde zwarte paraplubak.

Hij had gedacht dat hij een paar minuten zou moeten wachten nadat hij had geklopt, omdat zijn moeder tijd nodig had om bij haar positieven te komen. Maar de deur ging bijna direct open, en hij stond tegenover een bebaarde man van voor in de zestig met een bos donker haar en een dooraderde neustop. Hij bekeek Doug met grote uilenogen die duidelijk al lang nergens meer van onder de indruk waren. Een ex-hippie, dacht Doug, of een oude motorrijder.

'Is er iets aan de hand of zo?' vroeg de man, toen Doug hem niet groette.

'Iemand die ik kende, meer niet ... ze woonde vroeger hier.'

'Heb je het over Cathy?'

'Catherine. Catherine Fanning.'

'Ja. Die woont hier. Wat moet je van haar?'

'Ik wil haar zien.'

'Ze is er niet. Ben je een verkoper of zo? Zo ja, dan hebben we geen belangstelling.'

'Nee,' zei hij. 'Ik ben haar zoon.'

De man hief zijn hoofd naar achteren en nam Doug sceptisch op. ''t Is niet waar. Je zit toch bij die bank? Daar hebben we iets van op het nieuws gezien.'

Doug knikte. Enigszins aarzelend deed de man een stap opzij om hem binnen te laten.

Als in een dagdroom volgde Doug hem de gang door een woonkamer binnen die hij amper herkende. De oude ribfluwelen bank en stoel waren verdwenen, vervangen door een bankstel met donkergroene bekleding en een glazen salontafel. De vloerbedekking was verwijderd en de houten vloer gelakt. De wanden, waarvan het behang ooit onder de vlekken zat van de stoom die uit de verwarmingsbuizen lekte, waren nu keurig gebroken wit geschilderd. Er lagen geen hopen oude kranten. Geen stapels tijdschriften. Eigenlijk was er nauwelijks rommel.

'Woon je hier?'

'Ja,' zei de man, terwijl hij tegen het kozijn van de keukendeur leunde, zijn armen voor zijn borst gekruist. 'Ik woon hier nu tien jaar.'

'Tien jaar?' Hoe was dat mogelijk? Tien jaar?

'Waar is ze?' vroeg Doug.

'Op een bijeenkomst,' zei de man, met een kleine, moralistische nadruk op het laatste woord die weinig twijfel liet over de aard van de bijeenkomst. 'Wil je koffie?'

'Nee.'

Zich omdraaiend om achter zich te kijken zag Doug dat de wand van zijn oude slaapkamer was weggehaald. Op de plek van zijn bed en zijn bureau stond nu een eettafel.

'Ze kan het kennelijk beter met de huisbaas vinden dan vroeger,' zei hij. 'Die had een hekel aan ons.'

'Ze heeft het huis gekocht. Alweer een tijd terug. Voor ik hier kwam.'

Doug moest onwillekeurig lachen. 'Gekocht? Waarmee?'

'Ze doet de boekhouding van een bouwfirma. Ze heeft het goed gedaan.'

'En wat ben jij dan?' zei Doug. 'De droogstaande uitvreter?'

Het zichtbare deel van het zwaar bebaarde gezicht van de man vertrok, alsof hij iets zuurs inslikte.

'Ik vermoedde al dat je een klootzak was,' zei hij. 'Persoonlijk kan me de stront waar je in zit geen fuck schelen. Maar je moet wel iets weten: je moeder drinkt nu al veertien jaar niet meer. Het gaat heel goed met haar. Maar dat jij hier zo komt... zoiets kan iemand opbreken. Dus als je hier bent om moeilijk te doen, kun je misschien beter vertrekken.'

Hij wilde de man eens flink de waarheid zeggen, toen hij de voordeur hoorde opengaan en zijn moeders voetstappen door de gang hoorde komen. Op de plek waar hij stond, helemaal in de woonkamer, merkte ze hem eerst niet op. En zo kon hij haar, een paar seconden maar, bekijken terwijl ze haar suède handtas neerzette en haar handschoenen uittrok, het onuitwisbare ovaal van haar gezicht ouder geworden maar hetzelfde, een gezicht te vertrouwd om het ooit echt te kunnen zien, net zomin als je je eigen gezicht echt kon zien.

En toen volgden haar ogen de blik van de man naar Doug. Ze bleef roerloos staan.

'Douglas.'

'Hoi, mam.'

'Cath...' begon de man, maar ze onderbrak hem.

'Het is in orde,' zei ze. 'Waarom ga je niet even naar buiten.'

'Ik kan hier blijven...'

'Het is in orde,' zei ze. 'Ga maar.'

Hij pakte zijn leren jack van de rugleuning van een eetkamerstoel, maar voordat hij de gang in verdween, bleef hij even staan om een hand op haar schouder te leggen, zich naar haar toe te buigen en haar te zoenen boven haar oor.

Na het geluid van de in het slot vallende deur knoopte zijn moeder langzaam haar jas los, draaide zich om en hing hem aan een kapstok met een spiegel die stond op de plek waar in Dougs slaapkamer ooit zijn boekenkast had gestaan. Ze streek de voorzijde van haar bloes glad en duwde haar haren achter haar oren. Ten slotte keek ze hem recht aan. Onder de schittering van haar ongetemde ogen hoorde hij een gesuis in zijn oren en voelde hij zijn hele lichaam plotseling gewichtloos worden, alsof hij alle zintuigen had verloren behalve die in zijn hoofd.

'Je ziet er goed uit,' zei ze.

'Jij ook.'

'Ga je niet zitten?'

'Hoeft niet,' zei hij.

Hoe kon het, wilde hij weten, dat ze er na bijna twintig jaar jonger uitzag dan de dag waarop hij vertrok? Haar zwarte haar was nu zilverkleurig met zwart, de huid rond haar ogen was losser geworden, de rug van haar handen gevlekt. Maar haar in het gezicht te kijken, in de groene ogen die hij van haar had, doordringender dan hij ze ooit had gezien, de kleur op haar wangen te zien, was een mysterieuze gewaarwording, alsof ze in zijn afwezigheid het gewicht van de tijd was kwijtgeraakt in plaats van andersom en er nu een jongere geest in een ouder lichaam leefde.

'Ik wil zeggen... wat Peter betreft. Het is een goede man. Hij is goed voor mij geweest.'

'Blij dat te horen. Lijkt erop dat het je goed is vergaan.'

'Inderdaad,' zei ze, haar stem behoedzaam en afgemeten. 'Goed genoeg.'

Hoe vaak had hij zich haar hier voorgesteld, dronken en alleen? Hoe lang had dat beeld rondgedraaid in zijn achterhoofd, een tandwiel dat nooit in de andere raderen greep, een schim die de weg terug naar de machine zocht?

'Ik ben al een tijdje in Massachusetts,' zei hij.

'Ik weet het.'

'Het afgelopen jaar... het afgelopen jaar was ik hier in Finden.'

Ze knikte kalm, zelfs bevallig, eigenschappen die hij haar nooit had toegedicht.

'Waarom kom je niet mee naar de keuken?'

Hij volgde haar daarheen, op een afstand, observeerde als van veraf haar bewegingen, toen ze een filter uit het doosje haalde, dat boven in het koffiezetapparaat deed en de gemalen koffie in de houder goot. Uit de kast nam ze een pakje sigaretten en bood hem er een aan. Hij sloeg die af, en zij stak haar sigaret aan met een lucifer van het fornuis.

'Ik ben opgehouden,' zei ze. 'Alleen af en toe...'

Als ze hier maar alleen was geweest. Als ze hier maar op haar oude bank had gezeten, in haar eentje, dacht hij.

'Ik wil je de reden vertellen...'

'Niet doen,' zei hij. 'Niet doen.'

Ze strekte haar rug en drukte de sigaret die ze net had aangestoken uit in de gootsteen. Met één hand greep ze het aanrecht, terwijl ze de andere over haar borst omhooghief om haar arm vast te pakken.

'Ik heb je nooit lastig willen vallen. Dat je wegging... dat begreep ik. Ik was niet goed.' Ze verstevigde de greep om haar arm. 'Ga je dan niet op zijn minst even zitten?' zei ze, nu smekend.

Hij schudde zijn hoofd.

'Alsjeblieft.'

'Ik kan niet blijven.'

Zijn hoofd begon gevoelloos aan te voelen, alsof er een verdovingsmiddel in zijn schedelbasis was gespoten.

Door de deur naar de andere kamer zag hij een dressoir op de plaats waar ooit zijn bureau had gestaan. Op het geboende blad lag een kanten onderlegger onder een grote schaal met fruit.

Hij had het huis in Finden voor haar laten bouwen. Dat zag hij nu in. Hij had het laten bouwen om haar hier vandaan te halen. Om haar terug te rijden over de stadsgrens, ditmaal voorgoed. Waarom zou hij het huis anders hebben laten bouwen? Maar de vrouw die hij was komen redden... die was verdwenen voor hij kwam. Vervangen door iemand anders.

Hij keek toe hoe ze een kop koffie voor hem inschonk en die over het aanrecht naar hem toe schoof, haar schouders licht gebogen, haar borsten iets lager hangend en haar heupen een beetje breder dan vroeger, maar de kleur op haar gezicht, het nieuwe leven... dat was onmiskenbaar. Ze was gelukkig.

'Ik kwam afscheid nemen,' zei hij. 'Ik heb nooit eerder afscheid genomen.'

'In de ijskast... daar is wat gehakt... Ik kan een salade maken.'

'Ik moet gaan.'

'Of een pasta...' Terwijl ze sprak drupten de tranen uit haar ooghoeken.

Doug liep van de keuken de gang in en hoorde haar voetstappen achter zich.

Ik heb je gedragen, wilde hij zeggen. Door deze gang van onze bank naar je bed, als je niet kon lopen droeg ik je.

Bij de deur voelde hij haar hand op zijn schouder en hij draaide zich eronder uit.

'Niet doen,' zei hij.

'Maar waar ga je naartoe?'

'Dat doet er niet toe.' In de deur bleef hij staan. 'Mijn huis in Finden. Het ligt bij de golfbaan. Een villa, bij de rivier. Je kunt het niet missen. Je moet het eens gaan bekijken.'

En daarmee stapte hij achteruit op de overloop en liep snel de trap af.

# Hoofdstuk 20

Het felle tl-licht in de hal van Emily's studentenhuis overviel Nate als schelle koplampen en hij kneep zijn ogen tot spleetjes. Terwijl hij op een bank ging zitten, hoorde hij Emily en haar vrienden lachen door de deuren achter zich. Het was twee uur in de ochtend en ze hadden sinds het avondeten gedronken, zwervend van het ene feestje naar het andere op de campus en daarbuiten.

'Dáár kun je niet slapen,' riep iemand, Nate naar de trap roepend. Hij stond op en ging achter de anderen aan. Emily liep aan het hoofd van de groep en fluisterde haar vriend Alex iets toe. Het was een tengere jongen, een beetje kleiner dan Nate, en hij had zijn haar aan de voorkant overeind gezet met gel. Hoewel hij de klassieke t-shirts en heupspijkerbroeken droeg en die gesoigneerde slonzigheid over zich had die zelfvertrouwen en nonchalance moest suggereren, maakte hij altijd een gespannen indruk op Nate sinds ze elkaar een paar maanden geleden hadden leren kennen, toen Nate even voor kerst Emily voor het eerst was komen opzoeken. Gespannen op een manier die Nate herkende. Emily's andere vrienden hadden Nate verwelkomd als deeltijdlid van de club, maar Alex had meestal vermeden met hem te praten.

Nu wist hij waarom. Die avond had Emily hem verteld dat Alex haar had gevraagd wat Nate was – homo of hetero, beschikbaar of bezet. 'Je bent in de markt,' had ze gezegd, terwijl ze de eetzaal verlieten. 'Je zou net zo goed hier kunnen wonen.'

Haar kamer in het studentenhuis was een soort ontmoetingsplaats waar de vrienden van haar gang in en uit liepen met hun laptops en iPods en zo nu en dan een studieboek of roman, waarin ze een blik wierpen tussen het uitwisselen van aantekeningen en muziek en het IMingen met vrienden op de hele campus, waarbij ze dan in de verloren momenten tussen grappen en geroddel door aan hun opdrachten werkten. Ze waren als een troep zenuwachtige dansers die serieus aan hun poses werkten, snel van de ene naar de andere, tot het weekeinde, dan dronken ze zoveel dat al die oefeningen weer ongedaan werden gemaakt.

Op de tweede etage begonnen de mensen uiteen te gaan, terug naar hun kamers, en iemand riep dat ze de volgende morgen om acht uur op moesten zijn om de gecharterde bus naar New York te halen voor de antioorlogsdemonstratie. Toen Nate ten slotte de deuren van Emily's gang openduwde, was ze haar kamer al binnengeglipt.

'Ga je morgen mee?' vroeg Alex. Hij stond bij zijn deur in zijn zakken naar de sleutel te zoeken.

'Ik denk het wel,' zei Nate, zijn hoofd zachtjes naar voren en achteren bewegend om evenwicht te vinden.

Nog geen achtenveertig uur geleden had hij in de achterste rij gezeten van de congregationalistische kerk van Finden bij de verlate herdenkingsdienst voor Charlotte, luisterend naar een van haar collega's, een voormalige leraar van hem, die sprak over haar toewijding aan de leerlingen. En hij had ook naar haar voormalige leerlingen geluisterd, vier of vijf ervan, een vrouw die hoogleraar literatuur was geworden, een man die werkte voor de topografische dienst, mensen van in de dertig en veertig, die allemaal vertelden hoe hard ze voor hen was geweest en hoe dankbaar ze daarvoor waren. En toen die hun zegje hadden gedaan, was de broer van mevrouw Graves weer opgestaan om te zeggen hoezeer het hem ontroerde dat de kerk vol was en dat Charlotte het niet geloofd zou hebben.

Zij, mevrouw Graves, zij zou willen dat hij naar die demonstratie ging. De demonstratie om de oorlog tegen te houden.

'Heb je trek in een biertje?' vroeg Alex.

'Ik moet eigenlijk naar bed.'

'Je kunt gerust binnenkomen.'

Alex probeerde het kalm te brengen, maar zijn geknepen stem verraadde hem.

Flikker, dacht Nate, doetje. Met een lik van zijn tong kon hij een stukje van deze persoon vermoorden. Dat beetje macht bezorgde hem een misselijkmakende kleine huivering.

'Dus je vraagt me binnen?' vroeg hij, bijna schuchter, niets verradend.

'Ja. Ik vraag je binnen.'

De wanden van Alex' kamer waren verrassend leeg. Slechts een paar ansichtkaarten boven het bureau geprikt. Nate had kunstaffiches en politieke slogans verwacht, maar er was niets van dat al. Boeken waar geen plaats meer voor was op de overvolle planken stonden in rijen op de vloer en lagen in stapels naast zijn computer. Boven het bed hing een kleine foto van Kafka.

Hij liep naar de versterker en zette wat op van Radiohead, om daarna voor hen beiden een biertje uit de minikoelkast te halen.

'Alsjeblieft,' zei hij, terwijl hij zijn bureaustoel naar achteren trok. 'Neem deze maar.' Hij ging tegenover hem op de rand van het lits-jumeaux zitten. Even dronken beiden hun laatste alcohol van de nacht, wegkijkend naar de wanden, de vloer en de lichtende werveling van de screensaver met zijn eindeloos variërende patronen.

'Ik neem aan dat Emily je wel verteld heeft dat ik naar je heb geïnformeerd. Ze is niet goed in het bewaren van geheimen.'

Nate knikte langzaam. Hij vroeg zich af of hijzelf ook zo was overgekomen op Doug: vrijpostig en angstig tegelijk.

'Het is oké,' zei Nate. 'Het geeft niet.'

'We hoeven niets te doen als je het niet wilt. Daar hengelde ik niet naar. Je leek me gewoon een aardige vent. En ik vind je wel leuk ook.'

Nate bestudeerde de ruggen van de romans in de boekenkast, verbaasd dat zijn benen nog konden trillen na alles wat hij had gedronken.

'Dank je wel,' zei hij, nog een slok nemend. Flikker, dacht hij. Lafaard. Roofdier. Slappeling. Monster. Alleen wist hij niet echt tegen wie de woorden gericht waren. Tegen Alex of tegen hemzelf. Hij wist alleen dat de hoon hem als gif door het bloed stroomde.

En toen hoorde hij de muziek als het ware voor het eerst. Alsof zijn oren dichtgestopt waren geweest en de proppen er nu uit waren. De woorden van de zanger waren nauwelijks te volgen onder de golf geluid, maar de trieste toon was onmiskenbaar, hoorbaar door de donkere orkestrale maalstroom heen, de stem die niets beloofde behalve zichzelf, geen geruststelling of ontsnapping, geen troost of streling, alleen een blijk van een verlangen dat nooit door aanraking alleen kon worden gestild, met een weerklank die zoveel dieper in het verleden reikte dan aanraking ooit zou kunnen en zoveel verder in de toekomst, die de hunkerende geest uit zijn schuilplaats riep, althans voor een ogenblik. En toen zag Nate voor zijn geestesoog de gedaante van zijn vaders lijk op de vloer voor zich liggen, zijn verwurgde hoofd naar een kant vallend, zijn hals blauw van oor tot oor, die arme, lieve man. En daar naast hem lag mevrouw Graves, in haar flanellen rok en vest, haar grijze haar over haar oren geborsteld en haar ogen gesloten, beiden zwevend in de onderwereld tussen de levenden en de vergeten doden. 'Mag ik je iets vragen?'

'Tuurlijk,' zei Alex.

'Zullen we zoenen?'

Alex knikte. En op dat moment stond Nate op en met een stap door de schimmen aan zijn voeten overbrugde hij de afstand tussen hen.

# Hoofdstuk 21

's Avonds keek Doug vanaf het balkon van zijn hotel naar de Jaguars en Porsches die af en aan reden op de Arabian Gulf Road. Met schallende popmuziek passeerden ze de pantserwagens die de laatste tijd op de kruisingen in heel Koeweit Stad waren verschenen. Volgens de conciërge hadden de Amerikaanse scholen een onvoorziene vakantie van zes weken aangekondigd en de expats die daar niet waren voor de oorlog, vertrokken bij honderden tegelijk met hun kinderen. Maar 's avonds picknickten de Koeweitse gezinnen nog steeds op het gras langs de promenade, genietend van de milde winterlucht en het panorama van de glanzende torenflats langs het waterfront, hun vuilnis op de grond achterlatend voor de gemeentewerkers: de Filippijnen en Pakistani, die langsreden in hun minibusjes en groene overalls om de verkreukelde plastic tassen, dadelverpakkingen en lege blikjes fris op te prikken, die kantelden en rolden in de wind.

Als Doug niet kon slapen, ging hij wat wandelen in de stad, waarvan de inwoners de hele nacht leken op te blijven om te winkelen in de vierentwintiguurssupermarkten. Onder hen waren ook Amerikaanse zeelieden, van de marinebasis gekomen voor hun nuchtere avondjes uit in de stad. Hij deed zijn best die te ontwijken, al wist hij dat de kans om hier ontdekt te worden klein was. In het begin was hij voorzichtig geweest en hoorde hij andere hotelgasten uit over bedrijven die mensen zochten, met het idee dat hij de firma's die direct voor het ministerie van Buitenlandse Zaken werkten moest vermijden. Maar al snel besefte hij hoezeer de behoefte aan mensen het aanbod overtrof en hoeveel van de mannen hier zelf ook niet echt wilden dat iemand veel te weten kwam over hun verleden. Als je Amerikaan was en een bedrijf wilde je hebben, werd het antecedentenonderzoek vaak overgeslagen, voor het geval het nadelig zou uitvallen.

Door de straten met laagbouwappartementen bereikte hij de Al Taawun Street, vanwaar hij over de vakantieoorden en privécompounds heen kon uitkijken naar de kust en de lichten van de vaartuigjes en politieboten die zich vermengden met de verder verwijderde lichtsignalen van tankers die zuidwaarts voeren met hun Amerikaanse escortes op weg naar de Straat van Hormoez.

Hij had zijn hele leven lang nog nooit zoveel vrije tijd gehad; dat niksen was een gevaar voor hem. In de hotelkamer voelde hij zich opgesloten, maar als hij ging wandelen viel er niets te doen dan nadenken. Bij het zien van de jonge zeelieden in hun witte tenue die zich in groepen over de stoepen bewogen moest hij denken aan de tijd dat hij was vertrokken om bij de marine te gaan en hoe hij zijn toekomst toen zag.

Hij was in de forensentrein naar Boston gereisd, met zijn koffer en plunjezak, en de onderkomen hal van het South Station overgestoken om op een Greyhound te stappen die er bijna twee volle dagen over deed om hem naar de Great Lakes Marinebasis te brengen, daar aan de westkust van het Lake Michigan.

Tijdens de reis had Doug in het holst van de nacht, terwijl de andere passagiers zaten te soezen, zijn walkman opgezet en gekeken naar de aan de koplampen voorbijtrekkende hekken langs de verkeersweg, de vlakten van Ohio en daarna Indiana, die zich in alle richtingen uitstrekten, het boerenland verdeeld in het ene na het andere veld van veertig acre, een landschap zo donker en leeg als zijn Oostkust-ogen nog nooit hadden aanschouwd. Met de borden voor Gary en Chicago verschenen de lichten, en al snel waren de straten helder verlicht door lampen boven de lege parkeerterreinen en de opslagplaatsen van een blok lang. Terwijl de bus over geplaveide diepten van tunnels en lege bovengrondse wegen hobbelde, ontvouwde zich een panorama van licht waarbij vergeleken het industrieterrein in Alden niet veel meer was dan een kaarsvlammetje: hectare na hectare van olietanks en cilinders verbonden door massa's balken en pijpen in alle richtingen, met rook die boven en onder in de stalen wirwar uit kleppen spoot, verlicht door duizenden kale gele peertjes langs ladders en loopbruggen, en boven dit uitgestrekte bedrijf een gigantische oranje vlam die van de top van een stalen schacht oplaaide als een tempelvuur dat tegen de lichtgele lucht golfde.

Voor die reis had hij nooit meer dan één nacht buitenshuis geslapen. Hij had getekend voor de marine zonder ooit ook maar een voet aan boord van een schip gezet te hebben. Tijdens zijn eerste dag op een opleidingsschip moest hij steeds denken aan de film die hij als kind op de televisie had gezien, over het tot zinken brengen van de Bismarck, en aan de zeelieden die de opdracht hadden om, als een schip werd aangevallen en water begon te maken, de afzonderlijke ruimen die onder water liepen waterdicht af te sluiten, samen met de mannen die daar opgesloten zaten. Toen op het meer de schuimkoppen opstaken en de boot begon te slingeren, werd hij zo zenuwachtig dat hij dacht dat hij misselijk werd. Maar op dat moment moest de jongen naast hem overgeven. Doug zag gefascineerd de minachting in de ogen van de opleidingsofficier, toen die het joch een borstel en een emmer gaf en hem opdroeg te schrobben. Zich vasthoudend aan de reling hadden de anderen toegekeken hoe hun mederekruut zich op zijn handen en knieën liet zakken en zijn eigen kots die in banen over het dek liep wegveegde.

Toen had hij gezien dat angst een kwestie van evenwicht was. Zolang hij meer angst zag op de gezichten om hem heen dan hijzelf liet blijken – dat wil zeggen, zolang hij zelfvertrouwen had – zou hij meer dan overleven. Hij zou er wel bij varen. Althans dat stelde hij zich voor.

Koeweitse burgers werden niet langer toegelaten in het noordelijke deel van het land. Alleen de boeren en hun buitenlandse arbeiders mochten blijven. Naar verluidde was de hoofdweg die naar de grens voerde verstopt met Amerikaanse konvooien. Het zou nu niet lang meer duren, zeiden de mensen. Overdag hield de regering oefeningen voor mogelijke Scudaanvallen, en 's avond gingen in het restaurant van het hotel verhalen over vertrekkend personeel van de VN en civiele aannemers die voor bescherming naar de Amerikaanse basis trokken.

Eindelijk ontving Doug het telefoontje van zijn nieuwe werkgever